Miłośnica

MARIA NUROWSKA

autorka powieści i dramatów. Wydała ponad dwadzieścia książek, w ostatnich latach m.in. *Listy miłości* (1991), *Rosyjskiego kochanka* (1996), *Niemiecki taniec* (2000), opowieść o Ryszardzie Kuklińskim *Mój przyjaciel zdrajca* (2004), trylogię ukraińską: *Imię twoje...* (2003), *Powrót do Lwowa* (2005), *Dwie miłości* (2006), wspomnienia *Księżyc nad Zakopanem* (2006), opowieść biograficzną *Anders* (2008). Książki Marii Nurowskiej zostały przetłumaczone na dwanaście języków, w tym chiński i koreański. We Francji i w Niemczech były bestsellerami. W roku 2009 nakładem W.A.B. ukaże się nowa powieść autorki.

MARIA NUROWSKA

Miłośnica

W.A.B.

Elle avait du chien – mówią Francuzi. Ktoś powiedział: „Wabiła jak suka...". Pewnie dlatego kobiety jej nie lubiły. Mężczyzn intrygowała, lgnęli do niej, czuła się jednak przy nich samotna. Czuła się samotna przy mężczyznach, przy kobietach, ze wszystkimi. Często słychać było jej śmiech. Nie słychać było jej słów. Dlaczego?... Tak mogłaby się zaczynać powieść o Krystynie Skarbek, gdybym zdecydowała się ją napisać...

A właściwie, czy nie jest to już postanowione? Czy w głębi duszy nie podjęłam takiej decyzji?

Wszystko zaczęło się wczesną wiosną 1982 roku, w apogeum stanu wojennego w Polsce. Kim byłam wtedy? Dziennikarką, którą właśnie wyrzucono z pracy za poglądy polityczne. Nagle miałam bardzo dużo wolnego czasu. Spełniło się moje marzenie, nigdzie nie musiałam się śpieszyć, telefon odzywał się rzadko. Ale to w mojej sytuacji okazało się najgorsze. Popadłam w apatię. Godzinami leżałam na łóżku i wpatrywałam się w sufit. Nie byłam zdolna do żadnego działania. Moi koledzy po fachu bawili się w konspirację, w której sens powątpiewałam. Wydawany przez nich „Biuletyn

Informacyjny" kojarzył mi się z Powstaniem Warszawskim i powtórzenie tytułu mimo wszystko wydawało mi
się nadużyciem.

Sytuację zmienił jeden telefon. Znany literat
Piotr W. zaproponował mi pracę. Zbieranie materiałów
do książki o pewnej kobiecie.

– To się wiąże z wyjazdem do Londynu, ale paszport pani załatwię – usłyszałam.

– A co to za kobieta?

– Angielski szpieg.

Pomyślałam, że żartuje. Ale zaraz potem padło nazwisko Krystyny. I tak oto ta niezwykła postać pojawiła
się w moim życiu. Aby mnie ratować. Jak ratowała
w przeszłości tych wspaniałych mężczyzn. Lecz tamtego dnia, w czasie pierwszej rozmowy z Piotrem W.,
który zamierzał napisać książkę o Krystynie Skarbek,
jeszcze o tym nie wiedziałam.

Honorarium, które mi zaproponował, było nie do
pogardzenia, tyle że jego osoba budziła wątpliwości.
Co prawda nie opowiedział się oficjalnie za stanem
wojennym, nie podpierał swoim nazwiskiem „junty",
ale z władzami najwyraźniej żył w przyjaźni. Już samo to, że mógł załatwić paszport osobie podejrzanej
politycznie...

– Bohaterska Polka doceniona przez Zachód i zupełnie pominięta przez swoich... Otrzymała najwyższe
odznaczenia francuskie i angielskie, z polskich ani jednego, nawet zwykłego Krzyża Walecznych, chociażby
bez okucia...

Chce o niej pisać – przeszło mi przez głowę – bo
wartości patriotyczne są teraz na czasie.

– Dlaczego zwraca się pan właśnie do mnie? – zapytałam.

– Bo jestem o pani jak najlepszego zdania. Przykro mi, że tak panią potraktowano, ale dla naszej sprawy to raczej pomyślne. W innej sytuacji nie przyjęłaby pani mojej propozycji.

– Nie wiem, czy przyjmę ją teraz.

– Namawiałbym panią. Ta kobieta jest tego warta.

To, co usłyszałam, przesądzało sprawę. Postanowiłam dowiedzieć się, czy Krystyna Skarbek *vel* Christine Granville naprawdę jest tego warta.

Piotr W. dał mi dwa polskie adresy, jej kuzynki oraz Włodzimierza Ledóchowskiego, byłego ziemianina i dyplomaty, o którym powiedział tak:

– To autentyczny hrabia, proszę pani, ale niezwykle bezpośredni i uczynny z niego człowiek. Z Krystyną Skarbek zetknął się w Budapeszcie.

Postanowiłam zacząć od kobiety. Starsza pani przyjęła mnie w dziwnym stroju i w jeszcze dziwniejszym uczesaniu: góra ufryzowanych loczków przykryta czymś, co miało udawać mantylkę, a przypominało robioną na szydełku serwetkę, której róg zachodził aż na czoło. Na rękach miała niciane rękawiczki bez palców.

– Krystyna – powiedziała słabiutkim, trzęsącym się głosem – to była bardzo piękna dziewczyna, ale zmarnowała się. Nie wyszła dobrze za mąż... Jej ojciec popełnił mezalians, o tym się pamięta... nawet gdyby miała posag... a Krystyna i posagu nie miała. Jej rodzice wszystko przetracili... Proszę pani, jak ona się nosiła ta jej matka, Stefania z domu Goldfeder...

– Matka pani Krystyny była Żydówką?

– O tak, nie da się ukryć, a zgrywała hrabinę na całego. Proszę sobie wyobrazić, że kupowała futra i kreacje u Paula Poiret na rue Auber, używała tylko perfum Guerlaina, woda toaletowa od Lubina. Biżuterię projektował dla niej słynny Bulgari w Rzymie... dla Jerzego też sprowadzano kosmetyki, na przykład specjalny tonik do włosów aż z Wiednia... A te ich podróże zagraniczne, zabierali ze sobą tabuny służby. Czy to się mogło dobrze skończyć?

Nie musiałam pytać, czyją krewną była starsza pani, matki czy ojca Krystyny, było to oczywiste. Swoją drogą, co za pamięć do szczegółów.

– A Jerzy, cóż... piękny był mężczyzna, ale trzeba powiedzieć, kobieciarz... nie miała Stefania z nim łatwego życia...

Staruszka spojrzała na mnie jasnoniebieskimi, czystymi jak u dziecka oczami, ale gdzieś na dnie tliła się w nich iskierka chytrości.

– Może czegoś się pani napije? Kawki? Herbatki?

– Dziękuję bardzo, proszę się nie fatygować, piłam kawę przed wyjściem – odpowiedziałam szybko, obawiając się, że starsza pani naprawdę mnie czymś poczęstuje, a nie wiem, czy zdołałabym przełknąć chociaż łyk. Mieszkanie czuć było starością i brudem. Do tego ze cztery koty wylegiwały się na krzesłach i kanapie. – A czy ma pani może jakieś listy od pani Krystyny albo jej bliskich?

Moja rozmówczyni pokręciła głową.

– Może gdzieś były, ale zagubiły się... zachował się tylko program teatralny... Krystyna była z ojcem w operze i nawet nocowali u nas. Ona miała wtedy chyba ze szesnaście lat. Teatr Wielki wystawiał *Carmen*. W głównej roli występowała gościnnie włoska śpiewaczka, już nie pamiętam jej nazwiska, ale to było wydarzenie, którego mój stryj oczywiście nie mógł przepuścić... A jak on, to i Krystyna, byli nierozłączni.

Wzięłam do ręki pożółkły kawałek kartonu. Carmen... Toreador... W rogu zauważyłam odręczny dopisek: ,,Miłość? To krew, zawsze krew...''.

– Kto to mógł napisać? – spytałam staruszkę.

– Chyba Krystyna... to był jej program... Ona zawsze coś bazgrała, na szybie, na krawędzi stołu. Pamiętam, jak byliśmy z rodzicami na letnisku w Trzepnicy... wszyscy wracaliśmy z grzybów, ja znalazłam trzy piękne rydze. I ona w jakiejś chwili przykucnęła i nagryzmoliła patykiem na ścieżce: ,,Ja na ciebie czekam''. Zaciekawiło mnie, na kogo ona tak czeka, więc ją spytałam, ale Krystyna uśmiechnęła się i powiedziała tylko: ,,Tego kogoś jeszcze nie znam''. Zawsze była trochę dziwna...

– A jakieś inne pamiątki?

Staruszka zastanowiła się.

– Jest jeszcze album ze zdjęciami... jak gestapo zabrało Stefanię i likwidowało się mieszkanie na Rozbrat, wiele rzeczy trafiło do nas. Myśleliśmy, że Krystyna albo jej brat po wojnie się o nie upomną, ale nigdy się nie upomnieli..

– Mogłabym obejrzeć ten album?

Staruszka wyjęła z kredensu album oprawiony w zniszczoną ciemnowiśniową skórę. Z dziwnym uczuciem brałam go do ręki. Za chwilę miałam zobaczyć twarz swojej bohaterki... Otworzyłam go na pierwszej stronie i natknęłam się na pożółkły wycinek z gazety. Był to „Goniec Warszawski" z 12 grudnia 1898 roku.

Dziś w kościele Św. Krzyża odbyła się ceremonja ślubna hr. Jerzego Skarbka z panną Stefanją Goldfeder. Błogosławieństwa nowożeńcom udzielił ks. kanonik Wesołowski. Pannę młodą prowadził do ołtarza jej ojciec, znany i poważany powszechnie bankier warszawski, p. Teofil Goldfeder.

Krewna Krystyny, która wciąż stała obok mnie, zajrzała mi przez ramię.
– A... czyta pani to zawiadomienie o ślubie... Ale rozgłosu temu mariażowi raczej nie nadano...

Podobną opinię odnalazłam dużo później w notatkach pana L., tak nazywałam w myślach Włodzimierza Ledóchowskiego, mojego następnego rozmówcę, którego pomoc okazała się dla mnie bezcenna. Przez długi czas prowadził mnie jak zagubione dziecko za rękę, bo dla mnie to wszystko było takie zagmatwane; nie mogłam rozszyfrować tej kobiety, nie mogłam zrozumieć, dlaczego własne życie miało dla niej tak niewielką wartość, zupełnie jakby jej brakowało instynktu samozachowawczego.
– Coś pani poradzę – powiedział pan L. – niech pani nawet nie próbuje starać się jej zrozumieć.
Patrzyłam na niego zaskoczona.
– Więc z czego mam zbudować postać? Fakty, które zgromadziłam, po prostu nie trzymają się kupy. Ciągle błąka mi się po głowie pytanie: ale dlaczego...

– Bo tak, pani Ewo – odparł z uśmiechem – bo taka była.

Ich znajomość nie trwała długo, śledził jednak jej dalsze losy, a po jej śmierci starał się zanotować wiele znanych mu zdarzeń, by nie uległy zapomnieniu. Kiedyś myślał o napisaniu książki biograficznej o Krystynie Skarbek, ale natrafiwszy na trudności nie do pokonania, zarzucił ten pomysł. Więc żadne fragmenty jego wspomnień nigdy nie zostały opublikowane. Jak ten o weselu jej rodziców. Szkoda, bo czuje się świetne pióro...

Goście weselni ze strony pana młodego tak skomentowali ów mariaż. Nie miał właściwie Skarbek wyboru. Całe życie był jak bąbel na wodzie, niby gospodarował, a naprawdę to włóczył się po Warszawie, pił na umór i grał w karty o wysokie stawki, i co gorzej, bo *noblesse oblige*, proszę panów, zgrywał się w kasynach z oficerami rosyjskimi. Zaglądał także za kulisy teatralne i widziano go nieraz rozpartego w dorożce w Alejach u boku ,,tych pań", żadnych Sarah Bernhardt albo Modrzejewskich, ale zwyczajnych dziwek z tingel-tanglów i cafeszantanów. W czasie ostatniego karnawału zniknął z Warszawy i chodziły słuchy, że swoje mecenasostwo podkasanej Muzy przeniósł z Alej do Bois de Boulogne, a to – mogą sobie panowie wyobrazić – znacznie drożej kosztuje. Na dobitkę – bodaj czy książę Kiki tego nie opowiadał – spotkał go on w kasynie w Monte Carlo, i to z kim? Zgadnijcie... z tą podstarzałą aktorką – *son nom m'échappe* – którą Esterhazy, no wiecie, ten z procesu Dreyfusa, puścił kantem dla jakiejś węgierskiej awanturnicy... W rezultacie, kiedy nasz Jurek wrócił do Warszawy, to podobno od jakiegoś Żydka na dworcu pożyczył pieniędzy, bo nie miał na dorożkę...

Pan L. mógłby pominąć te szczegóły, bo właściwie obojętne, w jaki sposób Skarbek stracił pieniądze, gdyby nie przypadkowe potwierdzenie montecarlowskiej wersji przez jego córkę.

To było w Budapeszcie, pan L. zabrał Krystynę na film, którego tytułu już nie pamiętał. Ale treść zachował w pamięci do dziś. Rzecz się działa w kasynie gry, gdzie pojawił się bohater z jakiegoś bliżej nieokreślonego kraju. Początkowo nie siadał do stołu, krążył po salach, czynił obserwacje, chcąc opracować własny system. Posługiwał się rachunkiem prawdopodobieństwa i udało mu się. Korzystając z karteczki, wygrywał stawkę po stawce, przed nim piętrzyły się góry żetonów. Do momentu, aż zafascynowany dłonią siedzącej obok kobiety, zarzucił system. Ta dłoń pełzła po zielonym suknie niczym jadowity pająk. Obraz ręki był tak fascynujący, że widz miał pełne zrozumienie dla bohatera, który podwajał stawki pod dyktando wibrującej kobiecej dłoni. Potem nastąpiła katastrofa...

Kiedy po wyjściu z kina usiedli w kawiarni, Krystyna Skarbek w pewnej chwili położyła rękę na blacie stolika i nieoczekiwanie powiedziała:

– Tak było z moim ojcem za jego kawalerskich czasów... Zawdzięczasz temu zdarzeniu, że jestem taka, jaka jestem, a nie inna...

Schowała pod stół swoją nerwową dłoń, chociaż nie była wcale podobna do tamtej drapieżnej i niszczycielskiej.

– Wtedy nie potrafiłem tego zrozumieć, dzisiaj tak to opisałem. – Starszy pan włożył okulary. – Chciała powiedzieć, że istnienie swe zawdzięcza ślepemu przypadkowi, choć zapewne nie zdawała sobie sprawy, że o jej genetycznej strukturze zadecydowała inna ruletka, mianowicie ta, którą jej rodzice przez długie lata ustawiali co noc na prześcieradłach łożnicy, zanim ją poczęli. W tej drugiej rulecie – odwrotnie niż w pierwszej – Krystyna wygrała *en plein* na numer noszący nazwę: rysy aryjskie, podczas gdy jej brat sromotnie przegrał, za co miał później zapłacić w epoce, gdy już nie dowcipami, ale życiem się płaciło...

Zdjął okulary i spojrzał na mnie.

– Otóż to, od tego powinna pani zacząć swoje poszukiwania... jak ona się czuła w roli pół hrabianki, pół Żydówki, w tamtych czasach to było niemal jak skrzyżowanie jamnika z chartem...

Rozmawialiśmy w jego domu w Podkowie Leśnej. Pojechałam tam taksówką, aby nie tracić czasu, ale to też było wliczone w koszta. Moje tropienie losów Krystyny należałoby podzielić na dwa etapy: pierwszy, kiedy zbierałam materiały o niej na zamówienie Piotra W., i drugi, kiedy robiłam to już na własne konto, i wtedy wybierając się do Podkowy Leśnej nie brałam taksówki, bo nie byłoby mnie na nią stać. Jeździłam pociągiem podmiejskim.

Jadąc tam po raz pierwszy, wiedziałam już trochę o osobie, której miałam poświęcić, o czym wtedy nie wiedziałam, siedem kolejnych lat swojego życia. A były to lata pomiędzy trzydziestką a czterdziestką, podobno najlepsze w życiu kobiety. Sądzi się, że kobiety są wtedy bardziej świadome swojej kobiecości, a dość jeszcze młode, by umieć z niej korzystać. Ja z pewnością nie umiałam, nie obchodziło mnie zbytnio, czy jestem ładna. Ktoś mógłby stwierdzić, że i owszem, mogę się podobać, ktoś inny mógłby zaprzeczyć. Mąż, jedyny jak dotąd mój życiowy partner, czasami nazywał mnie „piegusem" z racji piegów na nosie, a czasami „wiewiórką", bo miałam lekko rudawy odcień włosów, które obcinałam krótko, nie zastanawiając się, czy jest mi z tym do twarzy; ważne było, by móc je w razie czego szybko wysuszyć. Bo zawsze tak się działo, że jak tylko wchodziłam pod prysznic, wzywano mnie pilnie do redakcji. „Łap taksówkę – wrzeszczał do słuchawki Marek S., nasz sekretarz – naczelny na ciebie czeka. Ma dla ciebie materiał". Więc szybko się ubierałam i łapałam tę taksówkę. Oczywiście dopóki naczelny nie podpisał świstka o moim natychmiastowym zwolnieniu. Potem były długie tygodnie załamania, zupełnej beznadziei – aż do dnia, kiedy nagle wszystko się odmieniło. I jeżeli przeżyłam ten późniejszy czas tak intensywnie, nie mając poczucia, iż coś mi ucieka, iż coś tracę, zawdzięczam to tylko Krystynie. Dzięki niej przetrwałam puste zawodowo lata stanu wojennego, puste też w sensie osobistym, przynajmniej przez jakiś czas, lecz także i tutaj osoba Krystyny odegrała pewną rolę... Nie wiem, kim byłabym dzisiaj, czy potrafiłabym się pozbierać po tak długim okresie bezczynności. Mogę jedynie powiedzieć, że Krystyna Skarbek doholowała mnie bezpiecznie do drugiego brzegu, który w styczniu 1982 roku wydawał się nieosiągalny.

Od pierwszej chwili mnie zafascynowała, chociaż jej los wydawał się nieprawdopodobny, jakby zaczerpnięty z podrzędnej literatury... W albumie, który przez chwilę miałam w rękach, widniało jej zdjęcie jako uczestniczki konkursu piękności. Przedstawiało ją w kostiumie kąpielowym na wybiegu. Była proporcjonalnie zbudowana, chociaż może zbyt filigranowa do takiej konkurencji, biorąc pod uwagę współczesne wymagania. Chyba wtedy nie wygrała. Zdobyła za to tytuł Miss Nart w Zakopanem, więc jednak postawiła na swoim. Miała miły wygląd, na każdej fotografii widziałam ją uśmiechniętą. Trójkątna twarz, nieduży, prosty nos i oczy ustawione ukośnie, o przepięknych powiekach w kształcie migdałów. Lekko je mrużyła. Mogłabym ją porównać do Bette Davies, tyle że tamta miała w sobie coś demonicznego, a uroda Krystyny Skarbek emanowała łagodnością. Jako kilkunastoletnia dziewczyna sfotografowała się ze swoją klaczą: trzymając ją oburącz za szyję i przytulając policzek do jej łba, wyglądała na bardzo szczęśliwą. Ale to były zdjęcia przedwojenne. Nie wiadomo, jak wyglądała później. Jako szpieg...

Pan L. czekał na mnie na ganku starej willi stojącej pośrodku zapuszczonego ogrodu. Był to starszy już mężczyzna o rasowej twarzy i nienagannych manierach, jakżeby inaczej. Weszliśmy do jego gabinetu, skąd roztaczał się widok na zdziczałe jabłonie. Widząc moje spojrzenie, uśmiechnął się lekko:

– Odpowiednia sceneria do wywoływania duchów. Ja sam czuję się jak duch...

– Dlaczego zdecydował się pan na powrót po tylu latach? – spytałam.

Przeczesał dłonią włosy. Później odnotowałam, że czynił to zawsze, kiedy miał trudności z odpowiedzią.

– Zdecydowałem się już w 1956 roku – zaczął – kiedy Polska choć trochę przypominała Polskę. Tylko... daleko było do niej. Wiele lat z rodziną spędziłem w Republice Południowej Afryki... ale jak tylko z powrotem znaleźliśmy się w Anglii, zacząłem szykować się w dalszą podróż. Wróciłem sam. Żona i syn pozostali w Londynie.

Pokiwałam ze zrozumieniem głową.

– Jak znalazł się pan w Afryce?

O nim też już trochę wiedziałam. Jego pradziadek Ignacy Ledóchowski bronił twierdzy modlińskiej w czasie powstania 1830 roku, ojciec zaś, z kolei generał Wojsk Polskich, jako sędziwy już człowiek wziął udział w uroczystej mszy polowej zorganizowanej przez leśny oddział Armii Krajowej w roku 1944. Stawił się w pełnej gali, w mundurze, z przypiętymi orderami. Zaraz potem został aresztowany, ktoś na niego doniósł, zginął w Oświęcimiu. Stryj pana L. też był generałem, tyle że w zakonie jezuitów, obie zaś siostry ojca nie dość, że zostały zakonnicami, to jeszcze każda z nich stworzyła nowy zakon. Jedna z sióstr, Matka Maria Teresa, została beatyfikowana, a więc uznana za świętą. Sądziłam, że pan L. pochodzący z takiej rodziny też okaże się człowiekiem o mniszej naturze, lecz jego sposób bycia temu przeczył, wskazując na wszechstronne życiowe doświadczenie.

– Byłem jednym z pierwszych kurierów na trasie Warszawa–Budapeszt, potem Palestyna i Afryka... moja pierwsza Afryka z Brygadą Strzelców Karpackich...

– Krystynę Skarbek spotkał pan w Budapeszcie czy jeszcze w Polsce? – weszłam mu w słowo.

Spojrzał na mnie badawczo.

– Krystynę? – w jakiś szczególny sposób wymówił jej imię.

Oni nie tylko razem działali w konspiracji – przebiegło mi przez głowę – oni się kochali. On w każdym razie kochał ją na pewno.

– Przyszła tu pani z jej powodu?

Potakuję w milczeniu.

– Krystyna ... – twarz mojego rozmówcy się zmienia. – A co chciałaby pani o niej wiedzieć?

– Wszystko.

Pan L. spogląda na mnie tak, jakbym powiedziała coś niestosownego.

– Nikt nie wiedział, jaka była naprawdę, i już się nie dowie. Świadkowie odchodzą, ale oni znali jedynie fakty, fakty zaś mówią tylko połowę.

– A pan?

– Ja?

Patrzy mi w oczy.

– To byłaby moja prawda o niej. Ale obiektywna prawda o tej kobiecie nie istnieje. Ona sama też chyba jej do końca nie znała. Nie lubiła faktów zwyczajnych, przemieniała rzeczywistość, udziwniała ją, bo w takiej rzeczywistości lepiej się czuła.

– Dlaczego?

Mężczyzna uśmiecha się z pewną wyższością, jak ktoś, kto ma przewagę, bo wie, o czym mówi.

– Krystyna była jak drzewo, które nie rzuca cienia.

– Ale co to znaczy? – drążę z uporem.

– No... – starszy pan robi nieokreślony ruch ręką – proszę sobie wyobrazić drzewo stojące samotnie pod ostrym słońcem.

– Była samotna? Przecież zawsze otaczali ją ludzie. Mężczyźni...

– Owszem, mężczyźni... ale właśnie ten tłok wokół niej czynił ją samotną...

Wtedy, w czasie naszej pierwszej rozmowy, wydawało mi się to niewiarygodne. Kiedy dowiedziałam się o Krystynie więcej, przyznałam swojemu rozmówcy rację.

– Pan ją kochał? – Czułam się skrępowana, zadając to pytanie, ale musiałam je zadać.

– Nie potrafię na to odpowiedzieć – usłyszałam.

– Ale byliście kochankami?

– Tak, byliśmy kochankami. Wtedy w Budapeszcie szalałem z zazdrości, wystawałem pod jej oknem...

– Więc jednak ją pan kochał?

– Nie wiem – pada odpowiedź pełna wahania.

Dlaczego go o to wypytuję? Przecież nie zbieram materiałów do romansu, ale do książki biograficznej. Powinnam odtworzyć ich wspólną wędrówkę na trasie Budapeszt–Kraków, tego się ode mnie oczekuje. Stany duszy mojego rozmówcy nie powinny nikogo obchodzić. Dowodem na to jest mój notes, w którym nie zapisałam ani jednego zdania.

– Czy była piękna?

– Kiedy ją poznałem, jej uroda jakby przygasła. Jako bardzo młoda dziewczyna musiała być prześliczna...

Patrzę na niego ze zdumieniem.

– Przecież była młoda, kiedy się poznaliście.

– Zna pani jej wiek z oficjalnych źródeł. Korzystając ze zmiany tożsamości z Krystyny Skarbek na Christine Granville, ujęła sobie sześć lat.

– Więc w chwili śmierci miała nie trzydzieści siedem, a czterdzieści trzy lata?

– Na to wygląda.

– Ale dlaczego miałaby się odmładzać?

Pan L. się uśmiecha.

– Nie byłaby prawdziwą kobietą, gdyby tego nie zrobiła.

Pijemy herbatę, którą gosposia wniosła na dużej tacy. Stoją na niej filiżanki i srebrna cukiernica, taka szkatułka na pokracznych łapach. Herbata w starej porcelanie ma szczególny smak.

– Dotarłam do ciotki pani Krystyny – mówię, kiedy milczenie się przedłuża. – Pokazała mi album ze zdjęciami rodziny Skarbków, był tam wycinek z „Gońca Warszawskiego" zawiadamiający o ślubie rodziców pani Krystyny. Jej krewna skomentowała to dość kwaśno.

– Nie ona jedna... Nie można się jednak dziwić. Goście weselni to byli członkowie tego klubu, co przez blisko tysiąc lat okupował scenę, odgrywając na niej dramat swego narodu. Podkreślano to w toastach... *Gesta skarbkorum*, ze Skarbkami, wąsaczami w zbrojach, w jedwabiach, w sobolowych deliach, w rolach głównych, i niewiastami w czepkach, zawojach, mniszych habitach i turniurach – w pomocniczych rolach Matek-Polek... A o Goldfederach ani słowa...

Po przyjęciu ślubnym członkowie klubu i finansjera rozeszli się każdy w swoją stronę. Jednym słowem, był to towarzyski skandal. I niektórzy łatwiej by wybaczyli panu Jerzemu przetracenie fortuny niż ten mariaż.

– Krystyna dosyć szybko się zorientowała, że nie jest dzieckiem miłości. Chodziło o milion rubli w złocie. *Redorer le blason* – tak to nazywano...

Podeszłam do okna, zastanawiając się, o co jeszcze powinnam zapytać. Stałam odwrócona plecami do gospodarza.

– Więc ktoś znowu chce pisać o Krystynie – usłyszałam jego głos. – Nie było moją ambicją napisanie o niej książki, ale kiedy dotarła do mnie wiadomość o jej tragicznej śmierci, podobna myśl powstała mi w głowie... Jednakowoż istniało takie sprzysiężenie związane danym sobie słowem o nieudostępnianiu materiałów nikomu, kto nie zgodziłby się potem na autoryzację tekstu.

Wróciłam na dawne miejsce w fotelu, naprzeciw pana L. Oddzielał nas tylko mały stolik.

– Kto ten tekst miałby autoryzować?

– No... oni... klub!

– Znowu klub!

Pan L. przeczesuje palcami włosy.

– Tak, tak, klub ocalonych przez nią. I to bez żadnej przesady. Wielu osobom uratowała życie, mnie zresztą też. Gdyby nie ona, nie rozmawiałbym tu teraz z panią.

– I wszyscy, jak pan, byli jej kochankami? – Nasze oczy spotykają się. – Przepraszam – bąkam.

Starszy pan kiwa na to głową.

– Starałem się obejść bez nich, ale przecież materiał dokumentarny właściwie nie istniał. No... istniał, ale w przepastnych archiwach Military Inteligence i Special Operations Executive. Mają tam pewnie raporty Krystyny, opinie jej przełożonych, ale nie ma do tego dostępu... Pozostają tylko ustne relacje. A jak już pani powiedziałem, klub nabrał wody w usta. Chciał wymusić hagiograficzny obraz tej kobiety, uśmiercając ją po raz drugi...

– Panu to nie odpowiadało?

– Nie, chciałem ją pokazać taką, jaka była. – Wskazuje moją filiżankę: – Herbata pani wystygnie...

Posłusznie unoszę filiżankę do ust. Herbata jest trochę za słodka. Zwykle nie dodaję do niej cukru, ale zrobiłam to odruchowo, gdy pan L. podsunął mi cukiernicę. Czułam się niezbyt pewnie w jego towarzystwie, mimo że był taki uprzejmy. A może właśnie dlatego. Jego uprzejmość nadawała dość oficjalny ton naszej rozmowie, a ja chciałam zadawać mu pytania coraz bardziej osobiste.

– Do czego był jej potrzebny seks?

Zastanawiał się długo, ale nie wyglądał na szczególnie poruszonego moim pytaniem.

– Wtedy... był chyba ucieczką... – Po chwili dodał: – Do końca był ucieczką...

– Przed czym?

– Wydaje mi się, że ona bała się żyć naprawdę.

Znowu się namyślał, widziałam, że szuka słów.

– Los jej rodziny, matki, brata... bała się planów na przyszłość, żyła gorączkowo, żyła chwilą... Powiedziałbym, że w jej życiu istniał tylko czas teraźniejszy... aż do tamtego czerwcowego dnia...

Może gdyby nie spotkanie z panem L., mój stosunek do Krystyny byłby inny, mniej osobisty. Wertując stare roczniki gazet i pożółkłe dokumenty, mozolnie odtwarzałabym jej życiorys, fakt po fakcie, to wszystko. Teraz szukałam do niej drogi, chciałam znaleźć się jak najbliżej jej życia. Chyba z tego powodu zaplanowałam podróż do Trzepnicy położonej niedaleko Piotrkowa. Z pewnością była to z mojej strony nadgorliwość, bo zleceniodawca nie wymagał ode mnie szczegółowego opisu krajobrazów dzieciństwa Krystyny Skarbek, ale ja czułam, że powinnam tam pojechać.

Dwór trzepnicki widziałam już na zdjęciach, nie wyglądał zbyt okazale. Łamany gontowy dach, a w nim po dwie lukarny z obu stron ganku wspartego na kolumnach. Przed domem zajazd z klombem, na którym od wiosny do jesieni kwitły róże. Z prawej strony ganku wysokie drzewo, jesion niebezpiecznie rozpościerający gałęzie ponad dachem. Skoro go nie wycięto, mogło to tylko świadczyć o szczególnym przywiązaniu doń właścicieli posiadłości. Ciekawiło mnie, czy ten jesion jeszcze tam jest. Był, ale dom właściwie nie istniał. Zamiast dawnego dworu stała teraz ruina pozbawiona dachu, na spękanym murze wisiała tabliczka: ,,Uwaga! Wejście do środka zagraża życiu". Mimo to weszłam i stanęłam w miejscu, gdzie kiedyś była sala jadalna, nieco mroczna, bo gruby pień drzewa za oknem zabierał światło. Wysoko pod powałą wisiały tu niegdyś portrety rodzinne, sczerniałe, ledwo widoczne, ukazujące wąsatych, wysoko podgolonych po staropolsku antenatów rodu Skarbków, który wywodził się od przodka o imieniu Skarbmierz. Podobno w końcu XI wieku u boku króla Bolesława brał udział w wyprawie na Kijów i jak głosiła rodzinna legenda, był potomkiem sławnego krakowskiego rzemieślnika, poskromiciela podwawelskiego smoka. Ów rzemieślnik własnoręcznie spreparował barana, szpikując go siarką, i kiedy potwór w niewiedzy połknął przynętę, w strasznych mękach, ziejąc ogniem z pyska, skonał. Potomkowie dzielnego garbarza i Skarbmierza uprościli sprawę i zaczęli nazywać siebie: Skarbek, dodając dla powagi przydomek: z Góry. Kolejnym słynnym przodkiem Krystyny, o którym należałoby wspomnieć, był pradziad Fryderyk Skarbek, ekonomista i historyk. Podobno on to właśnie trzymał do chrztu małego Chopina, który po nim dostał imię. Matka Chopina, Justyna z Krzyżanowskich, była spowinowacona z rodziną Skarbków, a jej mąż Mikołaj uczył Fryderyka Skarbka gry na fortepianie. Stąd się pewnie wzięły te chrzciny, a pośród zbieraniny mebli w trzepnickim dworze stół inkrustowany różanym drzewem, którego strzeżono jak oka w głowie, bo był niezwykłą pamiątką owej ceremonii. Nie wiadomo, czy dziecię płci męskiej nazwane imieniem Fryderyk na nim leżało, gdy mu polewano główkę święconą wodą, czy też tylko spełniano przy nim toasty za zdrowie maleństwa. Ale stół był historyczny i trzepnickiej służbie zakazano cokolwiek na nim stawiać, nawet wazony z kwiatami.

A teraz nie tylko nie było stołu, ale i sali jadalnej, w której odbywały się huczne biesiady, gdy ojciec Krystyny powracał z kilkutygodniowej wyprawy na wyścigi konne. Trzepnickie konie biegały na torach piotrkowskim i warszawskim i na ten czas ojciec znikał z domu, pojawiając się znienacka w licznym towarzystwie sąsiadów, takich jak on koniarzy. Pani Skarbkowa zwykle wymawiała się nie najlepszym zdrowiem i szła na górę, ale Krystyna asystowała ojcu często do późna w noc, co jej matki wcale nie zachwycało. Może właśnie tu, gdzie teraz jestem, znajdował się kiedyś długi stół z ławami po obu stronach, na którym pan Jerzy stawiał córeczkę, aby recytowała gościom wiersze po francusku...

Dalej nie było po co się przedzierać, bo zamiast salonu i innych pokoi piętrzyły się tylko zwały gruzu. Schody, pozbawione balustrady, prowadziły wprost do nieba, które tego dnia było zachmurzone, co całą tę ruinę czyniło bardziej ponurą.

Opuściłam wnętrze i ruszyłam w stronę parku, ale parku właściwie też nie było... Rozglądałam się z niedowierzaniem, widząc dookoła same pniaki. Aż tak park nie był przecież ogołocony, gdy Skarbkowie sprzedawali Trzepnicę.

– A pani czego tu szuka? – usłyszałam.

Szedł w moją stronę przygarbiony mężczyzna z czapką głęboko nasuniętą na oczy, spod której tuż nad uszami wystawały siwe kłaki. Ubrany był w drelich i gumowe buty.

– Ja...

– To państwowe, tu każden jeden wchodzić nie może – powiedział groźnie.

– A pan kim jest?

– Ja... ja stąd – odrzekł. – A pani?

– Nazywam się Ewa Kondrat, jestem dziennikarką. Zbieram materiały o Krystynie Skarbek.

Spojrzał na mnie nieufnie, miał pobrużdżoną twarz i małe oczka.

– Czy pan ją pamięta?

– No... pewnie. My w jednym wieku... tylko śmigała po polach na kasztance... A moja ciotka to u nich była za kucharkę... mówiła, że hrabiankę do chrztu dawali, a mnie zaraz po niej...

– Który to był rok?

– Aaa... nie pamiętam... Ale moja ciotka toby pamiętała, tylko że już się jej zmarło, zaraz jak z Warszawy się wróciła we wojnę... Nie miała jednej nogi...

– Była ranna?

Pokręcił przecząco głową.

– Nie, to już dawno. Dziadki mieszkali jeszcze we czworakach i nie robili u pana dziedzica... Dzieciów było dziewięcioro rodzeństwa, mój tato najstarszy, a ciotka najmłodsza... No i we żniwa podlazła i jej kosiarka nogę obcięła. I tak skakała potem na jednej jak zastrachany bociek.

Wyjął pomiętą paczkę papierosów i podsunął w moją stronę.

– Pani pąląca?

– Nie, dziękuję. A czy pozwoli mi pan nagrać tę opowieść?

– A czemu nie? – zgodził się od razu.

W domu przesłuchałam taśmę. To była naprawdę ciekawa historia, mówiąca wiele o rodzicach Krystyny.

...No i jak tak było coraz gorzej, to mój dziadek zgodził się do pracy u dziedziców, ale bał się, żeby dziedzice nie przyoczyli ciotki, bo z kaleką toby mogli do czworaków nie przyjąć. No to ona miała przykazane w chałupie siedzieć. A dziedzic znowu miał takiego konia, co jak tylko dziedzic pomyślał, to on już stawał albo i ruszał, naprawdę dziedzic nawet nie musiał nic gadać... Jeden tylko był taki i nikt go nie miał pozwolenia zaprzęgać, tylko dziedzic... A jak pan dziedzic czasem się gdzie napił, to koń sam szedł do domu... I raz jedzie pan dziedzic z panią dziedziczką, a ciotka coś tam marudziła przy drodze. Na ich widok hyc, hyc... do chałupy. No to pani dziedziczka, żeby stanąć, ale pan dziedzic się zamyślił na inny temat i koń szedł dalej. Ale zawrócili. Do chałupy. Gdzie ten dzieciak bez nogi, pytają. Jaki dzieciak, babka i dziadek udają głupich. Ale pani dziedziczka zajrzała do komórki i wyciągnęła ciotkę. I zaraz na dziadków, czego nic nie gadali. A bo się bojaliśmy, co panowie dziedzice nas przegonią...

Nic takiego się jednak nie stało. Wkrótce pani Stefania pojechała z ciotką mojego rozmówcy do Warszawy, do kliniki, gdzie zdjęto miarę na protezę. Jeszcze kilka razy musiały jeździć, zanim proteza była gotowa. A potem, kiedy dziewczynka podrosła i stała się panną, z którą nikt, jako że kaleka, by się we wsi nie ożenił, pani Skarbkowa wzięła ją do kuchni, do pomocy kucharce, którą z czasem Celusia zastąpiła. Kiedy dwór trzeba było sprzedać, poszła za swoją chlebodawczynią, pan Jerzy już wtedy nie żył, do Warszawy.

Wracając z Podkowy Leśnej przeglądałam notatki, które pan L. mi wypożyczył. Pisał tak obrazowo, że czytając opis trzepnickiego parku, niemal miałam go przed oczyma. To dlatego, gdy tam pojechałam, tak mnie zaskoczyła ta pustka dookoła.

Widomym, odczuwalnym przez Krystynę objawem tej długiej agonii był metodyczny wyrąb soliterów w parku trzepnickim – pan L. odnosi to do sytuacji trzepnickiego majątku w latach światowego kryzysu. Ojciec Krystyny powinien był pozbyć się wyścigowych koni, bo ich hodowla przestała się opłacać. Ale nie mógł się na to zdecydować. Ofiarą jego miłości do koni miał się stać trzepnicki park. Rosły w nim dęby, tak grube, że i czterech ludzi by ich nie objęło, jedne w alejach, inne w klombach, inne jeszcze – i te były najpiękniejsze – zupełnie samotne, jak dziki odbite od stada. Tkwiły one w sylwetce parku, rysowały ją na tle zmiennych nieb, raz ostro, gdy zanosiło się na deszcz, niekiedy mgliście, gdy pogoda była ustalona. Niczego w tej sylwetce dodać ani ująć, bo zarys jej, przez nikogo nie planowany, był wynikiem elitarnego, jak w arystokracji, układu społecznego, w którym stare dęby przewodziły innym, pośledniejszym gatunkom...

W czasie pobytu u sióstr w klasztorze Krystyna korespondowała z ojcem, niecierpliwie wyczekując jego listów. Ich głównym tematem był park i konie. „Ten wiąz na kępie – pisał ojciec – co pierwszy czerwienieje na jesieni, wiatr przewrócił. Kazałem ogrodnikowi zasadzić nowy". Albo: „W zeszłą niedzielę mieliśmy straszną burzę, jakiej najstarsi ludzie nie pamiętają. Piorun strzelił w ten wysoki świerk za mostkiem na kanale".

To wszystko miało na celu uspokoić Krystynę: w parku nic się nie dzieje, chyba że za sprawą natury. W rzeczywistości z parku zaczęły znikać jedno po drugim co dorodniejsze drzewa i w końcu prawda dotarła do niej z całą siłą: bankructwo ojca. Do majątku wkroczył komornik, konie poszły na licytację. Potem przyszła kolej na ziemię, którą odsprzedawano chłopom, tnąc ją na kawałki. Nie mogło to już jednak uratować majątku, ze dworu poczęto wynosić meble. Nawet legendarny stół z salonu, inkrustowany różanym drzewem. Na jego miejsce zniesiono inny ze strychu. Ojciec Krystyny nie mógł tej zmiany przeboleć. Podobno miał powiedzieć, że takiego brzydactwa ,,nawet Goldfedery by u siebie nie trzymały". W tym z pozoru niewinnym stwierdzeniu zawierał się cały stosunek pana Jerzego do rodziny żony. Krystyna o nic nie pytała, ale gdzieś w głębi powstało w niej przeświadczenie, że lepiej się do tego pokrewieństwa nie przyznawać, lepiej o nim głośno nie mówić, nie tylko w obecności ojca, lecz przede wszystkim przy obcych. Musiało jej być z tym ciężko, bo bardzo kochała dziadków, których była ulubienicą...

– Czy Krystyna Skarbek rozmawiała z panem o swoim żydowskim pochodzeniu? – spytałam pana L.

– Raczej nie – odparł – ona w ogóle mało mówiła o sobie... Raz tylko, w czasie naszej przeprawy z Węgier do Polski, powiedziała, że jej ojciec świetnie opowiadał dowcipy, także szmoncesy... Wszyscy się zarykiwali, a ona początkowo nie rozumiała dlaczego. W taki sposób, z takim akcentem mówili jej dziadkowie i nikt się z tego nie śmiał...

Początkowo! – pomyślałam, że powinnam to zapamiętać. Ale czy naprawdę powinnam, czy nie nazbyt pochopnie przyjęłam zlecenie, które było wielką niewiadomą? Wciąż miałam poczucie, że stoję u początku drogi, długiej i najeżonej przeciwnościami. Jeszcze silniej uświadomiły mi to potem spotkania z ludźmi, którzy znali Krystynę Skarbek.

Szykowałam się do wyjazdu do Londynu. Otwarta walizka stała pośrodku pokoju, a ja krążyłam wokół niej coraz bardziej niepewna. Miałam przeczucie, że ta podróż może się okazać dla mnie niebezpieczna, a chodziło o to, iż w głębi duszy chyba bałam się konfrontacji z kobietą, o której już tyle wiedziałam. Zupełnie jakby to ona miała na mnie czekać na lotnisku... W gruncie rzeczy byłam życiowym tchórzem, w przeciwieństwie do niej. Oczywiście nie zrobiłabym niczego wbrew własnym przekonaniom, zawsze jednak tchórzyłam przed uczuciami, gotowa wycofać się już na samym początku. I nagle zaczynało mi się wydawać, że Krystyna Skarbek może mieć wpływ na mój los, że może go bezpowrotnie zmienić. Jak? W jaki sposób? Skoro od tylu lat nie żyła...

Lata trzydzieste. Krystyna jest jeszcze Krystyną Skarbek i nie ma nic wspólnego z Christine Granville urodzoną w 1915 roku, przyznaje się więc do swojej prawdziwej daty urodzenia. I jest panną na wydaniu, a ściślej – panną bez posagu. Ta prawda miała do niej dotrzeć któregoś dnia z całym okrucieństwem.

Po śmierci ojca Trzepnica została sprzedana. Większą część tej sumy pochłonęły długi, ledwie starczyło na małe mieszkanie przy ulicy Rozbrat w Warszawie. Rodzina matki już wtedy niewiele mogła pomóc, gdyż nadchodził czas wielkiego kryzysu i padały większe nawet fortuny niż ta Goldfederów. Przyparci do muru, sprzedali bank, potem rezydencję przy ulicy Zielnej. Ukochana wnuczka musiała sobie radzić sama. Przez znajomości dostała posadę w warszawskim salonie FIATA. W dobrze skrojonym kostiumiku siedziała za biurkiem, prezentując nogi opięte modnymi pończochami, a takie pończochy kosztowały niemal połowę jej pensji!

Cóż więc dziwnego, że kiedy któregoś dnia jeden z bogatych klientów zaprosił ją na kolację, nie odmówiła. Wtedy jeszcze nie stawiała na siebie, brakowało jej niemal wszystkiego, co pozwalało funkcjonować w bezwzględnym świecie: obycia, pieniędzy, a nade wszystko perspektyw. Poza tym pojawił się problem zdrowotny, odkryto u niej ogniska w płucach, lekarze zalecali przebywanie na świeżym powietrzu i odpowiednią dietę... Pani Stefania była przerażona i kto wie, czy to nie po naradach rodzinnych Goldfederów w salonie FIATA pojawił się ów bogaty klient nazwiskiem Göttlich. Gustaw Göttlich...

„Odnaleźć pierwszego męża Krystyny, pana G.G., o ile żyje" – zanotowałam. Wymagało to wielu starań, ale skoro udało mi się dotrzeć do mężczyzny, być może jedynego, którego Krystyna naprawdę kochała, a mam tu na myśli Andrzeja Kowerskiego, odnalezienie pana G. (podobno mieszkał gdzieś w Warszawie) wydawało się w porównaniu z tym śmiesznie łatwe.

Zapakowałam wreszcie tę nieszczęsną walizkę, bo już nie mogłam niczego odwołać. W kieszeni miałam bilet lotniczy, na lotnisku w Londynie powinien mnie oczekiwać młodszy brat mojego zleceniodawcy, o wyszukanym imieniu Arkadiusz. Piotr W. nazywał go Arkiem. Sądziłam, że jak wielu Polaków, zastał go za granicą stan wojenny. Okazało się, że nie. Mieszkał w Londynie od czasu ukończenia studiów, czyli od 1971 roku.

– Zobaczy pani na własne oczy, na czym polega zwierzęcy antykomunizm – powiedział Piotr W. – Nawet przy moim liberalnym stosunku do rzeczy tego świata porozumienie z kimś takim jest raczej trudne...

– Więc może i ja będę źle przyjęta? – spytałam.

Mężczyzna uśmiechnął się.

– Ma pani dobre alibi, utratę posady. Tylko dlatego mój brat zgodził się łaskawie nam pomóc. Dla mnie nie kiwnąłby palcem...

Zirytowało mnie to, co usłyszałam.

– Uważa pan, że stanowimy jakąś całość?

– Skądże znowu, jakbym śmiał – żachnął się. – My tylko razem pracujemy, co poczytuję sobie za zaszczyt.

Stanowczo zbyt dużo nerwów kosztowała mnie ta sprawa. Do tej pory przemieszczanie się z miejsca na miejsce nie stanowiło dla mnie problemu, można powiedzieć, że było nieodłączną częścią mojego zawodu. Przemierzyłam Polskę wzdłuż i wszerz, znałam na pamięć zapyziałe dworce i śmierdzące zastarzałym brudem pociągi, że nie wspomnę o pokojach hotelowych. Starsza koleżanka dała mi kiedyś praktyczną radę, aby kłaść się do hotelowego łóżka w majtkach, co skutecznie chroni przed kobiecymi przypadłościami;

przestrzegała także przed używaniem hotelowych ręczników. Z tych rad skwapliwie korzystałam także podczas moich wypraw do państw z bloku socjalistycznego, bo tylko tam mnie wysyłano, podróże na Zachód zarezerwowane były dla komunistycznej dziennikarskiej „elity". Z czasem nauczyłam się znajdować jak najdogodniejsze połączenia komunikacyjne i miejsca noclegowe. Nie tak dawno mój pobyt na Syberii przeciągnął się o cały tydzień, bo o tyle spóźnił się samolot. Więc trudy podróży mnie nie przerażały, ale tym razem to nie była zwyczajna podróż... W dodatku musiałam korzystać z uprzejmości obcego człowieka, wojującego antykomunisty; co do jego przekonań, nie były mi niemiłe, obawiałam się jednak fanatyzmu. Pan Arek przedstawiał mi się jako osobnik ziejący ogniem i siarką, więc kiedy zobaczyłam przed sobą sympatycznego, normalnie wyglądającego człowieka, prawie nie mogłam ukryć zdumienia. Kiedy mu to później powiedziałam, bardzo go to rozbawiło.

– Co nie znaczy, że nie uważam swojego brata za kanalię – zastrzegł się zaraz.

Siedząc w samolocie, myślałam o Krystynie, o tym, jak dziwnie sprzęgły się nasze losy. Poszukiwałam jej śladów, spotykałam ludzi, którzy ją znali, miałam nadzieję dotrzeć do dokumentów. Ale ona sama milczała... Nie natrafiłam jeszcze na jakiekolwiek jej osobiste wyznanie, chociażby list, a tego najbardziej potrzebowałam.

Prosto z lotniska pan Arek zawiózł mnie do mieszkanka w dzielnicy Kensington, gdzie sam mieszkał, a co ważniejsze, gdzie Krystyna często przebywała... Mieszkanie, mieszczące się na czwartym piętrze, należało do znajomej pana Arka, która właśnie wyjechała do Polski. Schody były bardzo wąskie, pięliśmy się więc po nich gęsiego, on niósł moją walizkę. Kiedy stawiał ją w ciasnym przedpokoju, był zasapany. Twarz mu lekko poczerwieniała.

– Co pani tam ma, kamienie? – zażartował.

Sprawiał wrażenie człowieka otwartego, wręcz przyjaznego, ale w jego oczach dostrzegłam chłód, a nawet jakby znudzenie całą tą sytuacją. Postanowiłam więc nie narzucać mu się albo czynić to możliwie rzadko. Przed wyjściem poinstruował mnie, jak obsługiwać piec elektryczny do ogrzewania, który miał kilka tajemniczych zegarów. Od ich prawidłowego ustawienia zależała temperatura w mieszkaniu i czas działania całego urządzenia. Późnym wieczorem piec sam się wyłączał, by nad ranem z powrotem zacząć grzać. Wydawało mi się to niezwykle skomplikowane i nie miałam pewności, czy już wiem, jak należy postępować, nie zdecydowałam się jednak, by nie zostać posądzona o tępotę, na ujawnienie swoich wątpliwości.

– Życzę powodzenia w poszukiwaniach – powiedział pan Arek, dając mi do zrozumienia, że na tym jego pomoc się kończy. – Lodówkę pani zaopatrzyłem...

Byłam zmęczona podróżą, po kolacji poszłam więc do łóżka. Zanim zasnęłam, zrobiło się bardzo zimno, widocznie piec wyłączył się na nocną przerwę. Nie mogłam się rozgrzać nawet pod puchową kołdrą, wstałam więc i szczękając zębami, próbowałam ustawić zegar w pierwotnym położeniu, po czym wróciłam na tapczan. Niestety, nie zrobiło się ani trochę cieplej. Mimo to udało mi się zasnąć. Zapadłam w ciężki, duszący sen. Znajdowałam się sama w tropikalnej puszczy, zagubiona w niej, niemogąca odnaleźć drogi, wilgotne liany opasywały całe moje ciało, zaciskając się coraz bardziej... Przerażona usiadłam na tapczanie i zapaliłam światło. Moje włosy, koszula i całe łóżko były mokre. Nie potrafiłam pojąć dlaczego, po chwili dopiero dotarło do mnie, że w mieszkaniu panuje niemiłosierne gorąco. Spojrzałam na ścienny termometr: wskazywał 35 stopni! Wyskoczyłam spod kołdry i manipulując wskazówką zegara, ustawiłam ją w okolicy zera, próbując w ten sposób zmniejszyć temperaturę, niestety bez powodzenia. Nie wiedziałam nawet, jak się wyłącza ten piekielny piec, nie mogłam znaleźć żadnej wtyczki, jedyne, co mi pozostawało, to otworzyć okno. Do wnętrza wtargnął lodowaty podmuch powietrza, toteż wkrótce musiałam zamknąć okno, a wtedy temperatura znów poczęła się podnosić. Zrozumiałam, że nie dotrwam do rana i że muszę wezwać na pomoc pana Arka. Niemal natychmiast podniósł słuchawkę.

– Przepraszam, że pana budzę – powiedziałam głosem pełnym winy – ale... chyba zepsuł się piec i nadmiernie grzeje... tutaj jest jak w saunie... po prostu nie można wytrzymać...

Chwila ciszy.

– Dobrze, zaraz u pani będę.

Zjawił się po półgodzinie. Kiedy zapukał do drzwi, spojrzałam na zegar, dochodziło wpół do trzeciej. Wszedł w rozpiętym płaszczu i od razu skierował się w stronę nieszczęsnego pieca.

– Nic tu pani nie ruszała? – spytał.

– Nie, zaraz po pana wyjściu poszłam spać – odpowiedziałam bez wahania.

– Dziwne, wygląda, jakby ktoś manipulował zegarami... są źle ustawione...

– Może same się przestawiły?

– Może – odrzekł bez przekonania. – Teraz będzie dobrze...

Zbierając się do wyjścia, spojrzał na mnie i nagle się roześmiał.

– Wygląda pani jak barokowy aniołek!

Odruchowo dotknęłam głowy i natrafiłam na znienawidzonego baranka, moje włosy miały naturalną skłonność do skręcania się pod wpływem wilgoci. Ponadto twarz musiałam mieć zaczerwienioną i z pewnością wylazły na nią wszystkie piegi. Nie musiałam spoglądać w lustro, by wiedzieć, jak wyglądam.

– Rzeczywiście gorąco – powiedział pan Arek, zdejmując płaszcz. – Da mi pani coś zimnego do picia?

– To pan zaopatrzył lodówkę.

– Teraz jestem pani gościem – odpowiedział. – Ale dbając o nasze gardła, może lepiej napijmy się herbaty?

Siedzieliśmy w kuchni przy stole.

– Nie wyśpi się pan przeze mnie...

Uśmiechnął się, miał teraz zupełnie inny wyraz oczu, zniknął z nich poprzedni chłód. Zauważyłam jego podobieństwo do brata, ale on był dużo przystojniejszy. Pokazywał w uśmiechu równe białe zęby, podczas gdy Piotr W., nałogowy palacz, zęby miał pożółkłe.

– To nie jest największe nieszczęście, że się nie wyśpię. Gorsze jest to, że muszę iść do pracy.

– Nie lubi pan swojej pracy?

– Lubiłbym, gdybym mógł pójść dalej. Na tym etapie wiem już zbyt dużo i zwyczajnie się nudzę.

– A czym się pan zajmuje?

– Bolesne pytanie – odrzekł. – Gdyby nie polskie pochodzenie, pewnie teraz odbierałbym Nobla, a tak jestem tylko trybikiem w machinie, która się obraca i na którą nie mam wpływu.

– A ten ewentualny Nobel to z jakiej dziedziny?

– Z fizyki.

Byłam trochę zaskoczona, spodziewałam się, że brat mojego zleceniodawcy też jest humanistą. Historykiem sztuki, na przykład, może nasunęło mi się to przy okazji jego żartu o barokowym aniołku.

– Chciałby pan być naukowcem?

Skrzywił się lekko.

– Jestem, ale drugiej kategorii, bo tak się tu traktuje cudzoziemców.

– Nie ma pan obywatelstwa?

Znowu się skrzywił.

– Niby mam, ale co to za obywatelstwo...

Ona też tak to odczuwała – pomyślałam.

Dzienniki Krystyny Skarbek... Odbyłam ku nim długą wędrówkę, pełną załamań i wątpliwości. A były przecież niezwykle ważne, odpowiadały jej głosem na wiele moich pytań... Otwierał je zapis z 1 maja, dnia jej urodzin, kończyła właśnie jedenaście lat.

Trzepnica, 1 maja 1920

Dziś są moje urodzinki! Jedenaste już, niestety. „Starzejesz mi się, moja Krysiu-siusiu" – mówi tatek i śmieje się. Wie, że nie lubię, jak mnie tak nazywa. To od niego dostałam ten piękny zeszyt oprawny w skórę. Tatek mówi: ,,Pisz o wszystkim, opisuj nas dla potomnych, niech Trzepnica ma swojego kronikarza. Bo Trzepnica jest wieczna. Nas nie stanie, a ona nadal będzie trwać w otoczeniu prastarych dębów.

Dlaczego piszę po francusku? Może że mi się lepiej po francusku myśli, a może że Madame pierwsza mnie uczyła, pisałam już długie wypracowania, jak dołączyli mi polski. Nauczycielka, kochana pani Halinka, śmieje się ze mnie, że piszę po polsku z francuską składnią. Ale ja się poprawię, bo mam zdolności do języków. Kiedyś tak naśladowałam jednego Niemca, że służba myślała, że ja naprawdę znam niemiecki. Dopiero mamusia nakrzyczała na mnie, co ja wyczyniam. Bo mamusia zna bardzo dobrze ten język i wiedziała, że ja tylko naśladuję wymowę i akcent, a taki niemiecki jak mój nie istnieje. Ale było śmiechu, jak Józef, nasz kamerdyner, opowiadał tatce, że myśleli już, że jakaś Niemeczka do domu zjechała, a to tylko nasza panienka Krysiunia. Dla nich jestem panienką Krysiunią. I też nie lubię tego zdrobnienia. Wolę być Krystyną. Jakby tatek mówił do mnie: Krystyno!, inni też by tak mówili, ale z nim przecież nie wygram. ,,O co ci chodzi, Krysiu-siusiu?" – pyta i patrzy na mnie niewinnie. Ach, ten tatek!
Teraz już muszę kończyć, bo zaraz będzie podwieczorek i tort na moją cześć ze świeczkami. I prezenty! Podejrzałam już, że od tatka dostanę nowe siodło, więc to trochę tak, jakby i moja Liza miała

urodziny, stare siodło ją obciera, mimo że się podkłada koc. To siodło jest naprawdę piękne i jak mi je tatek wręczy, będę skakała do góry z radości i wcale to nie będzie udawane! Rano, jak dał mi ten zeszyt, powiedział: ,,Prawdziwy prezent dostaniesz jak zwykle po południu. A to nie jest na urodziny, to jest na całe życie. Tyle tomów masz zapisać, ile lat będziesz żyła!". Więc pędzę, bo już mnie wołają. Pa, Pamiętniczku, i obiecuję Ci, że Cię zgodnie z wolą tatka nie opuszczę aż do śmierci!

Ostatni zapis w dziennikach pochodzi z 15 czerwca 1952 roku, a więc dotrzymała słowa swojemu pamiętniczkowi, pisała do końca:

Jest już bardzo późno, mój ostatni dzień w Londynie się kończy. Wiem, że powinnam się położyć przed jutrzejszą podróżą, ale tak jest, że jeżeli nie zanotuję chociaż paru zdań, nie mogę zasnąć. Ktoś puka. To pewnie znowu ten nieznośny Muldowney. Już mu przecież powiedziałam na dole, żeby dał mi święty spokój...

Nazajutrz pojechałam do Polskiego Ośrodka, ale tam spotkała mnie przykra niespodzianka. Biblioteka była w remoncie, nie mogłam więc dotrzeć do materiałów archiwalnych o Krystynie. Roczniki polskich gazet z 1952 roku zamknięte były w skrzyniach i przez to niedostępne. Uprzejma pani bibliotekarka tyle tylko mogła dla mnie uczynić, że odnalazła w rejestrze kartę Krystyny z jej danymi i zrobiła mi z niej odbitkę.

Nr rej. 13/52
DOTYCZY:
SKARBEK-GRANVILLE Krystyna zam. Giżycka
ur. 1 maja 1915
zm. 15 czerwca 1952 w Londynie
pochowana St. Mary's RC. Cemetery, gr. nr 106 2 x N.E.

W tej sytuacji nie pozostawało mi nic innego, jak wybrać się na cmentarz, chociaż nie od tego chciałam zaczynać swoją znajomość z Krystyną Skarbek. Trochę błądziłam, bo dojazd był skomplikowany, a właściwie to, wstyd powiedzieć, kierowałam się wskazówkami z nekrologu Krystyny Skarbek, zamieszczonego w ,,Observerze" z 1952 roku, a od tego czasu nawet w tak niechętnej zmianom Anglii trasy autobusów się pozmieniały. Ale wreszcie dojechałam na ten stary katolicki cmentarz, pełen pokrytych patyną nagrobków, zadumanych aniołów i Chrystusów w koronach cierniowych, upadających pod ciężarem krzyża. Właśnie taki Chrystus, z oczyma wzniesionymi z niemą skargą ku niebu, dźwigał swój krzyż na grobie nr 105, obok było puste miejsce porośnięte trawą, a dalej grób nr 107: spatynowany anioł z parą skrzydeł wystających ponad jego głową, z kobiecą twarzą i rękami złożonymi do modlitwy. Grobu z numerem 106 po prostu nie było... Albo zapadł się, zniknął pod równo przyciętą murawą, albo nigdy nie istniał. Wolałam myśleć to drugie.

– I jak się udały łowy? – spytał mnie Arek, kiedy wychodził nad ranem z mojego mieszkania. Mówiliśmy już sobie po imieniu, może ta absurdalna sytuacja tak nas do siebie zbliżyła. Ja w szlafroku, z mokrą głową, on w swetrze włożonym na lewą stronę...

Wieczorem następnego dnia siedzieliśmy w pobliskiej wietnamskiej restauracyjce, w niszy, nad naszymi głowami świeciły czerwone latarenki.

– W ogóle się nie udały – odrzekłam ponuro. – W polskiej bibliotece remont. Pojechałam na cmentarz, ale nie znalazłam jej grobu...

– Może źle szukałaś?

Potrząsnęłam głową.

– Znalazłam groby sąsiednie, a tego jednego nie...

– Więc może ona wcale nie umarła?

– Też tak czasami myślę – odrzekłam całkiem serio.

Kelner, niski Wietnamczyk, przyniósł nam dania. Sos był tak ostry, że niemal zapierało mi oddech, a Arek jeszcze polewał nim ryż z dzbanuszka stojącego na stole.

– Musisz mieć mocny żołądek – powiedziałam, ocierając łzy.

– Emigrant musi być odporny na wszystko!

– Naprawdę nie mogłeś zostać?

– Naprawdę. Tutaj się duszę, ale tam dusiłem się stokroć bardziej... A ty, jak sobie radziłaś?

– Ja... próbowałam przemycić prawdę w tym, co piszę, i raz mi się to udawało, raz nie...

– A jak nie? Szłaś na kompromis?

Jego spojrzenie stwardniało.

– W granicach rozsądku.

– O tak! To lubię – stwierdził niemal wrogo.

– Wiesz co – odrzekłam – czas pokaże, kto z nas dwojga miał rację i czyj kompromis był bardziej zabójczy.

Nic na to nie odpowiedział.

Myślałam o tej rozmowie, kiedy znalazłam się w mieszkanku na czwartym piętrze. Arek odprowadził mnie pod dom. Wciąż mi się myliły ulice, łudząco do siebie podobne. W myślach nazywałam Kensington dzielnicą białych ganków; niemal bliźniacze wejścia, po schodkach pomiędzy dwiema białymi kolumnami. A więc naprawdę ganki... tylko że ona żadnego tu dla siebie nie odnalazła, odkąd opuściła tamten w trzepnickim dworze. Wyglądało na to, że nie odnalazł go dla siebie również Arek, dobrowolny emigrant. Chociaż on uważał, że nie miał wyboru. Że to system za niego zdecydował. System, w którym nie potrafił żyć. Szkoda, bo wydawał się wartościowym człowiekiem. Ciekawa byłam, czy jest sam, czy kogoś ma...

Położyłam się na tapczanie i sięgnęłam po jedną z książek w języku angielskim, opisującą działania SOE w Budapeszcie i potem na Bliskim Wschodzie. Był tam cały rozdział poświęcony Krystynie i Andrzejowi Kowerskiemu, a także ich zdjęcia, już z czasów wojennych. Zdjęcie Krystyny w mundurze WAAF-u zrobione w Algierze w 1944 roku, a więc przed jej zrzuceniem do Francji. Przedstawiało półprofil, lekko zmrużone powieki; uśmiech, gęste włosy upięte z tyłu za uszami, pod szyją apaszka... trochę dziwne połączenie z mundurem, barwna szmatka w sąsiedztwie odznaki lotniczej, rozpiętych metalowych skrzydeł. Ale Krystyna wiedziała, co robi, chustka bowiem rozjaśniła jej twarz, inną niż na tamtych zdjęciach w domowym albumie. To już nie była młodziutka, roześmiana dziewczyna, lecz kobieta o uśmiechu maskującym gorzkie życiowe doświadczenia. Ale z pewnością bardziej interesująca, mimo że jej uroda wyraźnie przygasła. Zrozumiałam teraz, co pan L. miał na myśli, używając takiego określenia. Na pewno nie była już olśniewająco piękna, nie była w ogóle piękna, ale mogłam się zgodzić z opinią któregoś z jej angielskich przyjaciół, że miała w sobie coś takiego, co usuwało inne kobiety w cień.

I znowu Krystyna w kostiumie kąpielowym, tym razem na Cyprze w 1945 roku, upozowana do zdjęcia: na pierwszym planie jej nogi, potem uniesione lekko ramiona i twarz w ostrym słońcu, przymknięte powieki i nieodłączny, przekorny uśmiech. Jakby chciała powiedzieć: Taka właśnie jestem, ciągle atrakcyjna, do wzięcia... A potem ona i Andrzej Kowerski. Ona siedzi, a on stoi za nią. Opiekuńczy anioł z wąsami – pomyślałam. Jego górująca nad Krystyną, barczysta sylwetka mogłaby skłaniać do takich porównań, gdyby się jej nie znało i nie wiedziało, ile siły charakteru, odwagi i – niestety – uporu kryło się w tym z pozoru kruchym ciele...

Mój pobyt w Londynie dobiegał końca, nie miałam tu już czego szukać. Dotarłam do materiałów o Krystynie w języku angielskim, nie było ich zbyt wiele, zaledwie kilka prasowych artykułów, które ukazały się po jej śmierci, kilka rozdziałów w książkach napisanych przez jej dawnych kolegów. Słuchowisko radiowe, które nadano wiele lat temu w BBC, i wspomnienie o Krystynie jej byłego szefa podczas misji we Francji, Francisa Cammaertsa. Zabiegałam usilnie o spotkanie z nim, ale niestety odmówił. Pan L. podał mi tytuł biografii Krystyny napisanej przez południowoafrykańską pisarkę francuskiego pochodzenia, Madeleine Masson, i wydanej przez Hamisha, ale kiedy się do nich zwróciłam, z przykrością stwierdzili, że nie mają ani jednego egzemplarza. Musiałam zdobyć tę książkę inną drogą. Wiele nie należało się po niej spodziewać, bo była pisana pod dyktando „klubu".

Arek odwiózł mnie na lotnisko, chociaż wymawiałam się, mówiąc, że mogę wziąć taksówkę.

– Oczywiście, możesz wziąć taksówkę – odpowiedział – ale równie dobrze ja mogę cię odwieźć.

– Naprawdę nie musisz, chyba że chcesz...

– No więc chcę – padła odpowiedź.

Myślałam o tym w samolocie. Czy coś się między nami zaczynało, czy to tylko zwyczajna uprzejmość z jego strony? Nie wyglądał na człowieka, który by się zmuszał do czegokolwiek. Chyba mu się podobałam. I on mi się bardzo podobał, polubiłam jego towarzystwo, ale to nie był dobry moment na rozpoczynanie nowego związku. Nie doszłam jeszcze do siebie po rozstaniu z mężem. Rozstaliśmy się całkiem niedawno. I wcale nie dlatego, że przestaliśmy się kochać. Rozdzieliła nas polityka. Stało się to w momencie, gdy wyrzucono mnie z pracy. Wkrótce potem dowiedziałam się – on także był dziennikarzem – że nie tylko podpisał deklarację lojalności, ale jako członek komisji weryfikacyjnej pomagał wyrzucać na bruk niewiarygodnych politycznie kolegów. Dla mnie był to cios ponad siły. Wiedziałam, że mimo głębokiej więzi, jaka nas łączyła, już nigdy nie będziemy mogli być razem. Po powrocie do kraju postanowiłam wystąpić o rozwód.

Mając lekkie poczucie winy, że moja podróż do Londynu przyniosła mizerne rezultaty, zaczęłam energicznie poszukiwać kontaktu z pierwszym mężem Krystyny, co już dużo wcześniej sobie zamierzyłam. I wkrótce stanęłam pod drzwiami warszawskiego mieszkania, czy raczej mieszkanka, tak zagraconego starymi meblami, że niemal trzeba się było pośród nich przeciskać. Do pokoju wprowadziła mnie gosposia. W jednym z foteli siedział mocno starszy pan o smutnej twarzy. Tak bym go właśnie określiła: smutny człowiek. Z pewnością inaczej wyglądał w młodości, ale mimo to trudno mi sobie było go wyobrazić jako męża kobiety, o której już tyle wiedziałam. On chyba myślał podobnie.

– Moja pierwsza żona... – zaczął.

A więc ona też była w jego życiu epizodem.

– ...co ja mogę o niej powiedzieć. Nosiło ją...

– Co to znaczy?

– No – zrobił nieokreślony ruch ręką – nie była przygotowana do małżeństwa. Kiedyś się pokłóciliśmy, to mi wygarnęła, że z klatki ubóstwa przeniosłem ją do klatki bogactwa, a ona więzić się nie da. Dla niej małżeństwo to było więzienie!

Uciekła z niego po dwóch latach. Przedtem jednak czekała ją cała skomplikowana procedura odzyskiwania wolności. Musiała zmienić wyznanie na augsburskie, co wiązało się z wyjazdem do Wilna do zaboru, gdzie jedynie można było otrzymać rozwód w tamtych czasach. Wracała z Wilna naznaczona opinią osoby podejrzanej nie tylko o niepewne pochodzenie, ale także flirciary, która zmienia mężów równie łatwo jak religie... Ale ona, wracając z Wilna, miała uczucie, że znowu jest wolna. Myślała tak również za każdym razem, kiedy mogła znaleźć się poza murami klasztoru Sacré Coeur, gdzie mieściła się pensja dla dobrze urodzonych panienek. Nie udało mi się ustalić, gdzie dokładnie znajdował się ten klasztor. Gdzieś na zachodzie Polski...

Sacré Coeur, 2 grudnia 1921

Wiem, że muszę być w tym okropnym miejscu, ale wątpię, czy tu długo wytrzymam. Wszyscy na mnie patrzą tak, jakby mi wyrastały z głowy rogi. Szkoda, że mi nie wyrastają. Wtedy przynajmniej

wszystko byłoby jasne. Najgorzej jest w sobotę, kiedy trzeba iść do sali rekreacyjnej na odczytywanie stopni. Mnie zawsze wyczytują na końcu albo wcale. I to jest największa kara: *Passée sous silence*. No więc zgoda, jestem tutaj owcą najczarniejszą. Tatek pociesza mnie jak może, pisze, żebym się niczym nie przejmowała. I że niedługo święta Bożego Narodzenia i będę w domu. Ach, to mnie tylko trzyma przy życiu! Kochany Pamiętniczku, pomóż mi tego doczekać.
Jeszcze nie wiem, kim bym chciała w życiu zostać, ale na pewno nie zostanę zakonnicą!

W tamtym czasie wszystkie myśli Krystyny kierowały się ku Trzepnicy.

Trzepnica, 25 czerwca 1922
W domu! W domu! Aż mi trudno uwierzyć, że jestem w domu! Że są wakacje! Kiedy zobaczyłam na stacji nasze konie, to mi się wydawało, że wyfrunęłam z pociągu i płynę w powietrzu. Zaraz pobiegłam do mojej Lizy, bo oźrebiła się w marcu, a ja nawet jej dziecka nie widziałam. Tatek mi napisał, że źrebak ma białą strzałkę zachodzącą aż na chrapy i że to jest duża skaza na urodzie. No i prawda, ma tę strzałkę. Ale Wojtek, nasz stangret, mnie pociesza, że marcowe źrebaki są najlepsze.

I dalej pisze:

Cokolwiek by się stało, to ja jestem z tego miejsca.

Czy myślała tak i potem, gdy los rzucał ją to tu, to tam, gdy nie miała swojego kąta, żyła wiecznie na walizkach, w hotelowych pokojach? A czy nie dlatego właśnie nie szukała już innego dla siebie miejsca, skoro tamto było dla niej nieosiągalne? Matka Krystyny błagała męża, aby zmienił tryb życia i nie szastał pieniędzmi, a przede wszystkim, aby zlikwidował wyścigowe stajnie, bo w tych czasach był to zbędny, nie przynoszący żadnych dochodów luksus. Ale hrabia Skarbek nawet nie chciał o tym słyszeć.

Krystyna pisała:

Oni się znowu kłócą. Tatek przyjmuje gości, a mama leży z migreną w pokoju na górze. Nasze konie biegły na torze piotrkowskim, więc tatki nie było całe dwa tygodnie. A dzisiaj przyjechał z naszymi sąsiadami, to też koniarze i też wystawiali swoje konie. Zaraz kazał podawać kolację. Było tyle gwaru i śmiechu, służba chyba całą spiżarnię wyniosła na stół. Ale tym razem mama nawet nie zeszła. Ja siedziałam obok tatki.

Wieczorami robiłam notatki, a także ustalałam plan działania na dzień następny. Przekonałam się, że w polskich archiwach hasło ,,Krystyna Skarbek" jest nie do odnalezienia, zupełnie jakby ktoś taki nigdy nie istniał. A przecież życie tej kobiety było tak bogate, że można by nim obdzielić kilka osób, czy raczej kilku bohaterów wojennych, bo chyba wolno ją tak nazywać, chociaż ona sama pewnie by się przed tym broniła. W swych poszukiwaniach znajdowałam się dopiero na początku drogi, badając jej sprawę, która z czasem rozrosła się do takich rozmiarów, że coraz trudniej było mi to wszystko ogarnąć. Spotkania z ludźmi, ich ustne relacje, wycinki prasowe, spisywane wspomnienia, wreszcie dzienniki... Jak miałam ustalić wątek przewodni jej życia, który okres w jej życiu powinnam uznać za najważniejszy, czy chociaż za najbardziej szczęśliwy? Być może dzieciństwo, ale ten kryzys, wynoszenie mebli ze dworu, kłótnie rodziców... Co mogła wtedy czuć młoda osóbka, dla której wszystko „zaczynało się i kończyło na trzepnickiej werandzie". Musiała odczuwać niepewność, strach. Postać w jej dzieciństwie z pewnością najważniejsza: ojciec, postrzegany był przez matkę jako ktoś nieodpowiedzialny, wręcz rujnujący rodzinę. Jako mała dziewczynka podsłuchała rozmowę matki z babką Goldfederową, a właściwie skargi matki na ojca. Pani Stefania mówiła z płaczem:

– Teraz jest ta aptekarzowa, ta rozwódka, która przeniosła się do Warszawy... Jestem pewna, że to przez niego się rozwiodła...

– Wszyscy mężczyźni mają coś na sumieniu – pocieszała ją babka Krystyny. – Żaden nie jest święty...

– Ale on wydaje na nią nasze pieniądze!

– To połóż temu kres, nie pozwól. Cóż on sobie wyobraża! – tutaj starsza pani okazała się bardziej bezwzględna w ocenie zięcia, do którego miała słabość.

– Jak mam to zrobić, przecież on trzyma finanse...

– A twój ojciec chciał sporządzić intercyzę!

– Jurek by się obraził – tym razem pani Stefania wzięła stronę męża.

– To trudno. Teraz możesz się tylko z nim rozwieść.

– A dzieci?

– Dzieci lepiej na tym wyjdą.

Pani Stefania pociągnęła parę razy nosem.

– Ale ja go kocham...

I wtedy obie spostrzegły, że nie są same, w kącie za kanapą stała mała dziewczynka i patrzyła na nie okrągłymi oczyma. Nie do końca rozumiała, o czym matka z babką rozmawiają, ale docierało do niej, że jest to przeciwko jej ojcu. Poza tym na długo pozostał jej uraz do pań aptekarzowych. Kiedy całkiem niewinna pani Grodzka, żona aptekarza z Piotrkowa, wstąpiła do dworu, aby poprosić o coś do picia, dzień był bowiem upalny, Krystyna podobno źle się zachowała. Napluła kobiecie na but i nie chciała przeprosić...

Nie mogłam się zdecydować, w jaki sposób segregować swoje materiały o Krystynie. Datami? Ale te daty też się nie zgadzały... Dla niektórych przecież Krystyna wychodziła po raz drugi za mąż jako młodziutka dwudziestodwulatka, a w rzeczywistości miała lat dwadzieścia osiem... Złapałam się na tym, że chcę porządkować jej życie, mimo że każdy kolejny fakt przeczył poprzedniemu i jakaś wysnuta uprzednio przeze mnie teoria na jej temat waliła się w gruzy. Największe trudności sprawiało mi hasło: Krystyna i mężczyźni... Nasze doświadczenia życiowe tak bardzo się różniły – ja mało wiedziałam o mężczyznach, ona miała ich wielu i prowadziła z nimi wyszukane gry. Starałam się odnaleźć podobne sytuacje, podobny sposób ,,na uwodzenie" w literaturze, ale Krystyna była niepowtarzalna, wyjątkowa. Jeżeli jednak już robić odniesienia do literatury, odkryłam duże podobieństwo jej losu do losu zapomnianego poety Mariana Ośniałowskiego, którego bliscy nazywali Rysiem. Dzieciństwo we dworze w Chocimowie, dobroć matki, opieka służby i spacery z książką po parku. A potem wojna, wysiedlenie... Ryś już nigdy nie odnalazł swojego miejsca, jak Krystyna. Któregoś dnia znaleziono go martwego na ławce w Lasku Bulońskim. Popełnił samobójstwo. Uderzająca była reakcja otoczenia na tę śmierć. Wszyscy wyrażali swoje zdumienie: „Taki miły człowiek, zawsze uśmiechnięty". Krystynę też zawsze postrzegano jako miłą i uśmiechniętą... A w gruncie rzeczy długo, może przez całe życie, opłakiwała wycięte w parku trzepnickim dęby... Ona dęby, on lipy:

Zgodzimy się z każdym już wyrokiem Bożym,
Tylko niech nie wytną naszych lip najdroższych.
Niech wśród słońca kwitną, niech dzwonią pszczołami,
Matko Boska zielna, módl się za lipami.

Więc może powinnam stworzyć osobne hasło: Krystyna i drzewa... Pod wpływem obcowania z nią zaczęłam z wolna przyjmować jej punkt widzenia. Zaczęło nabierać znaczenia to, co mnie otacza. Zauważyłam już, jakiego koloru jest niebo, i to, że pojawiły się na straganach pierwsze wiosenne kwiaty. Kupiłam pęczek żółtych żonkili i wstawiłam je do wazonu. No i drzewa, drzewa, które mijałam. Uczyłam się ich nazw, obserwowałam, jak rozwijają się na nich pąki i potem jak opadają liście... A któregoś dnia wybrałam się do Łazienek, by odnaleźć chociaż jeden samotnie stojący dąb, być może dla porównania z tamtymi trzepnickimi, których duchy błąkają się po zamordowanym parku. Przecież ona w te duchy wierzyła...

Któregoś dnia późnym wieczorem zadzwonił telefon. Nieco zdziwiona podniosłam słuchawkę.

– Ewa?

– Tak.

– Mam nadzieję, że cię nie obudziłem?

– Nie, skąd, to dla mnie pora całkiem zwyczajna...

– A dla tego kogoś, z kim mieszkasz?

Roześmiałam się

– Mieszkam sama. Mogłeś mnie o to zapytać wprost, bez żadnych wybiegów.

Teraz on się roześmiał.

– Chciałem, ale... to nie takie proste.

– A czy moja odpowiedź cię zadowala?

– O, tak.

Cisza w słuchawce. Wiem, że powinnam coś teraz powiedzieć.

– Dlaczego dzwonisz? Czy tylko po to, by mnie spytać o moje warunki mieszkaniowe?

– Dzwonię, bo... – jakby moment wahania po tamtej stronie – bo sobie pomyślałem, że gdybyś była w Londynie, moglibyśmy gdzieś razem wyskoczyć, pogadać...

I znowu cisza. Chyba oboje poczuliśmy się zaskoczeni tym jego wyznaniem. Co miałam mu odpowiedzieć? Krystyna z pewnością umiałaby to rozegrać na swoją korzyść, ale ona była mistrzynią w takich rozgrywkach. Ja przeciwnie, zaczynałam się plątać, od razu pełna wątpliwości, czy to, co sobie wyobrażam na temat tego drugiego człowieka, mężczyzny, nie jest tylko moim urojeniem. Tak jak teraz: ten flirt przez telefon mógł być dla niego czymś bez znaczenia, a ja zaczynałam na tym budować. Co... tego jeszcze nie wiedziałam. Jednak to, że Arek zadzwonił, okazało się ważne.

– Jak tam twoje poszukiwania?

– Ciężko... ale spotkałam się z jej pierwszym mężem.

– Pierwszy mąż jest chyba ważny dla kobiety?

– Tak jak dla mężczyzny pierwsza żona...

– Oboje mamy to już za sobą?

Trzepnica, 14 maja 1930

Tatek umiera. Czuję to, chociaż lekarze mydlą nam oczy, coś tam gadają o przypadkach cudownego uzdrowienia. A biedna mama im wierzy. Tatek zaraz po moich urodzinach położył się i już nie wstaje, a on w czasie całego życia ani dnia nie przeleżał w łóżku. Na moich urodzinach żartował, że wygrałam los na loterii, bo mi się trafiło oczko, kończę 21 lat! Ale kiedy gasiłam świeczki na torcie i sądził, że go nie obserwuję, twarz mu się zmieniła, zrobiła się taka zmęczona. Już widocznie choroba dawała o sobie znać. Wieczorem rozmawialiśmy na werandzie. Pytał mnie, co zamierzam dalej. Odrzekłam mu, że chcę zostać tutaj, że będę walczyła o Trzepnicę ze wszystkich sił. Będę hodowała konie, stworzę stajnię zarodową. On długo milczał, a potem powiedział: ,,Sama nie dasz rady, chyba że się wydasz bogato za mąż". Parsknęłam tylko na to, na razie za mąż się nie wybieram, bo nawet nie mam za kogo. Teraz najważniejsza sprawa to uratować majątek.

Tatek znowu zamilkł, a potem usłyszałam: ,,Trzepnicy nic już nie uratuje''. Przestraszyłam się jego słów, bo nagle dotarło do mnie, że nie mam dokąd pójść z tej werandy. Dla mnie tutaj zaczynał się i kończył cały świat. Do tej pory gdzie bym nie była, dokąd bym nie wyjeżdżała, tylko o tym myślałam, żeby wrócić do domu. Co teraz będzie... To prawda, konie poszły na licytację, część ziemi sprzedana, niektóre drzewa z parku poznikały, ale przecież dom stoi, stajnie stoją. Co wie ojciec, czego ja nie wiem...

(dopisane nocą)

Dochodzi północ, zajrzałam do tatka, tak ciężko oddycha, ale chyba śpi. Może ten cud się jednak wydarzy i coś go przywróci do życia. Sama myśl o tym, że on odejdzie, jest straszna. Przecież był od zawsze, odkąd pamiętam, tak jak Trzepnica. Nie mogę utracić żadnego z nich, bo to tak, jakbym utraciła połowę siebie, a jeszcze się nie zdarzyło, aby ktoś taki był zdolny potem żyć. Muszę zajrzeć do ksiąg, sprawdzić trzepnickie długi, wydawało się, że tatko nad nimi panuje, łata dziury, jak wszyscy dookoła, ale że nie jest aż tak tragicznie...

15 maja 1930, godzina 4.45
Jeszcze raz zajrzałam do ojca. Drzwi do pokoju mamy były otwarte, ale mama chyba spała. Podeszłam do niego, już okno było jasne i światło dnia miesza-

ło się ze światłem nocnej lampki. Zgasiłam ją, a on otworzył oczy. Patrzyliśmy na siebie. Nagle zrozumiałam, że on umiera. Nie mogłam się poruszyć ani nic powiedzieć. Umarł tuż przed czwartą.

12 czerwca 1930

Nie ma go z nami, chociaż wszystko w środku się buntuje. Dzisiaj miałam sen, że on nie umarł. Jechaliśmy dwukółką pod Łysą Górę, gdzie żniwiarze kosili pszenicę, tam zawsze była najdorodniejsza. Ojciec powoził, pokrzykiwał na konia. Jak to on, słychać go było z daleka. Zajechaliśmy, fornale i dziewuchy zaczęli się do nas schodzić. ,,Niech będzie pochwalony Jezus Chrystus" – zagrzmiał tatko, oni odpowiedzieli: ,,Na wieki wieków". Wysiedliśmy z bryczki, a przodownica chciała nam obojgu ręce powrósłem przewiązać, żebyśmy się musieli wykupić. Ojciec zwykle fundował beczkę piwa. Ale tym razem odepchnął mnie i powiedział: ,,Tylko mnie ręce powiążcie, ona już nie jest stąd...". Ale ja jestem stąd i zrobię wszystko, aby to udowodnić, nie tylko Jemu, ale całemu światu.

7 lipca 1930

Dzisiaj mieliśmy na obiedzie gościa, jakiś pan zajechał przed dom autem, które prowadził szofer. Kiedy zobaczyłam, jak wysiada ze swojego kabrioletu, pomyślałam, że to pomyłka, że pomylił drogę i zaraz odjedzie. Ale okazuje się, że wcale nie. Mama i Andrzej dobrze o tej wizycie wiedzieli. On chce kupić Trzepnicę! Jak się to wyjawiło, w czasie

obiadu, zerwałam się od stołu i uciekłam na górę.
Rzuciłam się na łóżko i nakrywszy głowę poduszką, płakałam. I nic nie chciałam wiedzieć. Nic, co się tam na dole dzieje.

Potem mama do mnie przyszła, tłumaczyła, że to jakiś cud, że się kupiec znalazł i oferuje niezłą cenę. Jakby się nie znalazł, i tak byśmy stracili majątek, za długi. Nie ma za co wykupić weksli. ,,Przecież jest jeszcze ziemia" – powiedziałam. ,,To już tak daleko poszło, że uratować naszą rodzinę może tylko Pan Bóg i ten człowiek – odrzekła mama. – Żeby się on tylko nie rozmyślił". Taka jest wersja mamy. Ale mama nigdy nie lubiła tego miejsca i pewnie cieszy się, że stąd wyjedzie. To samo Andrzej. Tylko ja i ojciec kochaliśmy Trzepnicę. Gdyby żył, nigdy by nie dopuścił do sprzedaży, na pewno jakieś wyjście by się znalazło. Kredyt bankowy, pożyczka ze Związku Ziemian. ,,Dziecko – mówi mama – kto ci da kredyt bez zabezpieczenia...". Można chociaż spróbować. Ale oni nie chcą nawet słyszeć o zwłoce, ani mama, ani brat. Uważają, że nie wolno zrażać takiego kupca. A co z moim życiem?

Nie wiadomo, co się działo w ciągu dwóch miesięcy, które minęły do kolejnego zapisu. Co Krystyna czuła, co myślała. Następny zapis był niezwykle krótki:

Trzepnica sprzedana.

I parę lat ciszy, nawet jednego słowa w dzienni-kach. Pominięta przeprowadzka do Warszawy, pra-ca w salonie FIATA, nawet małżeństwo z panem Göttlichem.

Dziwne, wczoraj, kiedy szłam Krakowskim Przed-mieściem, ktoś głośno zawołał: „Krystyna!". A ja się obejrzałam. Dlaczego? Czy sądziłam, że to ktoś woła za nią? Czy za mną? Powiedziałam o tym Arkowi, gdy zadzwonił wieczorem. Często teraz dzwoni, niemal codziennie, i rozmawiamy długo.

– Myślisz o niej, to dlatego.

– To coś więcej. Ona staje się coraz bardziej obecna...

Zakopane, 6 marca 1937

Adam. To imię jest teraz wszystkim – to moja mi-łość, mój dom, moje życie. Jaka ja byłam głupia, że nie spotkałam go wcześniej... Od rana jesteśmy na stoku. Wracamy zmordowani, ale co tam, bierzemy kąpiel i na Krupówki. Tańczymy przytuleni na par-kiecie do białego rana. Wczoraj przysiadł się do nas Staszek Marusarz, ale był bardzo niezadowolony, że nie chcę pić żadnego alkoholu. „Krycha, myś-lołżem, że ty do bitki i do wypitki. Na nartach tań-cujesz pierwsza klasa, ale kompan z ciebie, że szko-da gadać!". A ja nie lubię pić. Po co? Potrafię odgadnąć wszystkie kolory życia i po trzeźwemu, a inni potrzebują do tego jakiejś protezy, choćby w postaci wódki. Nawet taki Staszek, który zna góry jak własną kieszeń i potrafi czerpać z tego wielką radość. Tak bym chciała mu dorównać, ale mam dużo słabsze nogi. On się chyba urodził już w butach narciarskich, z przypiętymi nartami. Czego nie mogę powiedzieć o Adamie. Boi się gór, zauważyłam to, kiedy zjeżdżaliśmy z Kasprowego. Była mgła i jak się spojrzało w dół, widziało się jedynie szary dym i skrawek oblodzonej góry. Wrażenie niesamowite, ale mnie to uskrzydliło, to niewiadome tam w dole. Choć znam na pamięć cały stok, pod tą zasłoną wydawał mi się bardzo groźny, tajemniczy. I o to przecież chodzi!

Zakopane, 7 marca 1937

Obudziłam się, kiedy promień słońca padł mi na twarz. Zapomnieliśmy zaciągnąć firankę, bo jeszcze przed snem wychodziliśmy na balkon zaczerpnąć świeżego powietrza. Patrzyłam na uśpioną twarz Adama, na jego odsłonięte ramiona. Jest wspaniały, jest piękny. Mogłabym patrzeć tak na niego do końca życia. Kiedy mnie dotyka, staję się naprawdę sobą, czuję całe swoje ciało, od stóp do głów. To niesamowite uczucie – istnieć poprzez kogoś drugiego, akceptować siebie i, co ważniejsze, siebie lubić, może też trochę kochać... Już się nie boję przyszłości, a nawet ją widzę. Razem. Zawsze razem. W każdej minucie i sekundzie życia... Jest mi obojętne, ,,co ludzie sobie pomyślą'', zlikwidowałam swój pokój i przeniosłam się do Adama. ,,A co na to twoi znajomi?'' – spytał. Znajomi? Mam tutaj tylko jednego prawdziwego znajomego, Staszka Marusarza, a jemu jest obojętne, kogo ja kocham i z kim mieszkam, ze ślubem czy bez ślubu. Chociaż wczoraj, kiedy piliśmy gorące kakao w schronisku na Hali Gąsienicowej, spojrzał mi w oczy i spytał: ,,Krycha, a ten twój gaszek nie je przypadkiem jaki bigamista? Patrzyłaś jego paszport?''. Kochany Staszek! Boi się, żeby mnie coś złego nie spotkało. Ale co mnie teraz złego może spotkać, już wszystko się stało. Jesteśmy razem. Adam i ja...

Zakopane, 13 marca 1937
Idę sobie Krupówkami, sama, bo Adam wyskoczył na jeden dzień do Krakowa, a tu mi zastępuje drogę jakaś paniusia. Tak ją muszę nazwać: paniusią. I to taką, od których zawsze trzymałam się z daleka, bo wiało od nich nudą. I mówi do mnie: ,,Pani Krystyno, pani mnie nie zna, ale ja panią dobrze znam. Jestem matką Adama...''. Od razu pociemniało mi w oczach, bo już wiedziałam, po co ona tutaj zjechała do Zakopanego, z czyjego powodu. Mojego, oczywiście. Musiano jej donieść, że ja i Adam jesteśmy ze sobą. Pewnie jej się wydaje, że może nas rozdzielić. Zaprosiła mnie na herbatę do Trzaski. Siedzimy przy stoliku w rogu, ona się tak wierci, jakby szpilka ją w tyłek kłuła, i w końcu, po zachwytach nad urodą Zakopanego i fantastyczną pogodą, mówi: ,,Pani Krystyno, sama pani rozumie, że pani i Adam... Ja bym się nawet cieszyła z takiej pięknej synowej, ale przecież pani jest rozwódką!''
Powiedziałam jej tylko, że jeżeli chodzi o mnie, to nic Adamowi z mojej strony nie zagraża,

i wyszłam. Zaraz wzięłam sanki i przewiozłam swoje rzeczy na dawną kwaterę. Moja góralka tylko głową pokiwała: „Wróciłyście się – mówi. – Dobrze, że waszego pokoju komuś nie najęłam". A ja pomyślałam, że to nawet bardzo dobrze, bo jak Adam z Krakowa wróci, będzie mnie tu szukał. Pewnie już wieczorem. Ale minął wieczór i cały następny dzień. Nie pojawił się. Jeszcze miałam nadzieję, że coś go zatrzymało w Krakowie, ale w piersi czułam taki zimny lęk. Wreszcie poszłam do domu, w którym mieszkał. Pytam o niego. A właścicielka willi, od razu widać, że ona z ceprów, z uśmieszkiem mi odpowiada: „Pan Adam wrócił, ale zaraz zwolnił pokój...". No i wszystko wiadomo. Koniec miłości, a wydawało mi się, że już rozumiem, co to słowo znaczy.

Spytałam pana L., czy rozmawiał z Krystyną na temat tego Adama, jej pierwszej miłości.

– O tak – odpowiedział. – Ale udawała, że naprawdę to nie była wcale miłość. Kiedy szanowna mamuśka stwierdziła, iż Krystyna nie jest odpowiednią kandydatką na żonę dla jej syna, odparowała, że nigdy na tematy małżeńskie z Adamem nie rozmawiała. „To o czym wy rozmawiacie?" – zdenerwowało się babsko. „A, o smarach na deski, o prognozie pogody na jutro...".

– To chyba nie było szczere.

Pan L. roześmiał się.

– To na pewno nie było szczere...

Z czasem nabrałam przekonania, że ów zawód miłosny odegrał ważną, a kto wie, czy nie kluczową rolę w życiu Krystyny. Być może późniejsza ucieczka od prawdziwych uczuć zaczęła się tego dnia, kiedy właścicielka zakopiańskiej willi oświadczyła Krystynie, iż jej ukochany właśnie zwolnił pokój.

KIM JESTEŚ, CHRISTINE GRANVILLE?

Christine Granville okazała się jedną z najwybitniejszych agentek brytyjskiego wywiadu wojskowego z okresu drugiej wojny światowej, o której podobno miał się wyrażać w słowach najwyższego uznania sam Winston Churchill. Za zasługi wojenne odznaczona została brytyjskim George Medal i francuskim Croix de Guerre ze srebrną gwiazdą. Ujawniono także, iż nazwisko tej kobiety, która w czasie kilku lat wojny dokonywała niezwykłych wyczynów i wychodziła cało z nieprawdopodobnych wręcz opresji, a zginęła tak prozaiczną i bezsensowną śmiercią, naprawdę brzmiało: Krystyna Skarbek-Giżycka. Fakt ten wywołał znaczne poruszenie w kręgach ówczesnej emigracji londyńskiej, zainteresowanej żywo losami niezwykłej Polki.

Urodziła się w 1915 roku w Warszawie, w spauperyzowanej już wówczas rodzinie Skarbków, wywodzącej się w prostej linii od wybitnego pisarza i ekonomisty z XVIII wieku, hr. Fryderyka Skarbka. Niezwykle trudno jest odtworzyć początki życiorysu Krystyny, ale jeśli wierzyć reporterowi „Chicago Sunday Tribune", Arturowi Veyseyowi, to już we wczesnym dzieciństwie wyróżniała się wyjątkową indywidualnością oraz, nazywając to dość oględnie, trudnym charakterem, przysparzając swym rodzicom wielu kłopotów w kilku kolejnych szkołach, do których uczęszczała. Jak wspomina jej koleżanka z lat dzieciństwa, Anna Nichole, na której relację powołuje się A. Veysey, zadziwiała otoczenie niezwykłym darem improwizacji, który powodował, że nawet najbardziej oczywistym kłamstwom potrafiła nadać pozory autentyczności. Natomiast bezspornym faktem jest, że niezależnie od szkolnych peregrynacji, otrzymała staranne wykształcenie. Imponowała znajomością obcych języków, walorami towarzyskimi, a także nieprzeciętną urodą. Wysoka, smukła blondynka o proporcjonalnej budowie, pełna temperamentu i fantazji, a do tego wyjątkowo wysportowana – uprawiała taternictwo, przed wojną zdobyła tytuł Miss Nart Zakopanego – zyskała sobie sympatię w kręgach towarzyskich Warszawy, także wśród kół dyplomatycznych akredytowanych w stolicy.

W połowie lat trzydziestych uczestniczyła nawet w konkursie o tytuł Miss Warszawy, a na łamach pisma satyrycznego ,,Żółta Mucha" odnotowano, rzekomo, jej wypowiedź, w której autentyczność można wątpić: ,,Jeżeli «Kurier Czerwony» uwierzył – stwierdziła – że jestem co najwyżej dwudziestopięcioletnią, to dlaczegóżby «jury» nie miało uwierzyć, że jestem piękną...".

W wieku dwudziestu dwu lat wyszła za mąż za pisarza i dyplomatę Jerzego Giżyckiego i wyjechała wraz z nim do Afryki. Małżeństwo to nie wytrzymało jednak próby czasu.

Londyn, ,,Kierunki" 15 kwietnia 1979

Małżeństwo to nie wytrzymało próby czasu... Czy nie dlatego właśnie, że pewnego dnia w przeszłości pewna kobieta zaprosiła Krystynę na herbatę do Trzaski?

Jerzego Giżyckiego Krystyna poznała – jaka przewrotność losu! – w Zakopanem. W okolicznościach dość niecodziennych, ale jeżeli się znało tych dwoje, nie należało się niczemu dziwić, gdyż był to związek bardzo burzliwy i barwny. Giżycki zakochał się w niej od pierwszego wejrzenia, już w momencie gdy Krystyna wpadła mu w ramiona. Dosłownie, na stoku, kiedy zjeżdżając z dużą prędkością, straciła panowanie nad nartami. Mogłoby się to źle dla niej skończyć, gdyby nie jego pomoc. Upadli oboje w śnieg. Ona się głośno śmiała, włosy rozsypały jej się wokół głowy. Wydała mu się bardzo piękna.

– Bałaś się? – spytał wieczorem przy kolacji, na którą ją zaprosił do najelegantszego lokalu w Zakopanem.

– Ja się nigdy nie boję – odrzekła z uśmiechem.

Mówiono o nich: piękna para. I byli nią w istocie. Jerzy Giżycki, siedemnaście lat starszy od Krystyny... I tutaj mam kolejny kłopot z obliczeniami, bo nie udało mi się ustalić daty urodzenia jej drugiego męża, a więc nie wiem, czy naprawdę był od niej o tyle starszy, czy należałoby jednak dodać Krystynie tych sześć odjętych lat, wtedy różnica wieku między nimi znacznie by się zmniejszyła... W każdym jednak wypadku był od niej starszy, zatem można by wysnuć przypuszczenie, że skoro Krystyna zawiodła się w miłości do równolatka, w związkach z mężczyznami poczęła poszukiwać jedynego uczucia, które do końca było piękne i autentyczne i którego tak bardzo jej brakowało. Mam tu na myśli miłość Krystyny do ojca. Drugi mąż mógł go w jakiś sposób przypominać, nie tylko z urody, ale i sposobem bycia, fantazją, szerokim gestem. On też cieszył się powodzeniem u kobiet, ale o ile Jerzy Skarbek był w tym absolutnie bezinteresowny, wielbił kobiety przede wszystkim za ich urodę, mniej za przymioty duszy – z wyjątkiem ślubnej żony, która znalazła się przy jego boku, aby ratować zagrożoną egzystencję – o tyle ten drugi Jerzy wykorzystywał swój wdzięk w określonych celach, głównie dla kariery. Wyjątkiem była jego żona, którą szczerze pokochał. Więc i tu się różnili Jerzy Giżycki z Jerzym Skarbkiem. Ale Krystyna mogła nie być tego świadoma. Poddała się temu uczuciu, zaufała zapewnieniom Jerzego, że im się uda, musi się udać. W notatce o Giżyckim, opublikowanej tuż po jego śmierci w 1972 roku w dalekim Meksyku, gdzie ostatnie lata spędził w samotności, być może wspominając miłość swego życia – Krystynę, londyńskie ,,Wiadomości" pisały:

Jerzy Giżycki był kowbojem i robotnikiem leśnym, poszukiwaczem minerałów nad rzeką Kolorado i szoferem Rockefellera. Dopiero po pierwszej wojnie został sekretarzem poselstwa polskiego w Waszyngtonie, skąd przerzucił się do organizacji Olimpjad w r. 1924 i in. Wrócił do włóczęgi, polował w Afryce, znów był konsulem w Abisynji, a potem w innych krajach afrykańskich...

Jako świeżo upieczona małżonka pod koniec 1938 roku Krystyna wyjechała z Jerzym do Kenii, gdzie miał objąć posadę polskiego konsula. O swoim spotkaniu z Afryką pisała:

Nairobi, 20 lipca 1939

To jest coś tak innego niż reszta świata, niż Europa. Wszechobecne niebo nad głową, o którym nie sposób zapomnieć ani na chwilę, bo przytłacza. Słońce jest tutaj dwa razy większe, toczy się zza horyzontu jak czerwona kula i ma się uczucie, że nagle znajdzie się blisko, tuż. To dziwne, w połączeniu z tym klimatem, z gorącem... Czuję się rozbrojona, jakbym myślała połową mózgu. Nie ma przeszłości ani przyszłości, jest tylko chwila obecna... I są noce z Jerzym, parne, dyszące... To takie przyjemne, bliskość drugiego ciała. Czekam na te wszystkie doznania, które przyjdą i których nie umiem do końca nazwać. Pojękujemy z Jerzym, jakbyśmy oboje wąskim przejściem z ciemności wydobywali się na światło. To światełko w końcu rozbłyska... Wczoraj byłam na targu, krążyłam pośród straganów, wszystko tu takie kolorowe, góry owoców ułożonych w piramidy, pomarańcze, zielone czupryny ananasów, żółte banany, a dalej najprzeróżniejsze stworzenia morskie, ryby o dziwnych kształtach. Długą chwilę przyglądałam się młodej Murzynce w kolorowym zawoju na głowie, uwijała się wokół straganu z miejscowymi wyrobami z kości słoniowej i świecidełkami: koralikami, kolczykami, bransoletami, które tutejsze kobiety tak uwielbiają. Ja nie mam zupełnie potrzeby zawieszania czegokolwiek na sobie, nie lubię naszyjników i pierścionków, nawet obrączki nie noszę, co Jerzy ma mi za złe, bo on z dumą nosi swoją. Ale ja zaraz mam takie wrażenie, że coś mnie ogranicza, więzi. Muszę czuć się swobodna... Patrzyłam na tę Murzynkę, na jej gibką postać, na brązowe odsłonięte ramiona i miałam dziką ochotę dotknąć jej skóry. Jestem strasznie ciekawa ludzkiego ciała, co ono ukrywa. Kobiety budzą we mnie mniejszą ciekawość. A jeśli chodzi o mężczyzn, to zawsze sobie wyobrażam, jacy są, ulepieni przez Stwórcę. Ich ciało jest piękniejsze od naszego... Nie na darmo cała kultura starożytna kręci się wokół męskich muskułów... Tak się zmęczyłam na tym targu, że potem przysiadłam sobie pod eukaliptusami. Jakieś ptaki dziwnie nawoływały, przypominało to gruchanie. Jerzy mi potem powiedział, że to turkawki. Zupełnie jak w tej piosence: ,,Turkaweczko ty moja...". Kim jestem? Kim się czuję? Tego a tego dnia w Nairobi... Moja walizka czeka na mnie w hotelu Salisbury. No, jest tam także walizka Jerzego. I tylko tyle wiem.

Kolejny zapis:

Nairobi, 1 września 1939
Kiedy siedzieliśmy przy śniadaniu w hotelowej restauracji, boy przyniósł nam gazetę. Wyglądał tak zabawnie z czarną buzią i w uniformie ze złotymi guzikami, zupełnie jak figurka. Ale buzię miał

przejętą. I nie bez powodu, bo i twarz Jerzego się zmieniła, kiedy rzucił okiem na nagłówki. ,,Co się stało?" – spytałam. ,,Wojna". Nie musiał dodawać jaka. Wiadomo. Tylko t a wojna mogła zrobić na Jerzym takie wrażenie. Ale przecież to jeszcze nie koniec świata. Jest Anglia, jest Francja. Nie zostawią nas.

Wczoraj miałam rozmowę z moim zleceniodawcą, bardzo dla mnie przykrą. Oznajmił, że nie będzie pisał biografii Krystyny Skarbek, bo zawarł umowę na nową powieść, i to na bardzo dobrych warunkach.

– Wie pani, biografia to dla pisarza coś wtórnego... Pisarz najlepiej realizuje się w fikcji.

– Ale... włożyłam w to tyle pracy...

– Wiem, ale ja za nią zapłaciłem.

Powtarzając Arkowi treść tej rozmowy przez telefon, nie mogłam zapanować nad głosem, mówiłam o ton wyżej, jak skrzywdzone dziecko.

– Czułem, że się wycofa... Ale nie ma tego złego... ty napiszesz o niej książkę! – usłyszałam.

– Ja?

– Ty. Właśnie ty. Pomogę ci. Przyjedziesz do Londynu, jak się skończy remont w Ośrodku Polskim.

W październiku 1939 roku Giżyccy znaleźli się w Londynie. Mąż Krystyny starał się wykorzystać swoje znajomości, aby jakoś się zaczepić w nowej rzeczywistości. Jednym z dobrych znajomych konsula z Nairobi był Freddy Voigt, wydawca miesięcznika „The Nineteenth Century and After", człowiek bardzo ustosunkowany, a więc dla Giżyckiego wielce przydatny. Przynętą miała okazać się Krystyna, a ściślej, jej uroda, która zrobiła na biednym wydawcy piorunujące wrażenie. Ale mimo że uczucie starszego pana do młodej żony konsula mogło się wydawać nieco humorystyczne, on, a nie kto inny wpłynął bezpośrednio na jej los. Bo to Voigt, po jej uporczywych naleganiach, zarekomendował ją do British Security Coordination jako przyszłą agentkę. Długo się zresztą przed tym wzbraniał, nie mogąc sobie wyobrazić tego jasnowłosego anioła w roli podstępnego szpiega.

– Ależ Christine... czy wiesz, na co się narażasz?

– Bardziej naraża się pierwszy lepszy przechodzień na ulicy w Warszawie – odrzekła twardo.

Co prawda był to dopiero drugi miesiąc wojny i BSC Sekcja „D", do której Krystynę skierowano, nie miała jeszcze skonkretyzowanych celów. Na razie odbywał się nabór przyszłych agentów, a głównym kryterium wpisania na listę była znajomość języków obcych. Przez Voigta Krystyna dotarła do majora G.F. Taylora, który był szefem sekcji bałkańskiej. Nie wiadomo, czy i on uległ urokowi przyszłej agentki, czy też jako znany służbista ocenił na zimno jej przydatność w tej ukrytej wojnie. Faktem jest, że napisał raport do dziś spoczywający w archiwach Foreign Office:

Osoba ta wydaje się mieć jak najlepsze kwalifikacje do służby w naszej sekcji. Jest inteligentną, elegancką i nastawioną patriotycznie Polką, która po francusku mówi bez akcentu, co w przyszłości może się dla nas okazać bardzo przydatne. Przedłożyła nam plan udania się do Budapesztu, w celu zorganizowania tam masowej produkcji ulotek propagandowych, mających podtrzymać ducha oporu wśród jej rodaków w Polsce. Jest gotowa przedostać się do swojego kraju trasą przez Tatry, jak również zorganizować przerzut jeńców wojennych na terytorium alianckie. Ma ku temu wszelkie kwalifikacje jako wytrawna narciarka, pozostająca w doskonałej kondycji fizycznej. Posiada znajomości wśród przewodników tatrzańskich i uważa, że może liczyć na ich współpracę. Ponadto przejawia łatwość nawiązywania kontaktów z mężczyznami.

„Ponadto przejawia łatwość nawiązywania kontaktów z mężczyznami", ciekawe, co major Taylor miał na myśli. Czy nurtowało go podobne pytanie jak pana L. i wszystkich, którzy ją lepiej znali? Z czego wynikała jej tęsknota, niemal pogoń za bliskością męskiego ciała, dlaczego wciąż inne musiało spoczywać obok niej na prześcieradle? Po co jej była ta ciągła wymiana, często na gorsze, raniąca uczucia tych, którzy ją kochali. Wymiana, która, jak się miało później okazać, była zabawą ze śmiercią...

Chciałabym umieć odpowiedzieć na te wszystkie pytania, chciałabym ją zrozumieć. Dlatego zadałam sobie tyle trudu, by dotrzeć do jej pierwszej miłości, owego Adama. Biedny pan G.G. znowu miał zostać pominięty, amputowany z jej życia, jako niewygodna część życiorysu. Dla niektórych emigracyjnych badaczy żydowska strona jej biografii była nie do przełknięcia, dla mnie zaś – badającej życie uczuciowe Krystyny Skarbek – pan Gustaw nie stanowił żadnej wartości w sensie materiału. „Cały *charme* Gustawa znikał w momencie, gdy zdejmował swoją doskonale skrojoną marynarkę" – tak oto skwitowała Krystyna pierwsze doświadczenia małżeńskie. Ale Adam znaczył dla niej dużo więcej. To o nim napisała: „Byłam głupia, że nie poznałam go wcześniej...".

Spotkałam się z nim w kawiarni w Hotelu Europejskim. On to miejsce zaproponował i wcale mnie to nie zdziwiło, bywają tam bowiem ludzie z tak zwanego przedwojennego towarzystwa, tego samego, które Krystynę wyrzuciło poza nawias.

Adam R. był już mężczyzną w podeszłym wieku, ale trzymał się świetnie: sprężysty krok, wyprostowana sylwetka. No tak, dawny narciarz.

– Jeździ pan jeszcze na nartach? – spytałam.

Pokręcił przecząco głową.

– Już nie jeżdżę, ale regularnie grywam w tenisa.

Starałam się pokryć zakłopotanie, chciałam przecież zadać temu mężczyźnie kilka pytań bardzo osobistych.

– Pamięta pan Krystynę Skarbek?

Mój rozmówca uśmiechnął się.

– A czy Krystynę można zapomnieć? Będę ją pamiętał do śmierci i umrę z jej imieniem na ustach.

Patrzyliśmy na siebie.

– Dlaczego pani o nią pyta?

– Chcę o niej napisać.

– Jako o wielkim alianckim szpiegu? Dla mnie ona była przede wszystkim wielką miłośnicą... wiedziała, po co Pan Bóg stworzył kobietę i mężczyznę. Jeżeli chodzi o mnie, to już żadna jej nie przebiła...

Za tym żartobliwym tonem kryła się jednak absolutna powaga, czułam, że mężczyzna mówi prawdę. Krystyna była w jego życiu kimś ważnym.

– Wydaje mi się, że ona pana kochała.

– I ja ją kochałem. Spędziłem z nią tylko pół roku mojego życia, ale już nic lepszego mnie w nim nie spotkało...

Pan L., wspominając pierwsze kroki Krystyny w nowej roli, lekko się uśmiechnął.

– To był czas ząbkowania angielskiego wywiadu wojennego i plany naszej Krysi mogły im się wydawać całkiem poważne. W gruncie rzeczy były naiwne.

– Nie takie naiwne, jak czas pokazał.

– Czas je skorygował. Ale na początku panował chaos. Wie pani, jaka była formuła przyjęcia do sekcji?

Przytacza ją w swojej książce pułkownik Sweet-Escott, jeden z późniejszych szefów Krystyny:

Z uwagi na bezpieczeństwo nie mogę wyjawić, na czym robota wasza będzie polegała. Mogę wam powiedzieć jedynie to, że przy wykonywaniu waszych obowiązków winniście nie cofnąć się ani przed fałszerstwem, ani nawet przed morderstwem.

Brzmiało to złowrogo i nie wyjaśniało niczego. Ale Krystyna wiedziała, czego chce. Z kartą dziennikarską w kieszeni postawiła stopę na ziemi węgierskiej, ściślej w Budapeszcie, już 21 grudnia 1939 roku. Od razu poczuła się tam jak w domu, na każdym kroku słychać było język polski. Węgrzy dwoili się i troili, aby jakoś osłodzić swoim gościom smak klęski. Generał Maczek tak to skwitował: ,,Od stołu zastawionego wybornymi potrawami i winem prawie się nie wstawało, bo całe falangi ludzi schodziły się, by nas zobaczyć i powitać''. Nie miała więc Krystyna trudności w nawiązaniu kontaktów z rodakami.

W tym samym czasie znalazł się w Budapeszcie podporucznik Andrzej Kowerski. Generał Maczek zlecił mu zorganizowanie przerzutu do Francji ukrywających się na Węgrzech żołnierzy słynnej 10. brygady kawalerii zmotoryzowanej, tej samej, którą dowodził we wrześniu 1939 roku.

Krystyna i Andrzej. Tych dwoje musiało się spotkać... Madeleine Masson tak go sportretowała: ,,Wyglądał jak Anglik, jak Szkot, jak Polak, jak prawdziwy mężczyzna... Był nim w istocie. Potężnie zbudowany, o czerstwej twarzy, z ciemnym wąsem i błyskiem w niebieskich oczach. Z lekka utykał na lewą nogę. Z powodu protezy. Uległ we wczesnej młodości wypadkowi na polowaniu, czego o mało nie przypłacił życiem. Gdyby nie jego żelazne zdrowie, z pewnością by tak było''.

Pan L. powiedział, że kiedy Andrzej brał kieliszek do ręki, oczekiwało się chrzęstu miażdżonego szkła.

– Już pan nie jest o niego zazdrosny?

– Już dawno nie jestem o niego zazdrosny.

– Ale był pan?

Potakuje głową.

– O tak, cierpiałem okropne męki.

Andrzej miał swoje przenośne biuro w polskim konsulacie. Któregoś dnia Krystyna weszła do jego pokoju i stwierdziła, że muszą porozmawiać bez świadków. Udali się więc do pobliskiej kawiarni. Zaproponował wino. Odmówiła.

– Nie piję.

– To źle.

– Dlaczego?

– Bo wino dodaje fantazji.

– Nie brakuje mi jej i po trzeźwemu – odrzekła ze śmiechem.

Ten jej śmiech!

– Czy pani wie, że to nie jest nasze pierwsze spotkanie?

– A gdzie się już spotkaliśmy?

– W Zakopanem. W sklepie z nartami.

Krystyna była tam ze swoim drugim mężem, który oddawał narty w komis, ponieważ mieli wyjechać za granicę. Kowerski te narty od niego kupił. Nikt z całej trójki nie miał wtedy pojęcia, że się jeszcze wszyscy spotkają.

Karol Zbyszewski, znany emigracyjny dziennikarz i felietonista, napisał o Krystynie: „...miała namiętność do zapoznawania ze sobą swych mężczyzn. (...) Sprawiła, że Ledóchowski, przelotny romans, zaprzyjaźnił się z jej stałym towarzyszem, Kowerskim. Ściągnęła na

Bliski Wschód swego porzuconego męża, Giżyckiego, pod pozorem, że to geniusz i że obejmie po niej robotę w Budapeszcie. Naturalnie przedstawiła mu zaraz Kowerskiego...".

– A co pani tu robi? – spytał ją wreszcie Andrzej w kawiarni, bo jakoś nie występowała ze swoją „poufną" wiadomością.

– Jestem dziennikarką – odparła.

Nie starczyło już czasu na dłuższą rozmowę, umówili się więc następnego dnia na obiad. Ale Andrzej w wirze zajęć nie mógł się uwolnić choćby na chwilę. Polecił swojemu koledze, żeby zadzwonił do niej i w jego zastępstwie wybrał się z nią do restauracji. Delikatnie się wymówiła. I zatelefonowała do Kowerskiego nazajutrz rano, ponawiając propozycję spotkania. Postanowił przyjechać po nią wcześniej, aby nie czekała na zimnie i deszczu. Zatrzymał samochód przy krawężniku. I po chwili ją zobaczył. Jak ona się poruszała! Jak stawiała stopy w pantoflach na wysokich obcasach. Jej ruchy zwracały uwagę każdego mężczyzny.

Zaczęli razem pracować, ona mu pomagała. Przy ewakuacji polskich żołnierzy dalej do Francji chodziło o to, kto będzie sprytniejszy i szybszy. Czy organizatorzy przerzutu przez granicę, czy węgierska żandarmeria, która często przymykała oczy na podobne akcje. Krystyna była w takich sytuacjach nieoceniona, zawsze zachowywała zimną krew. Któregoś dnia Andrzej miał wyznaczone spotkanie w obozie Esztergom i jak zwykle zabrał ją ze sobą. Warunki jazdy były koszmarne, bo po odwilży chwycił mróz. W dodatku pilotowali ciężarówkę, którą prowadził młody chłopak. Z trudem sobie radził. Musieli przystawać, czekać na niego.

W miasteczku pośród krętych uliczek zgubił się na dobre. Andrzej przystanął nieopodal winiarni o zabawnej nazwie „Kis Pipa", gdzie jego zastępca miał zgodnie z umową popijać z żandarmami. Poprosił Krystynę, aby jakoś zawiadomiła porucznika, że nastąpi małe opóźnienie. Bo zgubił się kierowca ciężarówki i trzeba jeszcze zorganizować benzynę.

– A jak go poznam? – spytała krótko.

– Będzie w polskim mundurze.

Weszła do winiarni i od progu rzuciła się na szyję zaskoczonemu porucznikowi. Przekazała mu szeptem wiadomość od Kowerskiego. Porucznik wycofał się dyskretnie, pozostawiając ją samą z dotychczasowymi kompanami. Andrzej pojawił się tam po godzinie i zastał Krystynę otoczoną kompletnie pijanymi żandarmami, z których każdy chciał się z nią umówić na randkę. Przybycie Andrzeja zostało powitane mało przychylnie, zaczęły się przepychanki, całe towarzystwo wydostało się na ulicę. Ostre powietrze otrzeźwiło admiratorów, w tym niestety samego sierżanta. Zaczął chyba coś podejrzewać, bo uparł się, aby Andrzej odwiózł go do obozu. A tam rozpętało się piekło, gdy dowódca obozu odkrył, że zniknęło kilkunastu internowanych Polaków. Sierżanta kazał zamknąć na odwachu. Cała jego złość zwróciła się teraz ku przybyszom. Co za jedni? Skąd się tu wzięli? Krystyna wyjęła na to swoją dziennikarską legitymację i wyjaśniła po francusku, że przyjechała zbierać materiały na temat dochowywania przez władze węgierskie postanowień Konwencji Genewskiej w stosunku do internowanych żołnierzy polskich. Ale, jak widać, zjawiła się niezbyt w porę. Węgier od razu spokorniał, coś próbował Krystynie tłumaczyć, w końcu postanowił zawołać kogoś, kto lepiej sobie radzi z francuskim.

To był moment, żeby się wycofać. Kiedy Andrzej i Krystyna ładowali się do jego sfatygowanego opla, ona kątem oka zdołała dostrzec, jak żandarmi biegną do zaparkowanych samochodów. Udało im się jakoś wydostać z miasta, ale na oblodzonej szosie kilka razy ich zarzuciło, na szczęście Andrzej był wspaniałym kierowcą i wyprowadził samochód z poślizgu. Tamci byli jednak coraz bliżej. Wtedy na ostrym zakręcie opel Kowerskiego wyleciał w powietrze, odbił się od zaspy śnieżnej i z powrotem wylądował na szosie czterema kołami. Jechali dalej. W pewnej chwili Andrzej zauważył, że Krystyna, skulona na swoim siedzeniu, osłania mu głowę torebką. Kiedy udało im się zgubić wreszcie pogoń, skręcili w boczną drogę, bojąc się jechać prosto na Budapeszt. Andrzej spytał, o co chodziło z tą torebką. Krystyna wyjaśniła, że żandarmi, dojechawszy do zakrętu, zeskoczyli z samochodów i przyklękając na szosie, strzelali za nimi. A więc tak się odbył jej chrzest bojowy. W roli oręża damska torebka!

Większość ludzi, zwłaszcza Polaków, ma zupełnie fałszywe, romantyczne pojęcie o wywiadzie. Wyobrażają sobie, że wywiadem kierują bohaterskie gwiazdy, że jest to rodzaj kompanii nieustraszonych awanturników. W rzeczywistości as wywiadu jest jak egzotyczny kwiat, który przyciąga wzrok, ale kwitnie zaledwie krótki sezon, po czym opada, a trwały byt ma tylko brzydki kolczasty krzak urzędu informacji. Pień wywiadu to urzędnicy za biurkami, sortujący wiadomości, wymieniający waluty, wypełniający kartoteki i wydający dyspo-

zycje. Ci fachowcy angażują wielkie talenty szpie-
gowskie, jak menedżerowie sportowych klubów
wyławiają talenty piłkarskie, jak reżyserzy filmowi
angażują wschodzące gwiazdy ekranu. I podobnie
jak krótko trwa sława sportowca czy gwiazdy
filmowej, tak krótko trwa sława asa wywiadu.
Podobnie jak tamci, odchodzi w cień, nieraz w bie-
dę. Nieubłagana i niezbędna instytucja centrali
pozostaje.

Londyn, ,,Dziennik Polski",
wtorek, 24 czerwca 1952

– Czy Krystyna była osobą wolną, to znaczy, czy
przeprowadziła rozwód z drugim mężem? – spytałam
pana L.

– O ile wiem, przeprowadziła rozwód w 1946 roku,
załatwiał tę sprawę konsulat polski w Berlinie. Ona
przecież nie mogła stawić się osobiście w Polsce, na
sygnale odwieźliby ją na Rakowiecką...

Drugie małżeństwo też się okazało pomyłką,
Krystyna uważała, że mąż ją przytłacza. Co wcale nie
oznacza, że Giżycki wypada na trwałe z jej orbity, nie
pozwoliła na to żadnemu ze swoich mężczyzn – skoro
raz zostali wpisani na jej listę, musieli na niej pozostać.
Postanawia wciągnąć byłego męża do współpracy, choć
uważa go za najtrudniejszego człowieka, jakiego zna.
Twierdzi, że Jerzy jest odważny, bezkompromisowy
i nadaje się do tego typu roboty. Przedstawia go Kowerskiemu, na którym Giżycki robi silne wrażenie, mimo
iż to bądź co bądź rywal...

Po latach Andrzej powie o nim autorce biografii
Krystyny, Madeleine Masson: ,,Był czarujący... choć

75

może to nieodpowiednie słowo, gdy ktoś wygląda jak orzeł. Jego szare oczy były zimne... Zupełnie nieprawdopodobny typ...".

Jak on sam. Bo czy można sobie wyobrazić, aby ktoś, kto porusza się na drewnianej nodze, mógł przebyć kampanię wrześniową 1939 roku jako żołnierz, i to nie gdzieś na tyłach, ale na pierwszej linii? Z powodu swego kalectwa otrzymał kategorię „D". Nie wiadomo, jak tego dokonał, jak zmusił swoich przełożonych, aby uznali go za zdolnego do służby wojskowej. Jedna z legend głosi, że na oczach dowództwa uruchomił tankietkę i tak sprawnie nią manewrował, że przekonał kogo trzeba, iż sobie w tej wojnie poradzi. Inna, że to za sprawą żony dowódcy pułku załatwił dla siebie przydział. Można sobie łatwo wyobrazić zauroczenie pułkownikowej osobą Kowerskiego. Jego męskie walory nic a nic nie ucierpiały na tym, że miał jedną nogę nieco krótszą. Z całej sylwetki biła niezwykła siła fizyczna, która szła w parze z przymiotami ducha, z prostolinijnością i niezwykłą wręcz odwagą. Za tę ostatnią dostał Virtuti Militari. Mimo to ciągle wymagano od niego potwierdzeń, że jest w pełni sprawny i że nie zawiedzie.

O jednym z takich sprawdzianów opowiedział mi sam Kowerski, kiedy po długich poszukiwaniach wreszcie do niego dotarłam. Sprawa była dosyć ryzykowna, przyjaciel Andrzeja, Anglik, postanowił za wszelką cenę wydostać z Ukrainy żonę i dzieci, którzy nie zdążyli wrócić do kraju po wakacjach. Był zdeterminowany, gotów na wszystko. I zupełnie zielony, jeśli chodzi o zasady konspiracji. Andrzej postanowił wziąć sprawy w swoje ręce. Wiedział, że nie ma co szukać kontaktów ze szmuglerami idącymi szlakiem przez Karpaty przy pomocy strony węgierskiej. Po prostu wsiadł w samochód i dojechał do górskiej przełęczy. Miał umówiony kontakt z jednym z górali, który powinien odpowiedzieć na hasło: „Czy mogę dostać tutaj szklankę mleka z miodem?".

W dalszą drogę wyruszył pieszo o piątej rano następnego dnia. Po kilku godzinach wędrówki był potwornie spragniony, zaczęła go obcierać proteza. Z ulgą powitał sylwetkę niskiego góralskiego domku, jakby przycupniętego na stromym zboczu, a kiedy podszedł bliżej, zobaczył, że dom stoi na polanie. Zapukał do drzwi. Otworzył mu niewysoki mężczyzna patrzący spode łba.

– Czy mogę dostać tutaj szklankę mleka z miodem? – spytał Andrzej.

Gospodarz łypnął na niego spod krzaczastych brwi.

– Mleko może być, ale miodu nie ma.

Góral wpuścił go do środka. Andrzej z uporem powtórzył hasło raz, drugi. Żadnej reakcji. Mężczyzna przysiadł na zydlu i zaczął zapalać fajkę, jakby w izbie nikogo nie było. Więc Andrzej, nie mając wyjścia, postanowił się zdekonspirować. Jest tutaj ze specjalną misją, szuka kontaktu z kurierami przeprowadzającymi przez góry. Czy może liczyć na pomoc? Ciągle żadnej reakcji, jakby tamten niczego nie usłyszał.

– Mój przyjaciel ma dwoje dzieci we Lwowie okupowanym przez Rosjan. Mówiono, że możecie mi pomóc, cena nie gra roli...

Po długiej chwili mężczyzna odpowiedział:

– My już nikogo nie przeprowadzamy, za duże ryzyko.

– Ale w Budapeszcie zapewniono mnie, że powiecie mi, do kogo się zwrócić.

Cisza.

– Jest taka kobieta, tam, w górach, może mogłaby pomóc.

– Jak daleko stąd?

Mężczyzna wyprowadził Andrzeja przed chałupę i wskazał mu drogę pnącą się ku górze.

– Nie tak daleko – powiedział. – Widać stąd chałupę.

Andrzej, niegdyś wytrawny narciarz i znawca gór, wiedział, że „niedaleko" oznacza kilka godzin marszu. Próbował się targować z mężczyzną, ale tamten był niewzruszony. Powiedział tylko, że da mu przewodnika, swojego bratanka. Chłopiec nie mógł mieć więcej niż dziesięć lat.

Słońce było wysoko, grzało niemiłosiernie, dla Andrzeja wspinaczka powoli stawała się nie do zniesienia, w dodatku nadwerężona i poobcierana noga coraz dotkliwiej dawała o sobie znać. Pot spływał mu strugami po twarzy, chłopiec przyglądał się Andrzejowi z nieukrywanym współczuciem. Dla niego ta wędrówka była zabawą, co chwila podbiegał w górę, skakał przez kamienie. Wreszcie dotarli na miejsce, czyli do zapadniętej w ziemię chaty. Na widok zgarbionej staruchy chłopiec powiedział:

– To jest babcia Kiryłowa.

– Siadajcie – zwróciła się do Andrzeja skrzekliwym głosem, bardzo pasującym do jej fizjonomii. – Pewnieście zmęczeni. Napijecie się mleka?

– Byle z miodem – odrzekł, zachowawszy odrobinę humoru.

Starucha poleciła chłopcu zawołać ojca. Do tego stopnia przypominał górala, który Andrzeja tutaj wyprawił, że przez chwilę sądził, iż to ten sam człowiek.

Niestety, jego odpowiedź była podobna. Już nie przeprowadzają przez góry. Za duże ryzyko.

– To po kiego czorta kazaliście mi tu włazić?! – wybuchnął Andrzej. – Nie widzicie, że jestem kaleką? Że mam drewnianą nogę?

Droga powrotna okazała się nieporównanie gorsza, chociaż wspinając się tutaj myślał, że gorzej już być nie może. W ryzach trzymała go tylko złość na tego górala na dole. Wiedział, co ma mu do powiedzenia. Dotarł do chaty na skalnym ustępie, kiedy słońce chowało się już za szczyty. Niemal zwalił się na ławę. Ku jego zaskoczeniu gospodarz podszedł do niego z szerokim uśmiechem, wyciągając rękę.

– Teraz możecie dostać swoje mleko z miodem – powiedział.

Przez długą chwilę Andrzej nie mógł wydobyć z siebie słowa.

– Więc po co?! Po co musiałem przejść przez to piekło!

– Musimy być ostrożni, za dużo ludzi zapłaciło życiem za takie wpadki. Obserwowaliśmy was przez lornetkę, gdzie się wrócicie, do nas czy na posterunek. Wróciliście się do nas.

Opowiedział tę historię Krystynie, śmiała się bardzo. Siedzieli w jednej z budapeszteńskich kawiarń, oczekując na przyjście Ludwika Popiela, który był prawą ręką Andrzeja. Wsławił się tym, iż we wrześniu 1939 roku podczas oblężenia Warszawy unieruchomił stanowisko niemieckich karabinów maszynowych rzucając... cegłami. Otrzymał za to Krzyż Walecznych. Tym razem dokonał czegoś bardziej zdumiewającego. Właśnie przemycił z Warszawy do Budapesztu rozłożony na części najnowszy model niemieckiego karabinka, który teraz miał dostarczyć Krystynie, aby mogła go przekazać Anglikom. Wpadł do kawiarni zdyszany, z pokaźną teczką pod pachą. Na ich widok twarz mu się rozjaśniła. Był szczupły, wysoki, o jasnych, zaczesanych do tyłu włosach i długich podwiniętych jak u dziewczyny rzęsach.

Porozmawiali chwilę, po czym Ludwik odszedł bez teczki. Oni odczekali przeszło kwadrans, zanim wyszli na ulicę. Teczkę niósł Andrzej. Minęli jedno skrzyżowanie, drugie, byli już nieopodal poselstwa angielskiego, kiedy nagle zza rogu wyłonił się patrol. Dwóch żandarmów, Węgrów, z karabinami gotowymi do strzału. Krystyna przytuliła się do ramienia Andrzeja, aby wyglądało, że są parą. Tamci jednak zatrzymali ich, żądając okazania dokumentów.

– Zechcą zajrzeć do teczki – wyszeptała po polsku – musimy ich unieszkodliwić...

– Jak? – spytał bezradnie.

– Ja się zajmę tym niższym, ty weź na siebie tego drugiego...

Andrzej jednak stał jak sparaliżowany, a kiedy żandarm wskazał na teczkę, uczynił ruch, jakby chciał ją otworzyć. Wtedy Krystyna kopnęła stojącego bliżej niej żandarma w krocze. Upuścił karabin i chwycił się za podbrzusze. Kopniak musiał być straszliwy, ona miała na nogach te swoje solidne, przeznaczone do górskich przepraw buty. Drugi żandarm po prostu zgłupiał, gapiąc się na wyjącego z bólu kolegę. Andrzej bez trudu go rozbroił. Za rogiem porzucili zdobyczną broń. Ich zadaniem było dostarczenie za wszelką cenę teczki do poselstwa.

– Ależ ty jesteś... – zaczął Andrzej, gdy pili w gabinecie posła Russela herbatę.

– Jaka? No jaka? – spytała z przekornym uśmiechem.

– Właśnie szukam odpowiedniego słowa.

Co takiego miała w sobie ta kobieta, że każdy, kto chociaż przelotnie się z nią zetknął, nie mógł już o niej zapomnieć? Jeden z moich rozmówców po dłuższym zastanowieniu powiedział:

– Jej odwaga była aż zatrważająca... zupełnie jakby sądziła, że jest nieśmiertelna, albo jakby chciała strzepnąć z siebie życie...

Andrzej też się zaniepokoił, kiedy mu oznajmiła, że idzie do Polski.

– W Tatrach leży śnieg na cztery metry!

– Trudno, dość mam tej bezczynności, muszę zacząć działać.

– Ale to szaleństwo!

Spojrzała na niego zalotnie.

– Skoro to takie szaleństwo, chodź ze mną! To przecież w twoim stylu.

– Może bym i poszedł – odrzekł wolno, nie wiedząc, czy kpi sobie z niego, czy naprawdę niczego się nie domyśla.

– Więc chodź!

Bez słowa wziął jej rękę i położył na swojej drewnianej nodze. Jej przerażone spojrzenie powiedziało mu, że jednak się nie domyślała.

– Kiedy? – spytała cicho.

Budapeszteńskie zapiski... Krystyna, nie mogąc wyzbyć się nałogu zapisywania swoich przeżyć – bo inaczej ,,jakby ich nie było", tłumaczyła się w którymś miejscu – starała się chociaż je zakamuflować. Imiona osób, z którymi się kontaktowała, zastępowała ich inicjałami.

Nie wiem, co sobie myślałam po spotkaniu z A. Że ze swoimi kontaktami może być przydatny. A. jako mężczyzna... chyba zbyt witalny, jak na mój gust. Niedźwiedź w składzie porcelany, gruboskórny, ale ma pewien wdzięk. Kiedy się śmieje, pokazując białe zęby, jest w nim coś dzikiego. Tylko czy ja to lubię... Teraz na pewno lubię, bo jesteśmy sobie bliscy.

Tak krążyliśmy wokół siebie, obserwując się wzajemnie, często krzyżowały się nasze spojrzenia. Bałam się go do siebie zaprosić, bo nie wiedziałam, jak z nim jest. Ten wypadek na polowaniu... Ale dał mi do zrozumienia, że wszystko w porządku. I tamtego wieczoru w knajpce nad Dunajem tak na siebie patrzyliśmy, że wszystko było wiadomo. ,,Boję się ciebie" – powiedział w jakiejś chwili całkiem poważnie. A on rzadko mówi poważnie, wszystko zaprawia lekką ironią. Panuje o nim opinia, że to zgrywus-ironista. ,,Ty się bój Niemców, nie mnie" – odrzekłam. A on na to: ,,Z nimi sobie poradzę".

Nie spodobał mi się ten żart, wstałam więc i wyszłam z knajpy. Chciałam sama wracać do domu, taksówką. Ale mnie dogonił. Wziął mnie za ramiona i odwrócił w swoją stronę. I zaczął mnie całować tak, jak nikt dotąd. Kręciło mi się w głowie, nie mogłam złapać tchu, czułam, że cała płonę. Dzięki A. poznałam, czym jest naprawdę miłość fizyczna między dwojgiem ludzi, i jakie to mocne. Można w niej utonąć i myśleć, że nie ma niczego poza ramionami mężczyzny. Ach, gdyby to była prawda...

Krystyna miała w Budapeszcie małe mieszkanko z wejściem przez ogródek. Składało się z pokoju i małej kuchenki, urządzone było bardzo przytulnie, z zasłonami starannie dobranymi do kapy zaścielającej szerokie łoże. Na ścianach kilka obrazków, lampa z abażurem z materiału dająca ciepłe światło. Andrzej był zaskoczony panującą tu domową atmosferą, jakiej od dawna nie pamiętał. On dzielił wynajęty pokój ze swoim kuzynem, czysty i schludny, lecz mało przytulny.

Krystyna przygotowała kawę, ale jej nie wypili. Postawiła filiżanki na stoliku, a Andrzej, siedzący na brzegu tapczanu, wyciągnął do niej rękę. Po chwili znalazła się w jego objęciach, zaznając tej mocnej, oszałamiającej miłości, jak napisała. Oboje wiedzieli, że to nie było zwykłe spotkanie, że tamtej nocy połączyło ich uczucie, z którym później przez lata nie potrafili sobie poradzić. Krystyna uciekała i powracała, on o mało nie ożenił się z inną kobietą, oboje jednak czuli, że należą do siebie. I w końcu przestali się przeciw temu buntować, szczególnie ona. Podjęła decyzję, że do niego wraca, tym razem na zawsze. Potrzebowała jednak na to sporo czasu, a kiedy się zdecydowała, miała go już, jak się okazało, bardzo mało. Ta podróż, o której wspomina w ostatnim swoim zapisie, była podróżą do niego. Zamierzała pojechać pociągiem do Marsylii, gdzie Andrzej miał na nią czekać, potem oboje wsiedliby na statek do Hamburga, a stamtąd pojechali do Bonn, gdzie on się zakorzenił, zdobył pozycję. Nienawidziła tego kraju i tego miasta. A jednak zdecydowała się tam w końcu osiąść. Żeby z nim być. Działo się to w roku 1952, ostatnim roku jej życia.

Długo nie docierało do mnie, jak Krystyna zginęła. Kiedy zaczęłam zbierać o niej materiały, w rozmowach z panem L., z jej krewną, a potem z innymi ludźmi, którzy ją znali, instynktownie omijałam ostatni okres jej życia. Narzuciłam pewną chronologię swoim poszukiwaniom. Na początku więc interesowała mnie jej młodość. Wiedziałam jednak, że nie umarła śmiercią naturalną, rzadko kto umiera śmiercią naturalną, mając czterdzieści trzy lata, ale wydawało mi się, że popełniła samobójstwo. Byłam tego niemal pewna. Przecież całe jej życie było jakby dążeniem do samounicestwienia, we wszystkim, co robiła, zupełnie się zatracała, w miłości, w niebezpieczeństwie... Komuś takiemu musiało być trudno żyć w normalnych czasach...

Rok 1952, rok jej odejścia, nabrał dla mnie szczególnego znaczenia, kiedy przeglądając różne wycinki, przeczytałam w jednym, że był to rok „zgubiony". Postanowiłam go zachować...

Rok 1952. Rok „zgubiony", jak nazwał go jeden z emigracyjnych publicystów. Działo się w tym roku wiele ważnych i decydujących spraw. Wielka

Brytania wkroczyła w nowy okres „elżbietański"; przyzwyczajona do błogosławieństwa rządów kobiet, miała nadzieję, że młoda królowa Elżbieta II wprowadzi kraj w erę dobrobytu, spokoju i zapomnienia o katastrofie wojny. Rzeczywistość przeczyła nadziejom. Wytworzył się dramatyczny kryzys w Egipcie, zabierano Anglii naftę perską, podnosiły głowę nacjonalistyczne ruchy w koloniach. Neoelżbietańska Anglia nie mogła się spodziewać słodkiego żywota, przecież starała się, jak mogła, zapomnieć o obu wojnach, o drugiej światowej, siedem lat temu zakończonej, a wciąż jeszcze nie rozwiązanej, i o wojnie na Dalekim Wschodzie. Zastój w Korei, brak wszelkich działań wojennych i zahamowanie rozmów pokojowych w Phanmundzomie, spowodowane w dużej mierze przez Amerykę, która zaprzątnięta wyborami prezydenta uchyla się od jakiejkolwiek akcji – wszystko to natchnęło naszego publicystę do określenia roku 1952 mianem „zgubionego".

Nie przyniósł on też żadnych zmian i nie spełnił nadziei Polaków na emigracji. Wojna koreańska nie posunęła naprzód sprawy tysięcy polskich żołnierzy na obczyźnie. Szalone projekty stworzenia międzynarodowej armii z udziałem Polaków nie doszły do skutku. Na początku roku gen. Tokarzewski, przemawiając na spotkaniu w Kanadzie, zapewniał, że sprawa jest na najlepszej drodze. Rok 1952 i następne lata nie przyniosły odmiany losu setek tysięcy żołnierzy polskich, którzy pozostali na uchodźstwie. Po walce ze wspólnym wrogiem; po bohaterskich czynach ramię w ramię z żołnierzami brytyjskimi, po zwycięstwie – polscy żołnierze „walczący pod dowództwem brytyjskim" otrzymali wątpliwej wartości pomoc PKPR-u i błogosławieństwo na trudną i żałosną drogę cywilną w kraju obcym, w kraju dotąd nie wyzwolonym z następstw wojny.

Siedem lat po podpisaniu pokoju i po defiladzie zwycięstwa Polacy, którym w tej defiladzie odmówiono miejsca, borykali się ciężej niż kiedykolwiek z życiem na Wyspach Brytyjskich, ciężej niż kiedykolwiek, bo kończył się okres próbny, okres spółek zawieranych bez przemyślenia, okres podejmowania się pracy w nowym fachu niedostatecznie opanowanym, okres walki ze związkami zawodowymi.

Żołnierze zapomniani, żołnierze, w których sercach rozbudzono może nierozsądną nadzieję, mieli prawo nazwać rok 1952 rokiem „zgubionym". Dla jednego z polskich żołnierzy, jednego z najdzielniejszych, rok 1952 był rokiem ostatnim.

15 czerwca, w niedzielę wieczorem, w londyńskim hotelu Krystyna Granville-Skarbek rozstała się z życiem.

Londyn, „Kronika", 1975

A więc zginęła w hotelu, z pewnością tym samym, w którym mieszkała. Chyba miałam rację – myślałam. – Nie wypadek samochodowy, nie skok z mostu, ale proszki, po prostu proszki... Dotąd udało mi się dotrzeć głównie do wycinków z prasy angielskiej, ale w żadnym z artykułów o Krystynie nie podawano szczegółów jej śmierci. Być może powodem była angielska wstrzemięźliwość i niechęć do taniej sensacji, mam tu na myśli poważne dzienniki. Zupełnie jakby gazety sprzed pół wieku chciały mi czegoś oszczędzić... Bo kiedy w końcu dotarłam do prawdy, ta prawda powaliła mnie z nóg. Czułam się chora przez kilka dni, po prostu chora...

– Jak to możliwe, że pani nie wiedziała? – pan L. był naprawdę zdumiony, kiedy do niego zatelefonowałam z Londynu. – Przegadaliśmy tyle godzin.

– No, nie wiedziałam.

– Więc to tak, jakbyśmy cały czas rozmawiali o kimś innym...

Pozostawiłam Krystynę i Andrzeja w początkach ich romansu, tuż przed jej wyprawą do Polski w lutym 1940 roku. W Budapeszcie pojawił się Jan Marusarz, starszy brat Staszka, przyjaciela Krystyny. Obaj byli instruktorami narciarskimi i słynnymi narciarzami, członkami polskiej ekipy olimpijskiej. Jan wyglądał jak podobizna starego górala, z poczerniałą twarzą, orlim nosem i mierzwą czarnych włosów nad czołem, jaką się widywało wyrzeźbioną na ciupadze albo innej pamiątce z drewna. Patrzył spode łba i prawie się nie odzywał, chyba że kogoś dobrze znał i lubił. Więc z Kowerskim mieli sobie dużo do powiedzenia.

– Krystyna jest w Budapeszcie – zaczął Andrzej.

– Nie może być – ucieszył się góral.

– Janek, ona chce iść z tobą do Polski.

– Chyba że zwariowała. Śnieg ponad cztery metry, a i głębszy. Żadnej drogi przetartej... ja sam się bojał, co nie poradzę...

– To jej to powiedz. Znasz ją.

– A kto by jej nie znoł – odburknął góral.

Kowerski zawiózł go do mieszkania Krystyny. Ujrzawszy go w drzwiach, rzuciła się w jego stronę, wyściskała, wycałowała.

– Nie wiem, czy wiesz, że idę z tobą.

– No... Jędrek coś tam godoł – odrzekł, nie patrząc jej w oczy.

Andrzej szturchnął go w bok, kiedy Krystyna poszła do kuchenki zaparzyć kawę, a kiedy wróciła, Marusarz zebrał się na odwagę:

– Krystyna, ja jest kurier, ja mam przewieźć ważne dokumenty. Mnie nie kazali nikogo brać, nawet żeby nie wiem kto to był...

Popatrzyła mu głęboko w oczy.

– A co ty myślisz, Janek, że po co ja się wybieram? Na imieniny do cioci?

Kowerski uznał za konieczne wtrącić się do rozmowy.

– Ale jak ty to sobie wyobrażasz? Nie wytrzymasz takiej wyprawy.

Wzruszyła tylko ramionami.

– Jeżeli Janek idzie, ja idę z nim.

Drogi były nieprzejezdne, więc jedynym sposobem przedostania się do granicy słowackiej okazała się podróż koleją. Andrzej pomagał pakować Krystynie plecak. Nie mogła się nadziwić, dlaczego każe jej zabierać ze sobą pół apteki: aspirynę, witaminy, tabletki od bólu gardła, wreszcie tabliczkę czekolady. Ale on wiele się nasłuchał o tego rodzaju przeprawach. Wiedział, jak bardzo jest to niebezpieczne, w tak wysokim śniegu można się po prostu zgubić, odłączyć od przewodnika, odmrozić ręce i nogi albo dostać wysokiej gorączki z zimna i przemęczenia.

Pakując jej plecak, Andrzej spoglądał na nią ukradkiem i ogarniał go lęk, kiedy myślał, na co ona się porywa, ta krucha dziewczyna. Ale wiedział też, że żadne perswazje nie mają sensu. Bo ona im nie ulegnie. Więc jedyne, co mógł w tej sytuacji zrobić, to odwieźć ją i Jana Marusarza swoim oplem na dworzec kolejowy w Budapeszcie.

Objął ją mocno na pożegnanie, czując tuż przy sobie niespokojne bicie jej serca. Wiedział, że przez czas tej wyprawy nie będzie miał od niej żadnych wiadomości. Po prostu albo wróci, albo nie wróci nigdy...

Krystyna i Jan Marusarz usadowili się w przedziale, ona otworzyła okno.

– Wiesz, czego bym chciała?

– No?

– Żebyś się jednak nie upił.

Roześmiał się kwaśno.

– Wiesz, czego żądasz?

– Wiem. I proszę.

Patrzyła na niego surowo.

– Zgoda – wyrzekł niechętnie.

W czasie naszej rozmowy w Monachium spytałam, czy dotrzymał słowa.

– Musiałem – odparł.

Pociąg ruszył, samotna sylwetka Andrzeja na peronie malała coraz bardziej. Krystyna zamknęła okno i spojrzała na Jana, byli teraz na siebie skazani.

Tuż przed granicą słowacką do wagonu weszli żandarmi węgierscy. Jeden był wysoki i chudy, drugi zaś mały, o twarzy okrągłej jak księżyc w pełni, przypominał Krystynie Szwejka, ale sytuacja wcale nie była szwejkowska, gdyż oboje z Marusarzem mieli lewe papiery. Nie wzbudziły jednak podejrzeń, wyższy żandarm spytał tylko Jana, dokąd się wybierają. Odpowiedział, że na wesele do Koszyc. Wyjaśnienie to przyjęte zostało bez komentarzy. W Koszycach czekał na nich umówiony człowiek, który zaprowadził ich na kwaterę. Rano złapali pociąg, który zawiózł ich do polskiej granicy. Bilety dla nich już wcześniej kupiono i do pociągu wsiedli w ostatniej chwili, aby nie nagabywali ich słowaccy strażnicy. Podróż minęła bez niespodzianek. Tuż przed stacją Krystyna i Andrzej wyskoczyli z pociągu, wyczekawszy moment, kiedy maszynista zwolni. Przenocowali u jakichś ludzi, których Marusarz dobrze znał, zawsze się tutaj zatrzymywał, i nad ranem wyruszyli w ostatni, najtrudniejszy etap drogi.

Przed nimi były góry. Przypięli narty, Marusarz jechał pierwszy, przecierając szlak, Krystyna starała się poruszać po jego śladach. Było jednak ciężko, bo przy silnym mrozie na powierzchni śniegu tworzyła się skorupa, która często pękała pod ich ciężarem, i zapadali się głęboko wraz z nartami. Wygrzebanie się z takiej pułapki kosztowało ich wiele wysiłku. Krystyna czuła, jak strużki potu spływają jej po plecach, miała zupełnie mokre włosy. Czekała, że Jan zarządzi jakiś postój, ale on nawet się na nią nie obejrzał. Mróz dawał się we znaki, miała wrażenie, że całe jej ciało płonie, podczas gdy ręce i nogi miała lodowate. Była już u kresu sił i chciała o tym powiedzieć swojemu towarzyszowi, ale nie mogła. Nie była w stanie wydobyć z siebie głosu. Wydawało jej się, że jeszcze chwila, a upadnie na wznak i nigdy już się nie podniesie. Z wolna traciła kontrolę nad tym, co się z nią dzieje, tak jakby narty niosły ją same, i niosły ją, bo ciągle posuwała się do przodu. Marusarz wreszcie sobie o niej przypomniał, przystanął.

– Już jesteśmy, za tym wzgórkiem Cicha Dolina...

W Cichej Dolinie mieli zanocować w jednym z szałasów. Prawie nie mogła uwierzyć, że pokonali taką trasę bez przystanku. Marusarz jednak wiedział, co robi, nie mógł pozwolić, aby zmierzch zaskoczył ich w drodze.

Nagle oboje stracili grunt pod nogami, śnieżny nasyp przypominający wzgórek był pułapką, płynął bowiem pod nim strumień, do którego wpadli niemal po szyję. Przez chwilę nie wiedziała, co się dzieje. Uczuła tylko nagłe gorąco na całym ciele, jakby ją oblano wrzątkiem, a zaraz potem lodowate zimno. Jan wygrzebał się pierwszy i pomógł jej się wydostać.

– Krystyna! Zdziewaj ubranie – zakomenderował, ale ona nie była w stanie wykonać żadnego ruchu. Trzęsła się tylko, zęby jej szczękały.

– Zdziewaj łachy – niemal wrzasnął Jan – bo nie wyjdziesz więcej z tego pancerza!

Zdarł z niej kurtkę, potem sweter, koszulę, spodnie. Zzuł jej z nóg buty, z których wylewał wodę. Stała naga, zupełnie oszołomiona. On też się błyskawicznie rozebrał i wziąwszy garść śniegu, zaczął ją z całej siły nacierać. Przez chwilę myślała, że wraz z tym śniegiem zejdzie z niej skóra, ale potem jakby zaczęła powracać do życia, skurcz mięśni ustąpił.

– Biegiem do szałasu! – wydał komendę Jan.

Wpadli tam oboje nadzy, z plecakami i ubraniem pod pachą. Narty pozostały przy strumieniu. On zaraz rozpalił ogień i rozłożył ich rzeczy, aby przeschły. Wyjęli z plecaków zapasową odzież. Krystyna skuliła się na drewnianej pryczy pod derką. Janek przyniósł jej gorącą herbatę. Gdyby nie aspiryna, którą Andrzej zapakował, z pewnością dostałaby zapalenia płuc.

– Jest minus trzydzieści stopni, przy takiej temperaturze strumień nie zamarza?

– Jak se siedzi pod śniegową pierzyną, to i nie zamarza – roześmiał się Jan.

Po herbacie i aspirynie Krystyna poczuła w ciele przyjemne, pulsujące ciepło, powoli zapadała już w sen, kiedy wydało się jej, że słyszy głosy. Poczęła nasłuchiwać. Poprzez silne podmuchy wiatru, który ciągle narastał, wyraźnie przebijało się czyjeś wołanie o pomoc. Może to ta sama pułapka, ten piekielny strumień! Obudziła Marusarza.

– Coś ci się przyśniło, dziewucho – odrzekł na wpół przytomnie. – Pozwól człowiekowi pospać.

Ale Krystyna nie dawała za wygraną. Ruszyła ku wyjściu.

– Tam ktoś woła! Trzeba iść i pomóc.

On zerwał się i odepchnął ją brutalnie od drzwi.

– Nie wolno nam! – rzekł surowo. – Nie wolno nam się narażać, najważniejsze są dokumenty!

Krystyna wróciła na swoją pryczę i rozpłakała się ze zmęczenia, z bezsilności. Marusarz nie odezwał się do niej ani słowem. Nad ranem wiatr ucichł, nie słychać też było tego nocnego wołania, ale Krystyna nie mogła go zapomnieć. Kiedy wyszli na zewnątrz, stwierdzili, że mróz zelżał, zaczął sypać śnieg. Ruszyli w stronę strumienia, gdzie wczoraj pozostawili narty. Po kilku minutach marszu na skraju doliny niemal potknęli się o dwa zamarznięte ciała. To byli młodzi ludzie, chłopak i dziewczyna. Ubrani jak do przeprawy, z plecakami. Jan przeszukał ich rzeczy, w nadziei że mają przy sobie jakieś dokumenty, ale nie znalazł nic. Potem dowiedzieli się, że tej nocy w Tatrach podczas burzy śnieżnej zginęło trzydzieści osób. Oni dotarli szczęśliwie do rodziców Jana w Zakopanem. Staszka nie było, pokonywał kolejny kurierski szlak.

Rankiem 17 lutego 1940 roku Krystyna, jakby nigdy nic, staje pod drzwiami mieszkania przy ulicy Rozbrat pod numerem 15. Otwiera jej matka. Długą chwilę żadna z nich nie może wydobyć z siebie słowa. Potem rzucają się sobie w objęcia. Krystyna bardziej kochała ojca. Był postacią o tyle barwniejszą od swej wyciszonej, pozostającej w jego cieniu żony. A jednak te dwie kobiety łączyła jedyna w swoim rodzaju więź, jaka może łączyć tylko matkę z córką. Ale tutaj role ulegały pewnemu odwróceniu, Krystyna czuła się odpowiedzialna za tę zagubioną w wojennej rzeczywistości istotę. Już podczas kolacji – przy stole zastawionym niezbyt suto, za to dawno zapomnianymi przysmakami: marynowanymi grzybkami, chrzanem zaprawionym śmietaną, z którym wspaniale smakowała nawet najbardziej podła wędlina – spytała ostrożnie:

– Czy... czy ty i Andrzej zarejestrowaliście się?

Matka spojrzała na nią ze zdziwieniem.

– Niby z jakiego powodu?

– No... to zarządzenie niemieckie...

Pani Skarbkowa wzruszyła ramionami.

– To dotyczy Żydów.

Krystyna ujęła parującą szklankę, była w niej prawdziwa herbata, prezent dla matki z „podróży".

– Mamo – zaczęła ostrożnie – bez względu na to, kim się czujesz, pewnych faktów nie da się zmienić...

– Jestem hrabina Skarbek i wszyscy muszą się z tym liczyć – ucięła matka.

Krystyna poczuła ciężar koło serca. Jak wytłumaczyć tej dobrej na wskroś, ale i naiwnej kobiecie, że wszystko się zmieniło i pierwszy lepszy żandarm, powziąwszy podejrzenie co do nieczystości jej rasy, będzie mógł ją zwyczajnie aresztować. Należało się też liczyć z możliwością denuncjacji, z najbardziej prozaicznego powodu, jakim były pieniądze. Matka, widząc jej przygnębienie, starała się ją pocieszyć:

– To się rozejdzie po kościach, zobaczysz, tak jest zawsze na początku, przy każdej zmianie władzy. Obostrzenia, nakazy, zakazy, a potem życie dyktuje swoje prawa. A poza tym ja przecież chodzę do kościoła...

Krystyna pomyślała, że ta władza jest szczególnie okrutna i nie ma co liczyć, iż wykaże w przyszłości choćby najzwyklejsze ludzkie odruchy, ale nie powiedziała tego głośno.

Matka też się o nią bała. Kiedy Krystyna wracała z miasta, zastawała ją na czatach przy drzwiach.

– Chwała Bogu jesteś. – Na twarzy pani Stefanii pojawiała się ulga.

Tymczasem Krystyna nie próżnowała, oprócz odnowienia kontaktów towarzyskich nawiązała kontakt z podziemiem, a ściślej, została zwerbowana przez organizację o wiele mówiącej nazwie Muszkieterowie.

Otrzymała pseudonim „Muszka", co w żadnym razie nie oddawało jej temperamentu. Już lepiej by do niej pasowała „Osa". To że w poszukiwaniu kontaktu z podziemiem trafiła na szefa tej organizacji, było brzemienne w skutki. Pomówiono ją o zdradę. Ta opinia wlokła się potem za nią i spowodowała przymusową bezczynność przez jakiś czas nie tylko Krystyny, ale i Kowerskiego. Po prostu polskie władze podziemne ostrzegały przed tą parą wywiad aliancki. Tego wszystkiego Krystyna nie była świadoma, przystępując do współpracy z inżynierem Witkowskim, człowiekiem niezwykle bystrym, o cechach przywódczych i nieskorym do podporządkowywania się komukolwiek, nawet władzom Związku Walki Zbrojnej. Wolał działać na własną rękę i były to działania często ryzykowne, do jakich należały jego poczynania z gestapo. Nikt nie przedstawił nigdy konkretnych dowodów, że dowódca Muszkieterów jest zdrajcą, zachowywał się jednak lekkomyślnie i wbrew zasadom konspiracji. Zupełnie jakby czuł się bezkarnie. Ale opinie kobiet o nim były zgodne: czarujący. No tak, już samo to wystarczyło, aby Krystyna mu zaufała. Pociągał ją ten typ mężczyzn, odważnych, lekceważących niebezpieczeństwo.

Spędziła w Warszawie pięć tygodni i zaczęła szykować się w podróż powrotną. Już wtedy powstała jej w głowie myśl, by zabrać ze sobą matkę, ale musiała się do tego specjalnie przygotować. Postanowiła więc, że uczyni to następnym razem. Musiały się pożegnać, co było takie trudne... W Krakowie Krystyna starała się nawiązać kontakty z tamtejszym podziemiem, zgłosiła się do poleconej jej przez Witkowskiego osoby, ale natrafiła na nieufność. Kobieta, z którą rozmawiała, była wyraźnie przestraszona. Poprosiła ją, aby przyszła nazajutrz. Nazajutrz jednak Krystyna zastała drzwi zamknięte. I tutaj nici prowadzą do pana L. To do niego przybiegła bowiem „skrzynka kontaktowa" Krystyny z wiadomością, że zjawiła się u niej tajemnicza dziewczyna podająca się za kuriera z Węgier.

– Jak ją spytałam, na kogo na Węgrzech może się powołać, wyrecytowała nazwisko Kowerskiego i pana, panie Włodku – mówiła wzburzona kobieta. – Że niby pana to już nie ma w Budapeszcie, bo się pan ewakuował do Francji. Wtedy nabrałam pewności, że to jakaś prowokatorka...

– A jak ona wygląda? – zadał konkretne pytanie pan L.

– No... jest ładna, ale trochę mizerna, może po tej przeprawie przez góry...

Pan L. postanowił ją sprawdzić i wkrótce wiedział już, kim jest tajemnicza dziewczyna podająca się za jakąś Andrzejewską. Podziemie śledziło wszystkie poczynania Krystyny w Warszawie i potem w Krakowie. Wyglądało na to, że mówi prawdę. Tylko ów kontakt z Muszkieterami...

Niemniej doszło do spotkania tych dwojga.

Pan L. tak o tym napisał:

Los zrządził, że drogi Krystyny i moje się zeszły. Z tym, że to zrządzenie losu było ważne dla mnie, nieważne dla niej. Stwierdzenie to można łatwo podważyć, bo nie umiejąc zdefinjować takich słów, jak los, przeznaczenie, mojra... tym mniej mówimy o ich ważności czy błahości. Ale już tak się utarło, że gdy chodzi o przerwanie życia, to mówimy o Parkach i ich nożyczkach. Ich działalność jest przekonywająca w sensie decydowania o czyimś ostatecznym losie. W moim przekonaniu spotkanie z Krystyną zaważyło na moim losie, czego dowodem, że żyję i piszę o niej. A w jej? Trudno dopatrywać się jakiegokolwiek śladu zmiany wywołanej spotkaniem ze mną.

Spotkali się nie w Krakowie, ale w Nowym Sączu, ostatnim przystanku przed przeprawą przez Tatry. Pan L. stawił się u człowieka, który miał za zadanie przeprowadzić go przez góry. Kiedy odnalazł wreszcie właściwą ulicę – było to trudne, bo nie znał miasta, a nie chciał nikogo pytać – o mały włos nie został stratowany przez rozpędzonego dorożkarskiego konia. W dorożce siedziała dziewczyna, którą zauważył już na dworcu w Krakowie, a potem na peronie, jak wsiadała do tego samego co on pociągu. Odnotował wtedy, że jest owszem, całkiem niczego. Do twarzy jej było w tyrolskim kapelusiku z piórkiem, ale kiedy ją teraz zobaczył, niemal nabrał pewności, że jest przez nią śledzony. Mimo że siedziała rozparta na tylnym siedzeniu i przymknąwszy oczy, wystawiała twarz do słońca. Taka swobodna poza miała go zmylić... Zawrócił więc i przez godzinę włóczył się po mieście, po czym ponownie udał się pod wskazany adres. Otworzył mu niski mężczyzna o jajowatej głowie, do którego jak ulał pasował pseudonim „Ogórek”. Przez długą ciemną sień wprowadził go do pokoju, gdzie pan L. zobaczył przed sobą... dziewczynę z dorożki. Stała przy oknie i przeglądając się w szybie, czesała włosy. Odruchowo cofnął się za próg.

– Nic się pan nie bój – rzekł na to przewodnik – to też moja pacjentka...

– Jakie wrażenie zrobiła na panu Krystyna z bliska? – spytałam pana L.

Długo się zastanawiał.

– Co po latach zostało w mojej pamięci... obraz dziewczyny o cienkiej talii, z masą ciemnych włosów opadających na ramiona...

– Ciemnych? Pisano o niej jako o blondynce.

– Nie, włosy miała ciemne. A co do jej twarzy... Było w niej coś nieuchwytnego, jakaś nadzwyczajna ruchliwość, zmieniające się rysy, to zaostrzone, to łagodne, w zależności od sytuacji. I spojrzenie, nigdy nie wprost, ale tak z ukosa, i uśmiech najczęściej przekorny... Może dlatego nie wypadała na zdjęciach najlepiej, bo to była Krystyna zatrzymana w ruchu, a więc nieprawdziwa.

W tej melinie w Nowym Sączu usiedli do obiadu przygotowanego przez żonę przewodnika. Był to obiad, co tu ukrywać, mało wykwintny, ale jakże Krystyna go jadła, jak trzymała nóż i widelec, widać było od razu, że przeszła musztrę w klasztorze Sacré Coeur.

– Nazywam się Zofia Andrzejewska – bąknęła.

I pan L. już wszystko wiedział.

– Raczej Krystyna Skarbek, a ja jestem tym facetem, którego ewakuowała pani do Francji.

Rzuciła mu to swoje ukośne spojrzenie.

– Kowerski dużo mi o panu opowiadał...

Spędzili noc na melinie. Rano pan L. golił się w łazience, kiedy Krystyna wyszła w koszuli nocnej ze swojego pokoju. Drzwi do łazienki były uchylone i na jego widok, rozebranego do pasa, chciała się cofnąć, potem jednak weszła i pochylając się nad umywalką, zaczęła myć zęby.

Widząc jej obnażony kark, uczuł nagłe wzruszenie, może dlatego, że od tak dawna nie prowadził normalnego życia. Zapomniał już atmosferę porannej domowej krzątaniny, kiedy któryś z domowników wchodził do łazienki, gdy on namydlał pędzel, stawał obok, wymieniali jakieś słowa. I nagle tego zapragnął. Odezwać się, powiedzieć cokolwiek.

– Zaraz kończę...

Uniosła głowę i z ustami pełnymi pasty odrzekła:

– Mnie pan nie przeszkadza.

Potem zjedli śniadanie i wyruszyli w tę niezwykle ryzykowną podróż, ponieważ dużo trudniej było teraz przekroczyć granicę. Niemcy ją znacznie uszczelnili, a wycieczki w góry nie były już dozwolone, odbierano narty i ekwipunek. Na stację udali się każde osobno, przewodnik miał kupić bilety, a oni wskoczyć w ostatniej chwili do ruszającego pociągu. Przede wszystkim jednak nie powinni rzucać się w oczy, więc tyrolski kapelusz Krystyny powędrował do plecaka. Przed stacją w Głębokiem wyskoczyli z pociągu i zgięci wpół pobiegli w stronę lasu. Wszyscy troje bezpiecznie dotarli do pierwszych drzew.

Przewodnik oznajmił im zaraz na początku, że w razie wpadki nie powinni uciekać. Wtedy żandarmi mogą strzelać, a tak najwyżej zaaresztują. Sprowadzą na dół. Oboje z Krystyną przytakiwali, ale wiedzieli swoje: w razie wpadki będą po prostu wiać, co sił w nogach. Żadne sprowadzanie na dół nie wchodziło w grę. Wykluczała to zawartość ich plecaków. Szczęśliwie jednak dotarli do grani, gdzie spod śniegu wystawał słupek graniczny. Tutaj kończyła się Polska, a zaczynała Słowacja.

– Ja ją wtedy pocałowałem w usta – powiedział pan L. – Nie wiem dlaczego, to był odruch... ale ona mi ten pocałunek oddała.

W czasie dalszej wędrówki czuł na wargach ciepło jej ust, pamiętał ich wypukłość i miękkość...

Dalej szli już pod rękę, jak na wycieczkę. Dwoje turystów oczarowanych sobą spaceruje po górach. Pan L. chwilami wierzył, że tak jest w istocie. Bliskość tej niezwykłej kobiety mąciła jasność myśli, co mogło okazać się bardzo niebezpieczne, gdy wokół toczyła się walka na śmierć i życie. Oboje byli jej uczestnikami. Ale tej nocy zdawali się nie pamiętać o tym, mając nad głową rozgwieżdżone niebo.

Znaleźli sobie miejsce pod wysokimi świerkami, których zwisające nisko gałęzie tworzyły coś w rodzaju dachu. Razem z przewodnikiem zjedli kolację składającą się z sucharów, konserw i czekolady, do picia służyła im woda ze strumienia; była lodowata, więc ,,Ogórek" zaproponował, aby rozgrzać się czymś mocniejszym z jego manierki. Krystyna odmówiła.

– To nie byle co, prawdziwy koniak, trzygwiazdkowy – powiedział.

– Nawet pięciogwiazdkowego bym nie chciała – odrzekła.

– Pani chyba niepijąca?

– Chyba tak.

Ale pan L. nie odmówił poczęstunku. Obu mężczyznom humory zaraz się poprawiły, zaczęli wspominać przedwojenne dobre czasy.

– A mnie wojna dała coś, czego bym w innej sytuacji nie mogła przeżyć. Ja ją kocham! Ja ją błogosławię – wtrąciła w pewnej chwili Krystyna.

– Błogosławisz śmierć i cierpienia tylu ludzi?! – obruszył się pan L.

– Nie, oczywiście, że nie – zaprzeczyła od razu, a potem obróciła wszystko w żart, jak to ona. – Ale gdyby nie wojna, nie byłoby nas tutaj!

– To prawda – przyznał całkiem serio.

Po kolacji przewodnik przeniósł się pod inny świerk, bo we troje tutaj by się nie zmieścili, a oni z Krystyną rozłożyli koc na zmarzniętej ziemi i poczęli układać się do snu. Gałęzie uginające się pod ciężarem śniegowych nawisów tworzyły naturalną osłonę od wiatru, więc prawie nie odczuwali zimna. Pan L. już zasypiał, kiedy nagle poczuł dłoń Krystyny zakradającą się pod jego kurtkę, rozpięła ją, a potem wsunęła ręce pod sweter, docierając do jego ciała. Przywarła ustami do jego piersi i posuwała się niżej, coraz niżej. Tak był tym zaskoczony, że w pierwszej chwili wydawało mu się, iż ma halucynacje. To wszystko musiało dziać się w jego wyobraźni, w rzeczywistości zaś Krystyna spała obok. Ale to się stawało naprawdę.

– Kochaj mnie, Włodeczku – szepnęła.

Czuł, jak szaleńczo bije mu serce. Pragnął tej kobiety ze wszystkich sił, chciał jej dotykać, chciał dotrzeć do niej najbliżej, jak to tylko możliwe. Niemal szarpał na niej ubranie. I tak po raz drugi w czasie przeprawy przez góry Krystyna pozwoliła się rozbierać mężczyźnie...

Już na krawędzi snu pan L. uprzytomnił sobie, że przecież mieli świadka swoich miłosnych zapasów, bo o parę kroków od nich ułożył się do snu ich towarzysz. Ale czy spał...

W każdym razie rankiem nie dawał po sobie niczego poznać. Przywitał ich normalnie. A Krystyna była taka piękna w pierwszych promieniach słońca, jakby ta noc zmyła z niej ślady uciążliwej przeprawy. Oczy jej błyszczały, usta miała wypukłe, lekko nabrzmiałe. Pomyślał, że ma do czynienia z jakimś fenomenem, on bowiem czuł się rozbity, pokonany. Ale zarazem było w tym coś niezwykle przyjemnego.

W czasie szybkiego marszu prawie nie rozmawiali, potem jednak trafili na ostry spadek, po którym musieli schodzić bardzo ostrożnie, aby się nie potknąć i nie zjechać w dół. Tutaj klimat się wyraźnie zmieniał, w powietrzu czuło się wiosnę, wiatr, który ich owiewał, był niemal ciepły.

– A teraz nie myślisz, że wojna coś nam jednak dała? – spytała zalotnie Krystyna.

– Moglibyśmy to mieć i bez wojny, gdybyśmy chcieli – odparł.

– To jednak nie byłoby to. – Potrząsnęła głową, związane włosy uwolniły się, opadając na ramiona. Zmieniło to tak jej twarz, że poczuł się nieswojo, zupełnie jakby miał przed sobą nieznaną kobietę, piękną, ale nieosiągalną.

– Podnieca cię niebezpieczeństwo? – spytał.

– Andrzej też tak uważa.

– Jaki Andrzej?

– Andrzej Kowerski. Gdyby nie wojna, siedziałby pewnie na prowincji, hreczkę by siał i płodził dzieci z żoną...

Pan L. uśmiechnął się półgębkiem.

– No to się dobraliście – odrzekł. – Bo dla mnie wojna to ohyda.

Powiedział mi, że wtedy po raz pierwszy poczuł się zazdrosny o Kowerskiego. Mimo że Krystyna zaprzeczyła, jakoby miało ją z tamtym łączyć coś bliższego. Pracowali razem i tyle.

– Ja tylko ciebie kocham, Włodeczku – mówiła, mrużąc swoje kocie oczy.

– No... Andrzej to wspaniały facet. Mało takich...

– Wspaniały – przytaknęła – ale stracony dla miłości. Jaka kobieta zdecydowałaby się pójść z nim do łóżka? Ta jego proteza, czy on ją na noc odpina?

Pan L., opowiadając mi to, uśmiechnął się dziwnie.

– Jak pani myśli, dlaczego ona coś podobnego mówiła? Przecież było jasne, że za kilka dni dotrzemy do Budapesztu i wszystko się wyda. To mianowicie, że od dawna ona i Andrzej są kochankami...

Zastanowiłam się chwilę.

– To chyba jej przewrotność... w moich stronach mówią o takich kobietach, że myślą macicą... I nie jest to określenie pejoratywne...

– Tylko ludowa mądrość? – parsknął pan L.

– Krystyna... była kobietą w pełnym tego słowa znaczeniu...

– O tak!

– I prowadziła różne gry. To pewnie była jedna z nich. Mówić mężczyźnie, z którym się jest, o innym mężczyźnie, z którym się jest, że nic cię z nim nie łączy...

Ich wyprawa szczęśliwie dobiegała końca, ostatni etap podróży przebyli pociągiem. Kiedy znaleźli się na przedmieściach Budapesztu, Krystyna, pomimo zmęczenia, wyjęła lusterko i poczęła malować usta. Przyłapując na sobie wzrok pana L., uśmiechnęła się.

– Nie widziałeś nigdy malującej się kobiety?

– Wolałbym, żebyś się nie malowała.

– Dlaczego...

– Bo... masz takie żywe usta.

Spojrzała na niego z ukosa.

– A ze szminką są martwe?

– Nieosiągalne!

Ponieważ pan L. nie miał jeszcze żadnego lokum, zabrała go z dworca do siebie.

– Ktoś u mnie jest, dałam mu kąt pod moją nieobecność – powiedziała, gdy szli po schodach – ale zaraz go wykurzymy.

Prawda wyglądała tak, że tym kimś był dziennikarz o nazwisku Radzymiński, nieprzytomnie w niej zakochany. Karol Zbyszewski, niezwykle surowy w ocenie mężczyzn emablujących Krystynę, nazwał go ,,niewypałem w każdej dziedzinie''.

Ten ,,niewypał'' powitał towarzysza Krystyny bardzo nieufnie. Według opisu pana L. był to czarniawy człowieczek z twarzą jak maska błazeńska. Krystyna przymilnym głosem tłumaczyła mu, dlaczego musi się wyprowadzić. Chodzi o sprawy konspiracji.

– Jąkasz się – powiedział na to. – Znowu się zakochałaś?

Ale posłusznie zaczął zbierać swoje rzeczy. Pan L. czuł się coraz bardziej nieswojo. Chciał jakoś tamtego zagadać, przyszło mu do głowy, aby spytać o znajomych, pierwsza osoba, która mu się nasunęła, to Kowerski. Radzymiński zrobił dziwną minę, ale wyciągnął notes i podał panu L. telefon Andrzeja. Gdy tylko wyszedł, Krystyna powiedziała z uśmiechem:

– Nie dzwoń do Kowerskiego... po co ma wiedzieć, że już jestem. Nie da nam spokoju, a tak będziemy mieli jeszcze trochę czasu dla siebie. O ile ta małpa Radzymiński nas nie wyda. Kazałam mu trzymać gębę na kłódkę, ale on jest jak wiejska baba, kogo zobaczy na drodze, do tego zagada...

Nawet nie nazajutrz, ale w środku nocy obok tapczanu, na którym pan L. po miłosnych uniesieniach spał obok Krystyny, rozdzwonił się telefon. To był Andrzej.

Dużo później od niego właśnie pan L. dowiedział się, iż Radzymiński kochał się w Krystynie jeszcze przed wojną. W Budapeszcie pojawił się jako kurier pułkownika Sweet-Escotta i miał za zadanie nawiązać z Krystyną kontakt. To nieszczęśliwe uczucie do niej popychało go do zgoła nieobliczalnych i niezamierzenie śmiesznych czynów, nie ma bowiem nic bardziej żałosnego niż nieudane próby samobójcze. Radzymiński miał za sobą dwie. Raz postrzelił się w nogę, innym razem postanowił skoczyć do Dunaju, ale rzeka była ścięta lodem, więc się tylko dotkliwie potłukł.

Telefon dzwonił i dzwonił. Krystyna podniosła wreszcie słuchawkę.

– Tak, to ja, mój kochany... Przepraszam, że się nie odezwałam, ale dochodzę do siebie po podróży... Nie, teraz nie możesz wpaść... Już śpię... Jestem sama. Oczywiście, że sama!

Odłożyła słuchawkę i rzekła ze złością:

— Ta radzymińska świnia już roztrąbiła, że wróciłam!

No tak, to jasne, dlaczego „klub" bez entuzjazmu przyjął propozycję pana L. napisania wspomnieniowej książki o Krystynie. „Klub" musiałby te wspomnienia cenzurować, na co pan L. nigdy by się nie zgodził. U pani Masson powrót Krystyny do Budapesztu wygląda całkiem inaczej:

Pewnego pochmurnego, ziejącego zimnem dnia w połowie marca zadzwonił telefon i Andrzej usłyszał w słuchawce:
— To ja. Wróciłam. Przyjedź natychmiast, a nawet szybciej... – typowa odzywka Krystyny.
Andrzej wskoczył do samochodu i po kilku chwilach trzymał ją w ramionach.

Pośród materiałów znajdujących się pod hasłem „Skarbek Krystyna" w bibliotece polskiej w Londynie natknęłam się na artykuł o angielskich klubach, i to od momentu ich powstania. Czytając, głowiłam się, dlaczego ten właśnie tekst znalazł się w teczce Krystyny. Wyjaśniło się to dopiero na końcu.

Instytucja klubów angielskich, historycznie rzecz biorąc, datuje się od roku 1755, kiedy został założony klub White's – najstarszy, najdostojniejszy, najbardziej konserwatywny, do dziś znajdujący się przy St. James Street. Ta ulica i jej dalszy ciąg, Pall

Mall, jest sercem klubowego świata Londynu. Wielkie staroświeckie gmachy stoją tam jeden obok drugiego; w ponurych odrzwiach dyskretnie czuwają portierzy, w salach jadalnych spotykają się na lunchu finansiści i politycy, wyżsi urzędnicy administracji i członkowie rad nadzorczych, dyrektorzy i menedżerowie. W głębokich fotelach skórzanych drzemią pod portretami premierów, marszałków, ministrów, wielkorządców kolonialnych generałowie i marszałkowie na emeryturze, byli statyści i dzisiejsi potentaci.

Klub jest kołem zamkniętym, do którego wejście może zapewnić tylko dobre urodzenie, pełny trzos i zgoda wszystkich członków. Kluby dzisiejsze są pełne kurzu i tradycji. Powstawały niegdyś z małych kawiarni i herbaciarni, które w XVII wieku wyrastały jedna przy drugiej na Pall Mall, ulicy eleganckiego świata londyńskiego. Z tych kawiarnianych spotkań i dyskusji narodziła się idea nieobca królowi Arturowi ani Rzymianom, których ,,sodalicje" miały raczej religijny cel niż towarzyski.

Klub jest stowarzyszeniem ludzi podzielających pewne gusta, stosunek do życia czy zapatrywania polityczne. White's, którego nazwa pochodzi od założyciela jednej z pierwszych kawiarń, White'a, zgromadził zwolenników gry w karty, zakładów, wyścigów, arystokrację poszukującą rozrywki we własnym gronie; St. James Club jest klubem dyplomatów; Traveller's Club należy do angielskich sfer ziemiańskich; Army and Navy Club tłumaczy się samą nazwą.

Może o tym wszystkim należałoby mówić w czasie przeszłym, gdyż z jednej strony członkowie klubu nie zawsze idą w ślady swoich ojców w wyborze zainteresowań, a prawie zawsze w dziedziczeniu klubu, z drugiej zaś instytucja klubu, obwarowana nie tylko tradycją, ale odpowiednimi prawami, pozwalającymi zrzeszonym na zupełną wolność wewnątrz i swobodne traktowanie przepisów alkoholowych czy widowiskowych, bywa wykorzystywana do celów, o których sędziwym członkom, dostojnym założycielom White's czy Brook's nie śniło się nawet po ciężkim obiedzie.

Chytrzy a mało moralni przedsiębiorcy zakładający kluby w Soho, w Kensington, na Bayswater niszczą tradycję i dobry ton. Także postępująca demokracja, niwelacja najwyższej warstwy społeczeństwa i mieszanie się klas czynią z klubów przeżytek. Stare gmachy, dostojne i omszałe, coraz bardziej upodobniają się do mamutów, wchłanianych w błoto epoki polodowcowej.

Jednakże na Pall Mall, na St. James wielu jeszcze chodzi dżentelmenów z parasolami, w sztywnych czarnych kapeluszach *à la* Eden albo w melonikach; przed ciężkie frontony klubów zajeżdżają lśniące rolls-royce'y i bentleye, taksówkarze londyńscy zbierają żniwo, przywożąc dżentelmenów na obiad oraz sjestę i odwożąc ich do biur w City, na Whitehall, do banków i ministerstw.

Stosunkowo młodym klubem jest Reform Club mieszczący się na rogu Pall Mall i Carlton Gardens. Powstał on w roku 1832, w roku reformy parlamentarnej, dającej początek prawdziwej demokracji.

Zwolennicy i ojcowie tej reformy założyli klub, w którym do dziś dnia obowiązuje członków „reformatorstwo", liberalizm, podążanie z czasem, sprzyjanie postępowi. Na zewnątrz Klub Reformy wygląda jak każdy inny: ciężki, solidny gmach z gankiem nieozdobionym żadną rzeźbą, bez tabliczki, bez wygalonowanego portiera.
W roku 1952 jednym z pracowników fizycznych Reform Club był Dennis Muldowney...

Londyn, „Kronika", 1975

Dennis Muldowney musiał odegrać jakąś rolę w życiu Krystyny, skoro już samo jego nazwisko sprawiło, że materiał o klubach znalazł się w jej teczce. Być może zetknęła się z nim, pełniąc swą misję agentki, jak z wieloma innymi Anglikami, ale tamci Anglicy nie pracowaliby jako posługacze w klubie, mogli co najwyżej być jego członkami. Więc to cokolwiek dziwne. Zapisałam w swoim notesie: „Zainteresować się Dennisem Muldowneyem, pracownikiem fizycznym z Klubu Reformy. Co mogło go łączyć z Krystyną Skarbek?".

Pan L. spędził u Krystyny, a ściślej, z nią w łóżku, kilka dni. Ale w końcu oboje musieli z niego wyjść. Jemu się wydawało, że na chwilę, w rzeczywistości miał je opuścić na zawsze. Spotykali się dalej, chodzili po Budapeszcie, przesiadywali w knajpkach, ale żegnała się z nim pod swoim domem. Kiedy patrzył na nią pytająco, udawała, że tego nie widzi. Tłumaczyła, że czeka na ważną przesyłkę. Że ma się zjawić kurier. Że przed nią konferencja, do której musi się przygotować.

I tak kilka wieczorów z rzędu. Za którymś razem, kiedy tak się przekomarzali przy furtce, w jej oknie zapaliło się światło, a na firance pojawił się cień, cień utykający...

Podczas mojej pierwszej bytności w Londynie miałam, dzięki uprzejmości pani z biblioteki polskiej, dostęp do teczki Krystyny. Zawierała kilka wycinków, ale podawały jedynie jej życiorys i dokonania jako agentki angielskich służb specjalnych. Znalazłam tam również ten artykuł o klubach i o roku 1952 jako „roku zgubionym"...

Dopiero kiedy dostałam do rąk roczniki gazet, mogłam dowiedzieć się nieco więcej o tajemniczym posługaczu z Reform Club. Dennis George Muldowney zgłosił się do tego klubu, chcąc się zatrudnić jako tragarz w kuchni. Przeprowadzający z nim wywiad kierownik administracyjny zdziwiony był jego powierzchownością, nienagannym akcentem, wymową człowieka wykształconego... Taki opis daje londyńska „Kronika", dla Zbyszewskiego jest on cherlawym posługaczem ze statku, brzydkim i głupim Irlandczykiem.

Dlaczego zszedł ze statku, gdzie był kimś więcej niż posługaczem, mianowicie stewardem, a ściślej, przełożonym stewardów, pełnił zatem całkiem niezłą funkcję? Dlaczego więc z niej zrezygnował i poszedł pracować do klubu? Kierownikowi administracyjnemu wyjaśnił, że chce studiować w Londynie i ma nadzieję, że „praca w klubie pozwoli mu urzeczywistnić te plany". A może to chodziło o inny klub? Klub Orła Białego, którego członkiem mógł zostać praktycznie każdy Polak.

Jednym z gości „Orła Białego" była młoda kobieta o fascynującej powierzchowności. Miała ciemne, pięknie oprawione oczy, gładko zaczesane brązowe włosy, cerę świeżą bez śladu szminki. Ubierała się niedbale, bez zalotności. Siadywała w otoczeniu mężczyzn, z którymi rozmawiała na przyjacielskiej stopie. Dyskutowała gorąco i żarliwie.

Zjawiała się w „Orle Białym" sporadycznie, ale przesiadywała dłużej, czasem od rana do wieczora. Była jedną z tych istot bez domu, bez rodziny, które w przejazdach z jednego miejsca na drugie, w poszukiwaniu życia lepszego zjawiały się w Londynie i prawie cały swój czas wolny spędzały w „Orle Białym". Mężczyźni i kobiety, byli żołnierze i byłe ochotniczki, dawni bohaterowie wojenni. Nie mówiono jeszcze *war heroine*, ale gdy zapytywano o nią dyskretnie, odpowiedź padała jedna: członkini Ruchu Oporu, żołnierz Armii Podziemnej.

Stałymi towarzyszami Krystyny Skarbek byli: wysoki blondyn z włosami zaczesanymi do tyłu i pan kulejący z powodu sztucznej nogi. Przy ich stoliku zbierali się także inni. Krystyna Skarbek miała dar swobodnego obcowania z ludźmi i przyciągała ich do siebie. Jak się dowiemy, bywała też przykra dla tych, których nie lubiła.

Utrzymywała się pracując jako stewardesa na okrętowej linii pasażerskiej. Pewnego dnia, zjawiwszy się w Londynie, w przerwie między jednym rejsem a drugim, przyprowadziła ze sobą młodego człowieka o przyjemnej powierzchowności:

– To jest Dennis Muldowney – powiedziała przyjaciołom – bądźcie dla niego wyrozumiali, bo on jest bardzo czuły i ambitny.

Londyn, „Kronika", 1975

Tak o nim powiedziała, przedstawiając go Andrzejowi i innym. Że jest czuły i ambitny. Dziwna rekomendacja. Czuły i ambitny, dwa tak odległe od siebie słowa, czułość ma niewiele wspólnego z ambicją. Która z wymienionych cech jej przyszłego mordercy go do tego czynu popchnęła?

Mogłam tak myśleć, bo już wiedziałam, kim był Dennis Muldowney. Wiedziałam też, dlaczego zrezygnował z pływania na statku i zgłosił się do pracy w klubie...

Pan L. poczuł się oszukany, żądał wyjaśnień. Dlaczego zataiła swój romans z Kowerskim, z którym on czuje się zaprzyjaźniony. W jak niezręcznej postawiła go przez to sytuacji. Musi teraz wybierać: on albo tamten. Dosyć tych krętactw. Tylko ujawnienie prawdy pozwoli całej trójce zachować twarz. Krystyna się na to rozpłakała.

– Ciebie kocham, ale on kocha mnie. Nie wolno go ranić.

– A mnie wolno? – spytał rozżalony.

Nie wie, dlaczego przystał na jej propozycję. Ale przystał na nią, bo stracił głowę i wydawało mu się, że wszystko jest lepsze niż ostateczne rozstanie z tą kobietą. Zawarli układ. W Budapeszcie kochankiem Krystyny będzie Andrzej, w czasie przepraw do Polski – on. Jak w tym filmie o idiotycznym tytule *Ty w dzień, ja w nocy*, który obejrzeli razem. Film był płaską komedią z ukrywaniem się w szafie albo pod łóżkiem. Jeden z kochanków dawał tam nura, gdy pojawiał się ten drugi. Ale dla pana L. to wcale nie było zabawne.

Mijał dzień po dniu, a przełożeni zwlekali z powierzeniem misji panu L. Bardzo ważnej misji, podkreślano. To zawieszenie w próżni było chyba czymś najgorszym, bo miał sporo czasu na roztrząsanie swojego osobistego dramatu. Wtedy mu się wydawało, że to jest największy dramat jego życia, niewierność kobiety. Było to tym trudniejsze, że ciągle przebywali we trójkę. Krystyna, on i Kowerski. Czasami udawało mu się przybyć na spotkanie przed Andrzejem, wtedy Krystyna pozwalała się całować w ciemnym kącie kawiarni.

– Widzisz – szeptała – jak jest dobrze...

W takich chwilach pan L. stawał się wspaniałomyślny i łaskawie zezwalał, żeby grała przed Kowerskim rolę zakochanej w nim kobiety, skoro tamtemu tak na tym zależało. Nie miał pojęcia, że ona niczego nie musiała grać i że jedynym mężczyzną, który potrafił zatrzymać ją przy sobie na dłużej, był właśnie Andrzej. Owa wspaniałomyślność znikała jednak z chwilą, gdy Kowerski przekraczał próg kawiarni u Florisa, z widokiem na Dunaj, gdzie zwykle spotykali się dziennikarze. Krystyna anektowała tam stolik w rogu i często dosiadali się do niej korespondenci francuscy, angielscy, węgierscy, a także nieliczni Polacy. Odbywała się tu swoista wymiana informacji, taka wojenna giełda.

Potem po południu z konsulatu przychodził Andrzej i zwykle zabierał Krystynę i pana L. do jakiejś knajpy, w której przesiadywali aż do wieczora. Wieczory były właśnie najgorsze, bo po wyjściu z restauracji, z głową ciężką od wina, musiał przyjąć fakt, iż Krystyna wsiada do samochodu Andrzeja i razem odjeżdżają. Już niedługo – pocieszał się zakochany jak sztubak pan L. A Kowerski? Czy był świadom tego, co się dzieje? Czy coś podejrzewał? Jeśli tak, to nie dawał tego po sobie poznać. Był niezwykle koleżeński w stosunku do pana L., czasem nawet wylewny. Po kilku kieliszkach wina zwracał się do niego: ,,Przyjacielu!''. Krystyna żaliła się, że władze Związku Walki Zbrojnej traktują ją nieufnie, że w Polsce musiała szukać kontaktów na własną rękę i gdyby nie szef Muszkieterów, wróciłaby z niczym. Ale nawet jej współpraca z polskim podziemiem nie została przyjęta z entuzjazmem w tutejszej komórce polskiego wywiadu. Krystyna nie mogła wiedzieć, że wszelkie poczynania Witkowskiego są traktowane z rezerwą i że jest on pilnie obserwowany. Nie wpływało to korzystnie na jej sytuację, tym bardziej że znalazła się w Budapeszcie za sprawą Anglików. W swojej naiwności uważała, że to właśnie utoruje jej drogę do największej organizacji podziemnej, że przez sam fakt współpracy z Anglikami stanie się dla swoich rodaków cennym nabytkiem. W końcu wróg jest jeden. Tymczasem istniało coś takiego jak polska racja stanu i wiadomości zdobyte na własną rękę mogły być dla Naczelnego Wodza kartą przetargową w negocjacjach z Anglikami. Angielska wtyczka w tej sytuacji okazywała się więc czymś najmniej potrzebnym. Na szczęście Anglicy w pełni doceniali jej przydatność i w końcu, w upalny wiosenny dzień drugiego roku wojny, Krystyna z rozjaśnioną twarzą oznajmiła panu L., że znów idzie do Polski.

– Kiedy? – spytał.

– Pojutrze.

W pierwszej chwili odczuł ulgę, bo oto los wyszedł naprzeciw jego mękom, sytuacja rozwiązuje się sama. Krystyna zniknie z jego życia, przynajmniej na jakiś czas. Ale zaraz pojawiło się przerażenie, że ją traci.

– Mieliśmy iść razem – powiedział z pretensją w głosie.

Krystyna uśmiechnęła się jakoś obco, inaczej. To już nie była ta przymilna, łasząca się jak kotka kobieta. Jej myśli krążyły teraz wokół przygotowań do akcji. W podobnym co pan L. nastroju był Kowerski. Oto musiał się godzić na tę ryzykowną wyprawę, nie mógł bowiem Krystynie towarzyszyć. Nie miał też prawa jej zatrzymywać, zresztą i tak nie byłby w stanie tego uczynić. Obaj więc pomagali jej się pakować. Dolary do zewnętrznej kieszeni plecaka, muszą być pod ręką, korony czeskie do drugiej. Pigułkę zawiniętą w staniol należy zaszyć w wiatrówkę. Andrzej podał jej torebkę miętówek.

– A to po co?

– Gaszą pragnienie, zobaczysz, czym jest upał w takiej drodze. Stale je ssij...

Widząc, że Krystyna pakuje do plecaka jeszcze jakąś sporą kopertę, Andrzej bez słowa wyjął ją z jej ręki i zajrzał do środka. Zawierała dużego formatu zdjęcia przedstawiające generała Sikorskiego w różnych sytuacjach oficjalnych i półoficjalnych, między innymi przyjmującego defiladę świeżo uformowanej dywizji grenadierów.

– Po co ci to? – spytał ostro.

– Dla prasy podziemnej.

– Kto ci to dał?

– No... nasi.

– Tak! – wrzasnął. – To niech sami sobie je prze-szmuglują, ciekawe, czyby ryzykowali własną głowę!

Mimo jego protestów Krystyna schowała kopertę do plecaka.

– To jest ważne, rozumiesz. Tam! Tam to jest ważniejsze niż jedno życie.

– Ale dla mnie twoje życie nie ma ceny – powiedział już spokojniej.

Pan L. rozłożył mapę. We troje prześledzili ich trasę przejścia sprzed miesiąca. Wtedy leżał wszędzie śnieg. Potem wsadzili Krystynę do pociągu, pomachali jej na pożegnanie i poszli się upić. Bo co im innego pozostawało. Mieli już obaj dobrze w czubie, kiedy pan L. powiedział:

– Twoja robota tutaj się kończy, Andrzej. Powinieneś zameldować się w polskim wojsku, a coś mi się zdaje, że Krystyna chce cię wmanewrować w tych Anglików. I boję się, że dla niej jesteś gotów to zrobić.

Kowerski łypnął na niego ponuro, co oznaczało, że pan L. trafił w jego czuły punkt.

– W czasie wojny nie zmienia się munduru! – kuł żelazo póki gorące.

– Masz rację, stary – powiedział z determinacją w głosie Kowerski. – Przyrzekam ci, że jak wrócisz z Polski, razem z tobą wyjeżdżam na Bliski Wschód.

– Nawet bez Krystyny?

– Z nią lub bez niej – odrzekł zdecydowanie.

Po dwóch dniach Krystyna wróciła. Niemcy patrolowali granicę z psami, tak że nie było mowy o przejściu, a potem zaczął lać deszcz, wezbrały strumienie, co pogorszyło warunki przeprawy. Żaden z przewodników w Koszycach nie chciał się jej podjąć, za żadne pieniądze.

– I chwała Bogu – powiedział Andrzej. – Jak cię znam, ty byś poszła, bez względu na wszystko.

– Poszłabym – odrzekła.

Widząc, jaka jest zgaszona, Kowerski wymyślił dla nich trojga wycieczkę za miasto na wzgórza Budy. Był ciepły dzień, wszędzie dookoła kwitły akacjowe gaje, drzewa wyglądały jak pokryte białym nalotem. Roztaczały taki zapach, że się od tego kręciło w głowie. Szli wąską ścieżką cały czas pod górę, tylko pan L. i Krystyna, dla Andrzeja bowiem wspinaczka okazała się za trudna. Został na dole przy samochodzie. A oni dotarli na szczyt, przez chwilę podziwiając niezwykłe widoki. Pan L. zauważył, że Krystyna ma silnie opalone plecy.

– Ale się spiekłaś!

– Opalałam się na granicy.

– Pewnie dlatego wróciłaś.

– Ja się mogę opalać i dobrze pracować! – odrzekła nerwowo.

Jakoś trudno im się rozmawiało. W pewnej chwili pan L. powiedział, że zamierzają razem z Kowerskim dołączyć do polskiego wojska.

– A co ze mną? – spytała.

– Możesz iść z nami.

– A jak nie?

– Sami wyruszymy.

Na widok jej obrażonej twarzy nagle wypalił, co o niej myśli. Ma na nich obu zły wpływ, sprawia, że łamią dyscyplinę, że się dekonspirują. A nawet więcej, ośmieszają się, zwłaszcza Andrzej. Wszyscy to już widzą, że jest bezwolnym narzędziem w jej rękach. Krystyna patrzyła na niego, jakby nie docierał do niej sens jego słów, a potem nagle rozpłakała się i poczęła zbiegać ścieżką w dół. W pewnej chwili potknęła się i rozbiła sobie kolano. Wyjął chustkę z kieszeni i opatrzył jej nogę.

– Nerwy cię zawodzą – powiedział niezamierzenie twardo.

Nie wie, dlaczego tak się zachowywał, czy to była podświadoma reakcja odrzuconego samca? Czuł do niej coraz większą niechęć. Z twarzą zalaną łzami i rozmazanym makijażem Krystyna wyglądała żałośnie.

Z dołu nadchodził Andrzej. Ona przysiadła na skraju ścieżki i ukryła twarz w dłoniach.

– Co się stało? – spytał, siadając obok niej i obejmując ją ramieniem.

Niecierpliwie się uwolniła, a potem nagle poderwała się i ruszyła w stronę samochodu.

– Co się stało? – powtórzył Andrzej, patrząc na rywala z wyrzutem.

Pan L. poczuł się zakłopotany.

– Powiedziałem jej...

– Co?

– O naszych planach.

W oczach Kowerskiego pojawił się dziwny wyraz jakby lęku pomieszanego z poczuciem winy. Pan L. pomyślał, że jedyną słabością tego człowieka jest Krystyna.

Nie ulega chyba żadnej wątpliwości, iż wielka, namiętna, gwałtowna miłość stała się powodem śmierci Krystyny. A jednak miłości tej odmówiono człowiekowi, który dla niej poświęcił swoje życie. Po zawieszeniu broni Krystyna zjawiła się w Londynie. Nie miała przy sobie ani grosza, ale wielkie nadzieje niosły ją do stolicy Wielkiej Brytanii. Czyż nie miała powodu spodziewać się nagrody za swą walkę i ofiarność? A przynajmniej jako tako zapewnionego odpoczynku. Nadzieje jej się nie spełniły; jak wielu żołnierzy, walczyła z życiem cywilnym ciężej niż z wrogiem na froncie. Musiała zarabiać, wykonując ciężką i niewdzięczną pracę. Była sprzedawczynią w salonie z damską garderobą, nadzorowała magazyn z bielizną pościelową w hotelu Paddington. Ani u Harrodsa, ani w hotelu nie pasowała do otoczenia, nie nadawała się do tego rodzaju pracy. Zachowywała się jak rasowy koń w zaprzęgu: wyłamywała.
Zmieniała pracę jedną po drugiej. Wreszcie zdawało się, że znalazła odpowiednie dla siebie zajęcie: zaciągnęła się na statek jako stewardesa, na linii pasażerskiej do Nowej Zelandii i Australii. Jednakże nawet pływanie po dalekich morzach w roli lepszej panny służącej nie jest ,,przygodą". Stosunki na statku były złe, koledzy i koleżanki zachowywali

się nieznośnie, praca nie odpowiadała Krystynie Skarbek. Na pewno sporo zawiniło usposobienie wojowniczki podziemnej. Nikogo to nie zdziwi, gdyż Krystyna Skarbek po prostu nie nadawała się do roli stewardesy. Jedynym człowiekiem, który jej pomógł i starał się trudne życie uczynić znośniejszym, był starszy steward Dennis Muldowney. W sercu Krystyny pojawiło się uczucie wdzięczności. Gdy wprowadzała Muldoweneya do grona przyjaciół londyńskich, prosiła, by byli dla niego tak dobrzy, jak Muldowney był dla niej na statku. Czy było to tylko uczucie wdzięczności i przyjaźni? Czas między jednym a drugim rejsem i przerwy w pracy spędzała w Londynie, zatrzymując się w hotelu Towarzystwa Pomocy Polakom o nazwie Shelbourne, który mieścił się przy Lexham Gardens w zachodniej dzielnicy Londynu, znanej dobrze wszystkim Polakom. W Kensington mieszka śmietanka polskiej kolonii londyńskiej. Stąd blisko do ,,Orła Białego". Na Knightsbridge znajduje się drugi polski klub, ,,Ognisko", oraz wiele kawiarń i sklepów polskich.

Dennis Muldowney przychodził do hotelu Shelbourne. Wyokrętował się i znalazł pracę w Londynie po to tylko, by być blisko Krystyny. Źle się czuł w towarzystwie polskim, krępowało go, że Krystyna jest arystokratką, że ma wspaniałą przeszłość wojenną, że jej przyjaciółmi są ludzie znani i zasłużeni. Ale także imponowało mu to wszystko, czyniąc z Krystyny nieosiągalną królewnę.

Wdzięczność za opiekę na statku i przyjaźń powoli ustępowały miejsca uczuciu zniecierpliwienia.

Muldowney zaczynał przeszkadzać Krystynie, uważała, że powinien odejść. Powiedziała mu to, ale on już odejść nie mógł...

Londyn, ,,Kronika", 1975

Widocznie tak miało być. Po to Krystyna wróciła od granicy, by wyruszyć w drogę do Polski z panem L. Znowu pakowanie plecaków. Andrzej podaje Krystynie torebkę miętówek, chce coś powiedzieć, ale ona przerywa mu ze śmiechem:

– Tak, tak, mam je ssać dla ochłody.

Kiedy pan L. i Kowerski zostają na chwilę sami, ten ostatni mówi:

– Nie obchodzą mnie wasze amory. Cieszę się, że z nią idziesz, bo mam pewność, że ją będziesz chronił...

A więc wiedział!

Wiedział. Mogłabym zaświadczyć osobiście, gdyż usłyszałam to z jego własnych ust. Długo szukałam z nim kontaktu, nikt bowiem o nim od dłuższego czasu nie słyszał, nawet osoby związane z radiem Wolna Europa, które miało swoją siedzibę w Monachium. Do tego stopnia Kowerski się wyizolował z emigracyjnego środowiska, że nawet myślałam sobie, iż być może od dawna nie żyje. To znaczy nie od tak dawna, bo autorka biograficznej książki o Krystynie, pani Masson, nawiązała z nim kontakt. Całe fragmenty jej książki to jego relacje, rozwleczone jej piórem, źle spuentowane, niemniej czuło się w nich obecność człowieka, o którym już sporo wiedziałam. Przede wszystkim dzięki panu L., niezwykłemu gawędziarzowi, który mógł snuć swoje opowieści bez końca. Pamięć miał przy tym niezwykłą, szkoda więc, że nie dokończył swojej historii o Krystynie, na pewno byłaby bliższa prawdy niż ta spisana przez południowoafrykańską pisarkę. Już sam pomysł, aby o Krystynie pisała taka osoba, wydawał się niedorzeczny. Ale dla tych wszystkich mężczyzn, którzy niby tak strzegli czci Krystyny, nie liczyło się to, by przedstawić prawdziwy jej obraz, oni woleli widzieć oleodruk. A może chodziło im o nich samych, żeby broń Boże nie wyszedł na jaw prawdziwy charakter ich stosunków z Krystyną. Wyłączyłabym tutaj Kowerskiego, który obawiał się jedynie, by nie ujrzały światła dziennego jakieś kompromitujące Krystynę fakty. To znaczy według niego kompromitujące. Bo jakże pogodzić te dwie strony jej natury? Bohaterska i zasłużona agentka wywiadu, a zarazem obdarzona nadzwyczajnym temperamentem kobieta, uwodząca coraz to innego mężczyznę.

Kiedy się wreszcie spotkaliśmy, jednym z pierwszych pytań, jakie mu zadałam, było: Czy on też należy do klubu ocalonych, czy Krystyna uratowała mu kiedyś życie?

– To ja nie uratowałem życia jej. – Ta szczera, spontaniczna odpowiedź miała się okazać kluczem do naszej rozmowy-rzeki.

A więc druga wyprawa Krystyny do Polski w towarzystwie pana L., który mógł już spełnić swoją ważną misję – dostarczyć nominacje na generałów dowódcom

ZWZ: okręgu krakowskiego i warszawskiego. Mikrofilmy tych dokumentów ukryto w latarce. Wyprawiający go pułkownik wyjął z tej okazji butelkę z biurka.

– Za powodzenie waszego zadania. Tylko... daj pan sobie spokój z tą Skarbek. Jeszcze zwróci na pana uwagę, a poza tym baba na wóz, koniom ciężej...

Pan L. ledwo mógł ukryć zmieszanie i miał o to oczywiście pretensje do Krystyny, tym razem naprawdę Bogu ducha winnej.

– Panie pułkowniku, właśnie taka migdaląca się para nie wzbudza podejrzeń...

Przełożony pana L. skrzywił się.

– Ona jest u tych Anglików.

Ale pozostawił mu wolną rękę.

– Jaka była Krystyna w czasie tej drogi? – spytałam go.

– Była przede wszystkim świetnym kompanem. Rozumiała aż za dobrze, że jeden fałszywy krok i po nas.

Dotarli do Koszyc i przespali noc w umówionej melinie. Następnego dnia wieczorem gospodarz tej meliny podwiózł ich samochodem daleko aż za przedmieścia, gdzie było przejście ku granicznym wzgórzom.

Szli teraz ścieżką pomiędzy łanami żyta, które oddawało ciepło nagromadzone w ciągu dnia. Potem już las i chłód pomiędzy pniami drzew, ciągnący od gór. Pan L. pierwszy, Krystyna za nim. Oboje napięci, wsłuchani w najdrobniejszy szelest. Jakieś ludzkie cienie na ścieżce, z plecakami. Idą w odwrotnym kierunku, może kurierzy z Polski, może przemytnicy. Ale to wskazywałoby, że niedaleko jest już granica. Postanawiają gdzieś tutaj przenocować, schodzą ze ścieżki. Rozpościerają koc na ziemi, pod głowę kładą plecaki. Zasypiają natychmiast.

W ostrym świetle świtu oglądają okolicę, która przypomina teatralną dekorację. Góry, doliny, nieopodal szałas. Ale jest to szałas straży granicznej. Muszą sobie żandarmi parzyć poranną kawkę, bo widać dym idący w niebo, nie ma wcale wiatru. Pan L. i Krystyna bez zbędnych słów po prostu się wycofują, błogosławiąc pomysł pozostania tutaj na nocleg. Sto metrów dalej zostaliby na pewno aresztowani. Obchodzą to miejsce z daleka i znowu kierują się ku granicy, ale piekielny szałas znowu wyrasta przed nimi. Okazuje się, że to jest już następna strażnica. Widocznie posterunki tak są rozlokowane, aby żandarmi mieli ze sobą kontakt wzrokowy. Nie da się więc ich wyminąć. Trzeba próbować przeskoczyć drogę, gdy wartownik odwróci się plecami. Panu L. się udaje. Kolej na Krystynę. Wyczekuje na odpowiedni moment, ale ma mniej szczęścia, bo teraz wartowników jest dwóch i gdy jeden się odwraca, drugi patrzy w jej stronę.

Pan L. daje jej znaki, aby nie ryzykowała, ona jednak uznaje, że za długo to wszystko trwa, i zaczyna się czołgać. Pewnie liczy na to, że tamci pod słońce mogą jej nie zauważyć. Ale jeden z wartowników, jakby odczytując jej myśli, osłania oczy. Zauważył ją niestety i chwycił za karabin. Pada pierwszy strzał. Krystyna podrywa się i biegnie zgięta wpół. Słychać charakterystyczny świst kul przeszywających powietrze. Wszystko to trwa nie więcej niż kilka sekund, ale dla pana L. to jak cała wieczność. Wreszcie Krystyna, bez jednego draśnięcia, pojawia się obok niego. Nie jest wcale przerażona, raczej wściekła.

– Psiakrew – mówi – będą nas szukać...

Oboje biegną teraz co sił w nogach, byle dalej od granicy, każdy kolejny krok zwiększa ich szanse. Wygląda na to, że nikt ich nie ściga. Są już przecież w innym państwie, a strażnicy nie mogą opuścić posterunku. Zanim przekażą wiadomość o zbiegach, oni będą już daleko. Tylko trzeba biec, biec. W końcu, około południa, kiedy robi się upał, zupełnie opadają z sił. Pot strugami spływa im po twarzach, mają zaschnięte gardła, tak że z trudem przełykają ślinę. Zaczyna ich nękać pragnienie, które jest jak wymyślna tortura. Wtedy Krystyna przypomina sobie o miętowych pastylkach od Andrzeja. Wyjmuje je z plecaka i częstuje pana L. Rzeczywiście przynoszą chwilową ulgę. Znaleźli się teraz na bardzo pofałdowanym terenie, wszędzie wokół góry i parowy, porośnięte gęsto kolczastymi krzewami, które utrudniają marsz, czepiając się ubrania.

– Upał jest chyba nawet gorszy od mrozu – mówi w pewnej chwili Krystyna.

I oto las się kończy, przed nimi roztacza się widok na rozległą dolinę zalaną słońcem. Widać pasące się owce. Dalej zaorane pola i dachy kilku chałup. I znowu las, ale aby do niego dotrzeć, trzeba przejść kładkę nad rwącym górskim potokiem i ta kładka, niestety, usytuowana jest w samym środku wsi.

– Wóz albo przewóz. – Krystyna spogląda na pana L. – Ryzykujemy?

– A mamy inne wyjście?

Wolnym krokiem schodzą do wsi. Pukają do pierwszej chałupy, trwa to długą chwilę, zanim gospodarz jest w stanie zrozumieć ich łamany język. W końcu przynosi gar zsiadłego mleka. Krystyna pije z chochli, pan L.

prosto z garnka. Co za ulga! Dają chłopu dolara, którego z nabożeństwem chowa do kieszeni.

– W radiu właśnie gadają, że Niemce już w Paryżu – mówi.

Na Krystynie robi to piorunujące wrażenie, w oczach pojawiają się łzy. Jej ukochany Paryż się poddał. Pamiętała to miasto jeszcze z dzieciństwa, gdy jeździła tam z rodzicami. Ojciec wszędzie ją ze sobą zabierał, nawet do kabaretu, mimo protestów matki. I ciągle powtarzał: ,,Pamiętaj, jesteś w Paryżu, w Paryżu!''. A teraz defilowały tam hitlerowskie wojska. Niemal słyszała stukot żołnierskich butów pod Łukiem Triumfalnym. To, że Warszawa padła, było tragiczne, ale chyba bardziej zrozumiałe. Warszawa była miastem cierpiętniczym, nie raz, nie dwa napadano na nie, plądrowano i palono. Paryż, pomimo tych czy innych bolesnych zdarzeń, nie nosił w sobie takich ran, a może inaczej, Paryż ich w sobie nie chował, one się na nim goiły, nie pozostawiając blizn...

– Wiedziałem, że żabojady nie będą się długo bronić – stwierdza pan L. i wtedy spostrzega wyraz twarzy Krystyny. – Co ci jest? Źle się czujesz?

O tak, bardzo źle. Bardzo.

Pod wieczór docierają do przedmieść Preszowa. Nie ma co o tej porze wchodzić do miasta, muszą spędzić noc pod gołym niebem, dopiero rano jedno z nich, ubrane z miejska, pójdzie do znajomego taksówkarza, który za opłatą podwiezie ich do polskiej granicy. Tylko które z nich ma iść? Rzucają monetą, wypada na pana L. Wkłada więc czystą koszulę, marynarkę, zawiązuje krawat, który Krystyna mu poprawia wprawnym gestem, jakby nic innego do tej pory nie robiła.

– Kiedy się tego nauczyłaś? – pyta pan L. – W trakcie pierwszego czy drugiego małżeństwa?

– Raczej w stanie pozamałżeńskim – odpowiada z błyskiem w oku.

Chwała Bogu, mogą żartować, prawić sobie złośliwości, chociaż oboje wiedzą, że wyprawa do miasta jest sporym ryzykiem.

– Gdybym nie wrócił... działaj na własną rękę...

– Wrócisz! – ucina krótko.

Skąd tyle optymizmu, wiary w tej kobiecie? Przecież ona w tej wojnie ryzykowała dużo więcej niż ktokolwiek inny i raczej niemożliwe, aby nie zdawała sobie z tego sprawy. To prawda, była niezwykle odważna, w którymś momencie jednak nawet najbardziej odważny człowiek zaczyna się bać. Ale to zdawało się nie dotyczyć Krystyny, w tym sensie była mało ludzka.

Przypomniała mi się opowieść jednego z francuskich kurierów, który w czasie wojny przekraczał z Krystyną granicę francusko-włoską. Trafiliśmy do niego z Andrzejem Kowerskim, odbywając najdziwniejszą podróż mojego życia, podróż na płaskowyż Vercour, gdzie Krystyna działała pod koniec wojny. Więc francuski kurier opowiadał, że straże graniczne w pogoni za nimi spuściły ze smyczy psy. Te słynne niemieckie psy-mordercy, które tak były wyszkolone, że jednym kłapnięciem zębów łamały ofiarom kark. Francuz, wtedy bardzo młody człowiek, zobaczył nagle trzy ogromne owczarki alzackie wyłaniające się z mgły. Sadziły w ich stronę w kompletnej ciszy, nawet bez szczeknięcia. Chłopak zamarł w miejscu, za późno już było na ucieczkę. Zamknął oczy w oczekiwaniu końca i wtedy stało się coś niezrozumiałego: Krystyna przykucnęła, wyciągnęła rękę i poczęła do nich przemawiać w nieznanym mu języku, jak się potem okazało, po polsku. Wszystko działo się błyskawicznie. Francuz spodziewał się najgorszego, tego na przykład, że za moment jeden z tych potworów zmasakruje Krystynie twarz, ale nic takiego się nie stało. Psy nagle zaczęły wyhamowywać, jeden z nich aż przysiadł na zadzie, potem dwa przywarowały w pewnym oddaleniu, a trzeci począł się czołgać w stronę Krystyny z cichym skomleniem.

Przemawiała do niego, a on przysunął się bliżej i polizał ją po ręce. Po chwili usłyszeli nawoływania Niemców i owczarki, jakby z ociąganiem, zaczęły się zbierać do odejścia. Ten, który polizał Krystynę, przystanął jeszcze na chwilę, zwrócił głowę w jej stronę i pomachał ogonem.

– Jakbym przy tym nie był – powiedział dawny francuski kurier – tobym nie uwierzył. Myślałbym, że ktoś bajdy opowiada, wszyscy przecież wiedzieli, co to za psy... Potem sobie przypomniałem, że Krystyna obtarła piętę i dałem jej trochę kurzego szmalcu, żeby przyłożyła na ranę... może to ten szmalec one poczuły?

– Raczej nie poczuły adrenaliny – wtrącił Andrzej. – Ona się ich po prostu nie bała.

Stary człowiek wzruszył ramionami.

– Nie uwierzę, żeby można się było nie bać w takiej sytuacji.

– Uwierzyłby pan, gdyby ją pan lepiej znał – odrzekł spokojnie Kowerski.

Potem, kiedy już jechaliśmy do Monachium, jeszcze do tego wróciłam.

– Krystyna opowiadała ci o tym? Znałeś wcześniej
tę historię?
– Nie.
– Dziwne, że ci nie opowiedziała. Przecież to wy-
glądało na cud.
– W czasie wojny takie cuda można było liczyć na
pęczki – rzekł z uśmiechem.
– Ale to jednak szokująca historia...
Andrzej odrzekł na to:
– Kiedy z nią jeździłem samochodem, ciągle urzą-
dzała histerie, żebym przypadkiem nie przejechał jakie-
goś stworzenia, psa, kota... jej miłość do zwierząt była
aż nienormalna...
– Jak jej odwaga!

Krystyna i pan L. przejechali taksówką całą Słowa-
cję, tym razem bez problemów udało im się przekroczyć
polską granicę. Siedzieli na małej stacyjce, czekając na
pociąg do Nowego Sącza, miasta ich pierwszego spotkania. Byli lekko skłóceni, bo pan L. uważał podróż
pociągiem za zbyt ryzykowną, tuż obok biegła granica,
a zaledwie parę kilometrów od tego miejsca mieściła się
centrala gestapo na tę część Podkarpacia. Bezpieczniej
było przejść górami, ale Krystyna miała już dość pieszej
wędrówki i uparła się, aby jednak zaryzykować jazdę
pociągiem.
No i stało się. W pewnej chwili podeszło do niej
dwóch żandarmów ze straży granicznej, tak zwanego
Grenzschutzu; mieli na sobie zielone mundury.
– *Hände hoch!* – usłyszeli.

Żandarmi poprowadzili ich z podniesionymi rękami w stronę budynku stacyjnego. Tam zostali wylegitymowani. Niemcy oglądali zaświadczenia węgierskie mówiące o tym, że pan L. i Krystyna byli internowani w obozie.

– W jakiej randze służyłeś w armii? – spytał żandarm pana L.

– W randze kaprala, wzywano nas, abyśmy wracali do kraju...

Niemiec roześmiał się.

– To czemu nie prostą drogą, tylko w nocy, jak złodzieje po krzakach?

Pan L. zrobił odpowiednią minę.

– Człowiek nigdy nie wie, co go czeka...

– A ta kobieta? Też służyła w wojsku?

– Nie, tylko szła z wojskiem, jak wielu cywilów...

I wtedy Krystyna odegrała niezłą komedię, zaczęła nagle płakać, łzy jak groch płynęły jej po policzkach. Chwytając Niemca za ręce, mówiła po niemiecku, tragicznie kalecząc język:

– To przeze mnie... wszystko przeze mnie... ja go namówiłam, żebyśmy uciekli z obozu... puśćcie nas, zapłacimy, ile chcecie, tylko nas puśćcie...

Na to żandarm wyjął z torby papier z ich rysopisami. Od dawna byli znani gestapo. A potem zadzwonił na posterunek policji.

– Zaraz dostarczymy zbiegów – powiedział.

Prowadzili ich środkiem torów, padał deszcz i nogi im się ślizgały po mokrych podkładach. Krystyna to wykorzystała, pozorując upadek i zwichnięcie kostki. Mocno kulejąc opóźniała marsz. Żandarm szturchał ją karabinem w plecy.

– Pośpiesz się!

– Moja noga – biadoliła Krystyna.

Pan L. zdołał jej przekazać, żeby za wszelką cenę pozbyła się koperty ze swojego plecaka, z tymi nieszczęsnymi zdjęciami Naczelnego Wodza generała Sikorskiego przyjmującego defiladę. Kiedy znaleźli się na kolejowym mostku przecinającym strumień, Krystyna przysiadła na torach i poczęła grzebać w plecaku.

– Co ty robisz? – wrzasnął żandarm.

– Muszę opatrzyć kostkę! – odparła bezczelnym tonem.

Pan L. niby to jej pomagał, a w rzeczywistości dotarł do koperty i chciał niepostrzeżenie zrzucić ją z mostku. Niestety jego manewr został zauważony. Wtedy, nie mając już nic do stracenia, cisnął kopertę do wody. Jeden z żandarmów chwycił go za kark i zmusił do położenia się na torach, drugi zaś starał się wydobyć kopertę, ale odpływała coraz dalej, porwana ostrym nurtem.

Rozwścieczeni Niemcy postawili teraz pana L. na nogi i jeden z nich przyłożył mu rewolwer do skroni.

– Gadaj, co było w kopercie, albo już po tobie.

Na to Krystyna zasłoniła go swoim ciałem, niby to niechcący wytrącając pistolet żandarmowi, który schylił się po niego z przekleństwem. A ona zaczęła trajkotać:

– To moja koperta! Tam były zdjęcia kolegów z obozu... nie chcieliśmy, żeby zidentyfikowano ich twarze, bo tu mają rodziny...

Żandarm kazał jej być cicho.

– Wracamy na stację – zakomenderował – wezwiemy posiłki, trzeba przeszukać rzekę i znaleźć kopertę.

Wy jesteście polscy bandyci! Nas możecie wodzić za nos, ale z gestapo tak wam łatwo nie pójdzie!

Szli teraz z powrotem, żandarmi o krok za nimi, już nie tak czujni. Wydawało się im pewnie, że tutaj zbiegowie nie będą próbowali ucieczki.

Ale Krystyna wyszeptała:

– Na końcu mostka podetnę im nogi, skacz do wody.

I tak zrobiła. Udając, że się pośliznęła, upadła do tyłu, tamci odruchowo starali się ją podtrzymać, ale ponieważ było ślisko, obaj stracili równowagę. Teraz wszyscy troje leżeli na torach. Krystyna poderwała się pierwsza i zbiegła pod most. Po chwili silny nurt unosił ją coraz dalej. Pan L. był tuż przed nią. Niemcy strzelali za nimi, ale do takiego ruchomego celu trudno trafić. Wkrótce oboje zanurzyli się w ciemność. Byli już bezpieczni, po obu stronach rzeki ciągnął się teraz gęsty las, który dał im schronienie jak zawsze. Kiedy siedzieli na mchu, starając się osuszyć – Krystyna wykręcała włosy, strużki wody spływały jej po twarzy, na szczęście wieczór był ciepły, nawet parny – pan L. powiedział:

– Uratowałaś mi życie!

– Byłam ci to winna – odrzekła zalotnie.

Z chwilą gdy moja praca dobiegła końca, bo zleceniodawca zmienił plany, przekazałam mu zebrane materiały.

– Nie ma pan nic przeciwko temu, że zostawię sobie kserokopie artykułów o Krystynie?

– A co, panią też uwiodła? To w jej stylu – uśmiechnął się. – Zamierza pani o niej pisać?

– Jeszcze nie wiem – odrzekłam, czując, że się czerwienię. – Ale... może jakoś to wykorzystam w przyszłości, jeżeli panu to nie przeszkadza...

– Proszę bardzo – odrzekł wspaniałomyślnie.

Z mojej strony była to zwyczajna zagrywka, bo wcale nie zamierzałam przerwać poszukiwań. Dobrze wiedziałam, że z nich nie zrezygnuję, nie musiałam jednak zwierzać się z tego temu człowiekowi.

Remont w Ośrodku Polskim dobiegł końca i mogłam się już ponownie wybrać do Londynu, tylko że tym razem było to bardziej skomplikowane. Tym razem ja ponosiłam wszystkie koszty. Arek zaproponował, abym u niego zamieszkała, i gotowa byłam z jego zaproszenia skorzystać. A czy miałam inne wyjście? Zapewnił mnie, że nie będę się czuła skrępowana, bo ma duże mieszkanie i na dobrą sprawę moglibyśmy się wcale nie widywać. Ale na tym właśnie polegał problem, że chcieliśmy się widywać i oboje byliśmy tego coraz bardziej świadomi.

Poprzedni pobyt w Londynie ograniczył się do kilku dni, teraz miałam pozostać tu dopóty, dopóki nie uznam, że znalazłam to, czego szukałam. Ale czy wiedziałam, czego szukam... bo z pewnością nie chodziło mi już tylko o same fakty z przeszłości. Czułam, że muszę iść dalej, aby się do niej przybliżać, dochodzić prawdy. Tym razem chciałam odnaleźć tu jej ślady... bo przecież ona kiedyś tu żyła, chodziła tymi ulicami... Ciągle jeszcze nie wiedziałam, jak umarła. Wystarczyło zapytać o to chociażby pana L., a jednak nie zapytałam. Jakbym chciała odwlec ten moment najdłużej jak się da. Jakbym nie chciała tego wiedzieć. Trudno mi to teraz wytłumaczyć, ale myślałam o Krystynie w czasie teraźniejszym, myślałam: „jest", a nie „była". Być może z tego samego powodu nie znalazłam jej grobu na cmentarzu St. Mary's.

Przed kolejnym spotkaniem z Krystyną czekało mnie jeszcze spotkanie na lotnisku z Arkiem, o tyle teraz jednak dla mnie trudniejsze, że miał na mnie czekać człowiek, o którym paradoksalnie wiedziałam znacznie mniej niż poprzednio. Kim dla mnie będzie?

Mieszkanie Arka rzeczywiście było obszerne, ale dziwnie rozplanowane. Zaraz za niewielkim przedpokojem zaczynał się salon, z którego wchodziło się do kuchni i do łazienki, a który kończył się schodkami prowadzącymi na coś w rodzaju antresoli, gdzie stało biurko i regały pełne książek; światło wpadało tam przez umieszczone wysoko niewielkie okienko, przesłonięte z zewnątrz gałązkami dzikiego wina, w słoneczne dni jego liście rzucały na ściany i podłogę postrzępione, ruchome cienie.

Tuż przy wejściu znajdowały się schodki na identyczną antresolę – sypialnię ze staromodnym łóżkiem z wysokimi szczytami. Nad nim zawieszony był buczacki kilim, na którym widniały dwie skrzyżowane szable. Trzeba przyznać, wnętrze dość niezwykłe, trochę nieprzystające do postaci gospodarza. Rozglądając się, myślałam: Gdzie tu jest miejsce dla mnie? Okazało się, że są jeszcze jedne schodki, tym razem prowadzące w dół. Znajdował się tam pokój z osobną łazienką, umeblowany całkiem nowocześnie. Tapczan, biurko, obrotowy fotel. Tutaj miałam zamieszkać. Podejrzewałam, że wcześniej był to pokój Arka i że z mojego powodu wyniósł się na „sypialnianą" antresolę. Dotrzymał słowa, bo naprawdę nie musiałam się czuć skrępowana.

Następnego dnia rano pojechałam do Polskiego Ośrodka. O tej porze było tam pusto, za pulpitem w bibliotece siedziała siwa pani, ta sama, która mi już wcześniej pomogła. Wkrótce przyniosła mi roczniki polskich gazet z 1952 roku. Pierwsza wzmianka o Krystynie, na którą się natknęłam, zbiła mnie z nóg:

> „Miałem z nią romans... Rzuciła mi wyzwanie,
> bym ją zabił"
> ZEZNANIA O MOTYWACH ZABÓJSTWA
> K. SKARBEK
> Muldowney stanie przed sądem na jesieni.

Postanowiłam nie czytać dalej, wyszukiwałam tylko nazwisko Krystyny na szpaltach i prosiłam bibliotekarkę, aby to skserowała.

– Czy pani źle się czuje? – spytała, kiedy przyniosła mi plik odbitek.

Złapałam się na tym, że siedzę przy pustym stole, trzymając się oburącz za głowę. Jak dziennikarski Hiob... – przyszło mi na myśl i zrobiło mi się wstyd, że tak dziwacznie się zachowuję. Przecież to wszystko działo się niemal pół wieku temu, więc skąd u mnie taka reakcja? A jednak po tylu miesiącach zagłębiania się w życie Krystyny, niemal codziennego obcowania z nią, zaczęłam ją traktować jako kogoś bardzo mi bliskiego. Może dlatego ta brutalna gazetowa wzmianka o jej śmierci tak mną wstrząsnęła.

To, jak dalece przeniosłam się w tamten czas, dobrze ilustruje pewne zdarzenie. Któregoś dnia przy śniadaniu przeglądałam poranną gazetę, a potem, kiedy robiłam na stole miejsce do pracy, rzucił mi się w oczy tytuł: BRAK BENZYNY W IZRAELU.

Tel Awiw. Z powodu braku benzyny rząd Izraela wprowadził od 15 czerwca ograniczenie w ruchu autobusów i ogłosił, że od 25 czerwca samochody prywatne nie będą mogły jeździć przez dwa dni w tygodniu. Dnie, w których samochodom nie wolno jeździć, mają być oznaczone z tyłu każdego auta.

Też coś – pomyślałam. Taki bogaty kraj i ma takie problemy. I nagła refleksja, że przecież to jest gazeta sprzed kilkudziesięciu lat. Może zmyliła mnie data, 17 czerwca. Bo właśnie był siedemnasty... Tylko skąd się wzięła na moim stole? ,,Dziennik Polski" z 1952 roku. Spojrzałam na tytuł u góry szpalty i wszystko się wyjaśniło:

POLKA, KTÓRA BYŁA ASEM POLSKIEGO I BRYTYJSKIEGO WYWIADU, KRYSTYNA SKARBEK, ZAMORDOWANA W HOTELU TPP W LONDYNIE

A niżej:

Pani Krystyna Granville z domu Skarbkówna zakłuta została nożem na schodach polskiego hotelu...

Co za styl! Zakłuta nożem, jak zwierzę... Raczej zasztyletowana, jak tamta, przez zdradzonego kochanka... To by się nawet zgadzało. Teatralny program z przedstawienia *Carmen* w Teatrze Wielkim w Warszawie, na którym jako młodziutka dziewczyna Krystyna napisała: ,,Miłość? To krew, zawsze krew...".

Krystyna powróciła do Budapesztu ze swojej wyprawy w połowie 1940 roku. Ona i pan L. tę drogę odbyli osobno. Tymczasem w brytyjskich służbach wywiadowczych nastąpiło przegrupowanie i Krystyna znalazła się w sekcji bałkańskiej SOE. Andrzej Kowerski też przystał do SOE, na co otrzymał zgodę władz polskich, oczywiście Krystyna mocno go popierała. Prawdę powiedziawszy, podjęła tę decyzję za niego już dawno, Andrzej ją tylko teraz zaakceptował...

Zresztą mógł się okazać bardzo przydatny ze swoją siecią przeróżnych znajomości. Teraz każde z nich miało pełne ręce roboty. Ewakuacja żołnierzy polskich dobiegała końca, ale oboje byli zaangażowani w przerzut jeńców angielskich z Polski na Węgry i potem dalej na południe. Pomagał im w tym Ludwik Popiel. Największy problem stanowiło wtedy zdobywanie benzyny.

– Niech sobie pani wyobrazi – opowiadał mi pan Andrzej – taką knajpę pod torami tramwajowymi. Tramwaj przejeżdża i kufle spadają z baru!

Któregoś wieczoru trafili tam obaj z Ludwikiem. Towarzystwo wyglądało na bardziej niż podejrzane. Wszyscy wybałuszyli na przybyszów gały. Nagle zrobiło się cicho jak w kościele. Kowerski proponował, żeby się wycofać, ale Popiel stwierdził, że dla fasonu muszą wypić chociaż jedną wódkę. Usiedli przy barze na wysokich stołkach. A tu podchodzi do nich jakiś olbrzym z kuflem piwa i dmucha im pianą w twarz.

Na to Kowerski, zachowując spokój, mówi do swojego towarzysza w przedziwnym niemiecko-węgierskim języku:

– *Ich habe gedacht Lengyel i Madziar zwei Brudern...*

Wtedy ten zaczepnie usposobiony Węgier aż przysiadł, fałdy na brzuchu mu się zakołysały i jak nie zacznie przepraszać, że ich wziął za Szwabów. Zaraz im postawił wódkę, a w jego ślady poszli inni, tak że mój rozmówca i jego kolega mieli wprawdzie trudności z opuszczeniem knajpy o własnych siłach, ale za to skończyły się ich trudności z benzyną. Tamci, nie dość, że za nich zapłacili, to jeszcze dali im ,,kontakt na benzynę". Całkiem darmową, którą ich kumple kradli z niemieckich barek.

Tymczasem szmuglowanie przez granicę jeńców angielskich przybrało takie rozmiary, że któregoś pięknego dnia cała trójka dostała zaproszenie od brytyjskiego posła Owena Russela, późniejszego ambasadora przy rządzie polskim i wielkiego przyjaciela Polaków. Krystyny nie było wtedy w Budapeszcie, poszli więc tylko obaj panowie. Śniadanie w poselstwie brytyjskim przebiegało w miłej atmosferze, tym bardziej że uczestniczyła w nim córka ambasadora, Jennifer. Młodziutka i bardzo ciekawa świata panienka, która niedawno obchodziła osiemnaste urodziny. Patrzyła na Andrzeja okrągłymi oczami koloru kasztanów i wyglądało na to, że widzi w nim bohatera. A od takiego patrzenia do zakochania tylko krok. Wyznała mu miłość kilka dni później, w tańcu.

Fakt ten Krystyna skomentowała w swoich dziennikach.

Budapeszt, 18 lipca 1940
Widzę, co się dzieje, nie jestem ślepa. A. jest wyraźnie zafascynowany tą małą. Imponuje mu, że taka

smarkata zwróciła na niego uwagę. Każdy facet jest próżny i na widok dzierlatki wciąga brzuch. Zresztą A. ma dodatkowy powód, żeby chcieć się sprawdzać. Nie traktuję tego poważnie, tyle tylko, że ojciec tej J. za mną z kolei wodzi oczyma. Więc to tak wygląda, że adoratorki A. są coraz młodsze, a moi adoratorzy coraz starsi. A ja chcę być młoda. Młoda! Przeraża mnie starość, starość nie jest dla mnie. To jakiś odległy czas, tak samo mityczny jak koniec świata, który kiedyś nastąpi. Mnie już wtedy dawno nie będzie, bo mówi się o roku dwa tysiące. Nie chcę także być obecna przy swojej starości, nie chcę jej oglądać. Więc może nie nadejdzie nigdy? Mam teraz... no, powiedzmy, ileś tam lat. Ale czy to tak dużo? Moje ciało i dusza nie zestarzały się ani na jotę, od czasu jak bazgrzę w tych zeszytach. Zapisałam co prawda wiele stron, ale jedna strona to na szczęście nie jeden rok, to tylko jeden dzień albo nawet chwila...

Zapis ten brzmi jak manifest młodości. Czy to nie wtedy Krystyna wpadła na pomysł, aby ująć sobie kilka lat? Daty by się zgadzały, bo przecież wkrótce potem ambasador Russel i jednocześnie ojciec Jennifer, zadurzony w Krystynie, wyrabiał jej nową tożsamość. A może wpłynął na to także fakt, że Andrzej, urodzony w 1912 roku, był od niej młodszy?

Jennifer również opisała, w swoim z kolei dzienniku, spotkanie z Krystyną:

Jaka ona jest wspaniała! Ciągle teraz o niej myślę, jak chodzi, z jaką lekkością się porusza. I jej uśmiech, taki młody...

(Krystyna by się z pewnością ucieszyła, gdyby mogła to przeczytać – dop. E.K.)

Wiem też, co to za odważna osoba! Jestem dumna z tego, że powiedziała, że mnie lubi i chciałaby mnie codziennie widywać!

Wygląda na to, że oni wszyscy siebie opisywali. Sir Owen tak oto pisze o Krystynie w swoich wspomnieniach:

Podjąłem więc z nią ścisłą współpracę, mam na myśli Krystynę Giżycką, znaną później pod pseudonimem Granville. Pochodziła z polskiej arystokracji, z rodziny Skarbków, była piękna i utalentowana. I jakże bohaterska. Niemcy rozplakatowali na wszystkich posterunkach w Polsce jej podobiznę, wyznaczając nagrodę równowartości 1000 funtów za jej głowę. A mimo to dalej chodziła z Węgier do Polski. Była to na pewno najodważniejsza osoba, jaką w życiu spotkałem; nigdy nie znałem kobiety, która by do takiego stopnia lekceważyła niebezpieczeństwo. Jedyne, czego Krystyna nie mogła zrobić z dynamitem, to zjeść go! Kochałem ją z całego serca...

Późna jesień 1940 roku. Do Krystyny dociera wiadomość o aresztowaniu jej brata. Bardzo ją to przygnębia, niepokoi się także o los matki. W końcu postanawia jeszcze raz pójść do Polski. Sama. Znanym już szlakiem. Tym razem ma więcej szczęścia i bez przygód po tygodniu zjawia się w Warszawie. Ale pod numerem 15 na ulicy Rozbrat nie zastaje nikogo. Udaje się więc do kuzynki i od niej dowiaduje się o aresztowaniu matki, która dosłownie od kilku dni przebywa na Pawiaku.

– Za co? – pyta Krystyna.

– Może... że się nie przeniosła do getta... ona tak ufała swojej szczęśliwej gwieździe...

Ale nie była żółta – myśli ponuro jej córka.

Stara się odnowić swoje kontakty, aby wyciągnąć matkę z więzienia. Pomaga jej w tym szef Muszkieterów, a ściślej, jego konszachty z Niemcami. O umówionej porze oboje stawiają się w obskurnej knajpce na terenie getta, gdzie jeszcze można wejść bez przepustki. Krystyna jest przerażona widokiem obdartych, wychudzonych ludzi. Oszołomioną Witkowski wepchnął do środka, gdzie było czarno od dymu. Przy stolikach kłębili się jacyś faceci załatwiający swoje podejrzane interesy. Oni usadowili się w rogu.

– Widzisz tamtego grubasa? – spytał Witkowski.

– Z tą rudą dziewczyną?

– To jego kochanka. On cię za chwilę poprosi do tańca, to sobie pogadacie...

Opisała to w swoich dziennikach. Już po powrocie do Budapesztu.

Budapeszt, 12 listopada 1940

Obrzydzenie do spoconego, cuchnącego piwem typa. To tylko czułam, a jednocześnie wiedziałam, że od tego spasionego cielska zależy los mojej mamy. Więc się do niego wdzięczyłam i przymilałam. Kiedy przez cienką bluzkę czułam tę lepką łapę na moich plecach, zbierało mi się na wymioty. A tutaj mówię: „Świetnie pan prowadzi, panie Klaus!". „I jeszcze parę innych rzeczy robię świetnie" – odpowiada ta świnia. Ustaliliśmy cenę transakcji. Tyle a tyle miało kosztować zwolnienie mamusi z więzienia i jej aryjskie papiery. Nawet niedużo, trzysta zielonych za jedno ludzkie życie.

Tym razem chciałam ją zabrać, kochaną, i przeprowadzić przez góry, które są może surowe, ale mniej zdradliwe od gatunku ludzkiego. Obmyśliłam już trasę, którą pójdziemy, w najdrobniejszych szczegółach. Gdyby się czuła bardzo zmęczona, mogłybyśmy robić dłuższe odpoczynki. Miałam jej powtarzać: Musisz przejść! Musisz! Przecież raz, kiedy byłyśmy w górach, nieźle sobie radziła, było to co prawda dobre parę lat temu, ale mamusia miała mocne serce. Może gorzej z nogami, ale z tym byśmy sobie poradziły, wystarczyłby piętnastominutowy odpoczynek. Pozwalałabym jej na to, ile razy by tylko chciała. Miałam bowiem jedno zadanie: doprowadzić ją szczęśliwie do Budapesztu. Przy sobie nic trefnego, oprócz naszych prawdziwych życiorysów...

Nigdy niczego się w życiu nie bałam. Teraz bałam się o nią. Całą noc przeleżałam z moim ryngrafem z Czarną Madonną w ręku. Ściskałam ten ryngraf tak mocno, że poprzecinał mi skórę. Ale nie pomógł, może powinnam się była modlić do innego Boga?

Ten typ zwodził mnie kilka dni, twierdził, że wszystko jest na dobrej drodze. Wręczył mi nawet dokumenty dla mamy na nazwisko Wiesława Młyńska. Żartowałam sobie, że mama chyba nie polubi nowego imienia. A jak przyszłam nazajutrz, po nią – miała już czekać w jego biurze – zastałam tylko tę świnię. ,,Gdzie ona jest" – pytam. Nie patrząc na mnie, powiedział: ,,Dwa dni temu wywieźli ją do Oświęcimia, a tam moja władza nie sięga". Patrzyłam na niego, nie mogąc pojąć, co do mnie mówi. ,,To po co mi pan wczoraj dał te dokumenty?". ,,Bo wszystko ma swoją cenę, a pani za nie zapłaciła". Myślałam, że to głupi żart, że mama jest gdzieś obok i zaraz ją zobaczę. Ale to była prawda. ,,Czemu mi pan wczoraj nie powiedział?". I na to ta świnia: ,,Bo taką mam zasadę, że złe wiadomości przekazuję na końcu". Pomyślałam, że gdybym miała przy sobie broń, tobym mu strzeliła między oczy. I nawet już po wyjściu od niego chodziło mi po głowie, żeby zdobyć rewolwer. Ale po co? Co by to dało? Jeszcze liczyłam na szefa, na W., on przecież miał długie ręce. Ale powiedział: ,,Nie bądź naiwna. Stamtąd się nie wraca".

Od powrotu z Warszawy Krystyna już nigdy nie wspomniała o matce. Nie tylko w rozmowie z kimkolwiek, nawet w dziennikach. Wróciła chora na grypę, bardzo kaszlała i Andrzej wzywał do niej lekarzy, którzy kręcili głowami. Niedobrze, ogólne osłabienie, brak chęci do życia. Sir Owen też był zaniepokojony, ale z innego powodu, doradzał Krystynie i Andrzejowi ewakuację na Bliski Wschód.

Od dawna zagrożeni aresztowaniem, ciągle zmieniali miejsca pobytu. Mieszkali teraz razem w małym domku, wynajmując w nim dwa pokoje z oknami wychodzącymi na Dunaj. Andrzej był z tego rad, bo Krystyna nie wychodziła, nie mogła więc wiedzieć, że są śledzeni. Nieopodal wejścia dzień i noc stał jakiś samochód, zmieniali się tylko kierowcy. Ale którejś nocy zapukano do ich drzwi. Andrzej pierwszy wyskoczył z łóżka, kręcił się jednak w kółko, nie mogąc sobie przypomnieć, gdzie odstawił na noc swoją sztuczną nogę. A pukanie się nasilało, po chwili przeszło w walenie. Krystyna też wstała, narzuciła szlafrok i pomogła Andrzejowi przypiąć protezę, bez której czuł się bezradny.

Weszło czterech węgierskich żandarmów. Z miejsca rozpoczęli rewizję, wyrzucając wszystko z szafy, patrosząc szuflady, a nawet materace z łóżek. A potem wyprowadzili ich do samochodu. W areszcie zamknięto ich w oddzielnych pokojach, aby nie mogli się z sobą kontaktować. Andrzejowi kazali rozebrać się do naga, odpiąć sztuczną nogę. Rozkręcali ją śrubokrętem na części, sprawdzając, czy czegoś w niej nie ukrył. Potem pozwolili mu się ubrać i zaczęło się przesłuchanie. Trwało dzień i noc, bez przerwy musiał odpowiadać na te same pytania. Następnie zrobili konfrontację. Kiedy zobaczył Krystynę, przeraził się, wyglądała jak ciężko chora. Biała na twarzy, pod oczyma fioletowe sińce. Ale mrugnęła do niego, żeby się nie przejmował.

Tak potem opisała swoje uwięzienie:

Budapeszt, 2 grudnia 1940

Spodziewaliśmy się tego. Na mieście nawet mówiono, że koniec z pobłażliwością naszych bratanków, jeszcze chwila i będą nas wydawać gestapo. Więc na to walenie do drzwi włożyłam szlafrok, pomogłam Andrzejowi odszukać nogę i wpuściłam nieproszonych gości. Rewizja, a potem zabrali nas na Hortymiklos ucca. Jak A. zobaczył, gdzie nas przywieźli, szepnął mi do ucha, że dobra nasza, chłopaki mają na oku to więzienie i już pewnie wiedzą, że tu jesteśmy. A to najważniejsze, aby nie przepaść jak kamień w wodę. Zaraz nas rozdzielili. Trzymając mnie w pustym pokoju, zaczęli mi robić wodę z mózgu. I to na zmianę. Węgry sobie to potem odsypiały, a ja nie, przez trzy noce nie dali mi zmrużyć oka. Okazało, się, że niemal wszystko o nas wiedzą. I o ewakuacji polskich żołnierzy do Francji, i o szmuglowaniu angielskich jeńców. Wszystko, dosłownie wszystko, znali ze szczegółami każdy nasz krok. Ale potrzebowali jakiegoś potwierdzenia, a mogli je otrzymać tylko od nas. Blefowali zresztą, że A. już się przyznał i podpisał zeznania. Tak? To pokażcie... Nie mieli czego pokazać, więc kazali mi w kółko powtarzać to samo. Co robiłam w Budapeszcie od przyjazdu tutaj w zeszłym roku? Jako że jestem dziennikarką, więc pisałam do pism angielskich. Tak? I reportaże z Polski też pani pisała, na gorąco? Ja wypieram się w żywe oczy. A on, ten przesłuchujący, jeszcze młokos, pokazuje mi na to fałszywą kenkartę z moim zdjęciem na nazwisko Andrzejewska, którą niemieccy żandarmi odebrali mi wtedy na dworcu, jak przeszmuglowywaliśmy się z W.L. przez granicę. Zaczęłam się wykręcać, że zdjęcie tylko podobne, a dziewczyna dużo ode mnie ładniejsza. Czy nie tak? I śmieję się do tego oficerka, którego mogłabym wciągnąć dziurką od nosa, jakbym tylko chciała. On zaprzecza: że wcale nie ładniejsza, tylko ja jestem wymizerowana, takie chodzenie po górach to duży wysiłek... I do tego doszło, że to on zaczął się przede mną tłumaczyć. Że jakby od niego zależało, nigdy by mnie nie wydał Niemcom, ale niestety niewiele od niego zależy, to sprawa przełożonych. ,,A ci już się spiknęli ze Szwabami na amen?" – pytam surowo. ,,No... – mówi – nadużywacie naszej gościnności, sprawiacie nam kłopoty. Pani osobiście grozi kara do dziesięciu lat więzienia...". Myślał, że mnie tym przestraszy, a ja ciągle się śmieję. I cały czas obserwuję go uważnie, czy już jest dostatecznie zmiękczony, żeby jakąś scenkę przed nim odegrać. Przed tym drugim nie miałam po co się wysilać, bo był gbur i cham. Ale ten chłoptyś... Zaczęłam zanosić się kaszlem, mając nadzieję, że coś z tych swoich płucek wykrzesam, ale niestety były dobrze zaleczone. No to ugryzłam się w język i podsuwam mu pod oczy zakrwawioną chustkę. Od razu się zerwał, kazał wezwać doktora. Ten prześwietlił mi płuca i takie znalazł zmiany, iż uznał, że grozi mi poważny krwotok, a kto wie, czy nie szybki zgon. Przeleżałam w szpitalu cały dzień i noc, a nazajutrz rano pochylili się nad moim łóżkiem obaj, doktor i przesłuchujący mnie oficerek, i oznajmili, że nie pójdę do więzienia. Wrócę do domu i będę się leczyć... pod nadzorem policji. A. zwolnią, aby się mną opiekował, ale dwa razy dziennie ma się u nich meldować. Mnie nie wolno wychodzić z domu. Do dziś nie wiem, co ten konował zrobił z moim zdjęciem rentgenowskim, podretuszował je odpowiednio czy zamienił na inne?

To aresztowanie było ostatnim ostrzeżeniem. Tym razem oboje potraktowali je serio. Krystyna już jako Christine Granville opuściła Węgry w... bagażniku samochodu ambasadora Russela.

Odnalazłam opis tej niecodziennej podróży w jej powojennych już dziennikach, widocznie ciągle jeszcze tamten czas był dla niej żywy... Jak napisał w swoich wspomnieniach Sir Owen, Krystyna odczuwała nostalgię za niebezpieczeństwem. Było jej niemal tak samo potrzebne jak powietrze, do oddychania, do życia...

Londyn, 12 kwietnia 1947
Andrzejowi udało się wyprowadzić swojego opla, chociaż Węgrzy obstawili dom. Pilnowali raczej jego służbowego auta, które parkował przed wejściem, a on wyjechał od podwórza. Dodał gazu i tyle go widzieli. Ja ulotniłam się w przebraniu, gospodyni pożyczyła mi swój płaszcz, zawiązałam chustkę i włożyłam ciemne okulary. Na szczęście było

słonecznie, więc nie budziło to podejrzeń. Trochę mnie wzięło, kiedy mijałam dwóch żandarmów, stali oparci o samochód. Przeszłam tuż obok nich. Gdyby coś do mnie zagadali, to koniec. Dotarłam do poselstwa mokra jak mysz, bo też jakaś słaba jestem po tej grypie i więziennych rozmówkach...

Teraz zaczęły się trwające bez końca dyskusje, jak się z tego gipsu wydostać. Była sobota, należało zatem działać szybko, bo w weekendy gestapo było mniej aktywne, a na poczynania Anglosasów patrzyło przez palce. Więc do dzieła. Owen wezwał do biura kancelistę i zaczęło się wymyślanie dla mnie i dla Andrzeja nowych życiorysów. Imię, nazwisko, data urodzenia... Głowiliśmy się nad tym wszyscy i nagle Jennifer mówi: ,,Może Granville... brzmi trochę z francuska, czyli że rodzina mogła mieszkać na wyspie Jersey, tam takich rodzin było sporo, nawet nie mówiących po angielsku, a Christine zna przecież dobrze francuski...''. Owen to podchwycił. ,,Pierwszy Granville przybył do Anglii z Wilhelmem Zdobywcą – powiedział – a jego potomkowie porobili nie gorsze kariery od Habdanków...''. ,,To co mam pisać?'' – pyta kancelista. A Owen na to: ,,Niech pan pisze Christine Granville...''. Kancelista: ,,A miejsce urodzenia?''. Owen: ,,Wyspa Jersey, oczywiście...''.

(No tak, w 1915 roku – przyp. E.K.)

W kilkanaście minut później Andrzej został Andrew Kennedym, bo Russelowie byli przywiązani do nazwisk irlandzkich, mieli nawet kiedyś Kennedych za sąsiadów. A potem Owen przedstawił swojemu sekretarzowi plan działania:

Samochodem poselskim miał mnie przewieźć do Belgradu, z tym że przed granicą węgiersko-jugosłowiańską powinnam się przesiąść, czy raczej upchać w bagażniku. Bardzo kaszlałam i to był problem, bo co na taki kaszlący bagażnik mogliby powiedzieć strażnicy graniczni? Ale Owen i na to znalazł sposób, dał mi pastylki od kaszlu. Oby podziałały – pomyślałam. Od tego przecież miał zależeć mój los. Owen dalej pouczał sekretarza: „Celnikom pan powie, że nie mają prawa rewidować poselskiego samochodu, a jakby się upierali, odeślij ich pan do mnie, niech do mnie dzwonią. Będę cały czas przy telefonie".

Trzeba powiedzieć, że kiepsko się czułam w roli kontrabandy. Było mi niewygodnie, kolana miałam pod brodą, a co gorsza, dusiłam się, bo tabletki Owena nie podziałały, przynajmniej nie w tym momencie. Więc zaciskałam dłonią usta i modliłam się, aby mieć to za sobą. Andrzej potem opowiadał, że kiedy celnik podszedł do samochodu i kazał otworzyć bagażnik, wyskoczył ze swojego opla, którym jechał za nami, i zaczął wrzeszczeć w swoim niemiecko-węgierskim narzeczu, że tym autem podróżuje poseł Jego Królewskiej Mości i że to obraza, niemal międzynarodowy skandal! Podobno Węgier od razu trzasnął obcasami i zasalutował, przepuszczając nas. Ja, zamknięta w kufrze, nic nie słyszałam, a wersja sekretarza Owena była inna. Przedstawił ją, gdy siedzieliśmy już wszyscy w restauracji „Serbski Kraj", słynącej na całych Bałkanach z tancerek wykonujących taniec brzucha. I rzeczywiście, były, wykonywały taniec brzucha, grała muzyka. Ja, Andrzej, Owen i jego córka Jennifer oraz sekretarz trącaliśmy się kieliszkami z szampanem. A sekretarz opowiadał: „To wcale nie Andrzej zapobiegł katastrofie, Andrzej raczej stracił głowę...". Natomiast on spokojnie wysiadł, oparł się o auto i pykając z fajeczki powiedział po angielsku: „Czy nie zauważył pan kolorów brytyjskich na samochodzie?". Na to strażnik zasalutował i odrzekł: *Verzeihen Sie mich Herr Ambasador...*

Andrzej upierał się przy swoim, choć nie miał najlepszej miny. Chyba jednak było tak, jak twierdził sekretarz. Andrzej jest mocny w rozgrywkach na pięści, ale z jego dyplomacją gorzej...

Opisał to także główny animator tych wypadków, Sir Owen Russel:

Rozumiałem, że mieszanie się do sprawy, która kompetencyjnie należała do tajnych służb brytyjskich, w wypadku wsypy mogło zagrozić mojej karierze. Ale zależało mi bardzo na bezpieczeństwie Christine. Komu miałem je powierzyć, jej szefowi Tommy'emu Hindle? Nie ufałem mu za grosz. Sam musiałem podjąć ryzyko. W oznaczonym dniu, była to niedziela, przyszedłem wcześnie do biura. Obserwowałem podwórze, gdzie stały nasze samochody. Niestety spoza ogrodzenia obserwował je także policjant węgierski. Chodził tam i z powrotem, przytupując, bo dzień był wyjątkowo zimny. Nie mogliśmy liczyć, że się prędko wyniesie. Więc Andrew i Christine wyszli na podwórze i skierowali się do samochodów. Mieli wykonać tę „przymiarkę" Christine do bagażnika, kiedy poczciwy stójkowy odwróci się do nich plecami, ale cała operacja się przedłużała, bo ona się po prostu w bagażniku nie mieściła. Przenosiła się z samochodu do samochodu, i to już na oczach tego Węgra, który stanął i przyglądał się tej scenie. Bardzo zdenerwowany kazałem zaprosić go do środka, na gorącą zupę... a tymczasem przed bramą zatrzymało się kilku przechodniów, gapiąc się na wyczyny moich przyjaciół. Zwyczajnie nie dawało się upchnąć Christine w żadnym z tych kufrów, były za małe. Andrew opowiadał, że ugniatał biedaczkę jak gęś w koszyku, potem chwycił wieko i zatrzasnął z całej siły, ale zamiast spodziewanego szczęku zamka rozległ się głuchy stukot i stłumiony jęk... Więc złapałem za słuchawkę i wezwałem mojego sekretarza. Powiedziałem mu: „*My dear fellow*, ta operetka nie może się odbywać na oczach całego Budapesztu. Niech pan weźmie mojego humbera, który ma znacznie większy bagażnik...".

W końcu udało się i wszyscy aktorzy tego spektaklu wylądowali bezpiecznie w belgradzkiej restauracji, ale spektakl trwał nadal, bo przy stoliku siedział poseł Jego Królewskiej Mości, zakochany w Polce, agentce wywiadu angielskiego, i jego młodziutka córka, zadurzona nieprzytomnie w Polaku, tajemniczym i bardzo zakonspirowanym... Ich spojrzenia krzyżowały się nad blatem stolika. Co sobie myśleli? Co myślała Jennifer, która musiała sobie zdawać sprawę ze stosunków łączących tę polską parę. Układ był zresztą bardziej skomplikowany, niżby się mogło wydawać...

Rozmawiałam z panem L. o Jennifer i o jej stosunku do Krystyny.

– Była dość egzaltowana – powiedział. – Taka typowa Angielka z pomysłem na emancypację.

Na moją prośbę odszukał jeden jedyny list, który panna Russel do niego napisała. Uderzył mnie zwłaszcza fragment dotyczący Krystyny:

Nie umiem sobie tego wytłumaczyć, dlaczego, pomimo że tak byłyśmy sobie bliskie, nie wiedziałam o jej semickim pochodzeniu. Jeśli prawdą jest, a wynika to z Twego listu, że tak głęboko przeżyła tragedię swojej rodziny, dlaczegóż mi o tym nigdy nie wspomniała? Dla mnie, jako dla Irlandki, bardzo ważne są więzy krwi. Nie jest mi również obojętne, jakiego jestem pochodzenia i jaką wyznaję religię, ale też uczono mnie tolerancji. Mówiłam o kimś, że jest Żydem, jak o kimś innym, że jest katolikiem, równie naturalnie. Czyżby tego Christine nie wyczuła?

Nie, naprawdę nie potrafię dać odpowiedzi na Twoje pytanie – innej jak ta, że wbrew wszelkim pozorom Krystyna była jednak konformistką. Uważam tak, choć to się kłóci z moim wyobrażeniem o niej. W moim pojęciu była bowiem najbardziej niekonformistyczną istotą, jaką w życiu spotkałam.

Cóż, to, co Jennifer napisała w liście, świadczy jedynie o tym, jak mało znała Krystynę, dowodzi też, że tylko pozornie mogły być ze sobą blisko. Z kilku zresztą powodów. Krystyna, jak wiadomo, raczej nie przyjaźniła się z kobietami, a Jennifer dodatkowo była jej rywalką, do czego oczywiście nigdy głośno by się nie przyznała, zbyt doświadczona w sprawach miłości, czy – inaczej to nazywając – w kontaktach z mężczyznami. Nie przyznałaby się za nic, że jest o młodą Angielkę zazdrosna. Wolała jej mówić miłe słówka, w rodzaju: ,,Podobasz mi się, chcę się z tobą widywać codziennie", myśląc przy tym: ,,Muszę cię mieć na oku, ty smarkulo". Gdyby Jennifer nie zagrażała jej wyłączności w uczuciach Andrzeja, Krystyna nie zwróciłaby na nią większej uwagi, pewnie panienka z ustami pełnymi frazesów zwyczajnie by ją nudziła. Krystyna zwykle mówiła mało, raczej wolała słuchać tego, co mówią inni, co być może wynikało z jej profesji. Ale ona z natury była małomówna, rzadko się komukolwiek zwierzała. Więc z jakiego powodu miałaby opowiadać Jennifer o najboleśniejszej sprawie swojego życia... Madeleine Masson w biografii Krystyny pisze, a z pewnością dowiedziała się o tym od Kowerskiego, ,,że od tamtej jesieni Krystyna nigdy nie wspominała matki, bo miała w zwyczaju grzebać na dnie świadomości sprawy najważniejsze".

A jednak zwierzyła się komuś z pewnego faktu mającego związek z uwięzieniem pani Stefanii

Skarbkowej, a był to fakt, który powinna pogrzebać już nie na dnie, ale na dnie dna swojej świadomości. Dowiedziałam się o tym przez przypadek, bo od kobiety, która niegdyś pracowała z Krystyną u Harrodsa. Z trudem zdobyłam jej adres, lecz nie bardzo miałam ochotę się z nią spotykać, była to już bowiem osoba mocno starsza i z pewnością mająca kłopoty z pamięcią, a poza tym, cóż ona mogła takiego wiedzieć o Krystynie, czego nie wiedzieliby inni, bardziej z nią związani? Ku memu największemu zdumieniu okazało się jednak, że jej właśnie Krystyna zwierzyła się z bardzo osobistego przeżycia. Widocznie potrzebowała powiernika, który byłby kimś obcym, całkowicie jej obojętnym.

Siedziały przy stoliku w stołówce w czasie przerwy na lunch. W pewnej chwili Krystyna, jedząc kanapkę, powiedziała:

– Widzisz tam tego faceta przy oknie?

– Tego łysawego blondyna?

– Tak, tego grubasa. Jest do kogoś podobny, przypomina mi Niemca, z którym kiedyś poszłam...

Moja rozmówczyni nie zrozumiała.

– Dokąd z nim poszłaś?

Na to Krystyna uśmiechnęła się ironicznie.

– Nie dokąd, tylko gdzie. Do łóżka. To była transakcja wiązana. Trzysta dolarów plus moje ciało na jedną noc...

Byłam tak wstrząśnięta, że szybko się pożegnałam z ową kobietą, która jednak, jak się okazało, miała dobrą pamięć. Musiałam ją oczywiście spytać, jakie wrażenie zrobiło na niej wyznanie Krystyny, dość bulwersujące nawet dla osoby postronnej.

– Czy ja wiem... – odrzekła po zastanowieniu. – Myślałam, że ona tak tylko mówi... często opowiadała różne dziwne rzeczy i potem się okazywało, że stroiła sobie z nas żarty...

Ale tym razem to nie był żart, byłam tego pewna. Ona nie żartowałaby na ten temat. Po prostu musiała o tym komuś powiedzieć, ponieważ nie zdecydowała się wyznać tego w dziennikach, które spełniały rolę jej prywatnego konfesjonału. Widocznie nie potrafiła zepchnąć tej sprawy „na dno świadomości", być może dlatego, że ofiara okazała się daremna, a Krystyna była osobą, która skrupulatnie przeliczała swoje czyny na efekty. Zwichnęła nogę, ale za to ktoś, komu pomogła, zdołał w porę się ukryć; nadwerężyła żebro przy skoku ze spadochronem, ale wykonała powierzone jej zadanie... A tutaj uczyniła coś takiego, czego nie uczyniłaby dla nikogo, nawet dla ratowania siebie, ale chciała przecież uratować osobę, którą kochała bardziej niż siebie samą...

Byłam tak roztrzęsiona, że przejechałam przystanek metra, na którym powinnam była wysiąść, zamiast jednak zaczekać na peronie na następny pociąg, wyszłam do miasta. Po przeciwnej stronie ulicy zobaczyłam neon baru, postanowiłam tam wstąpić. Usiadłam na wysokim stołku i poprosiłam o kieliszek wódki.

– Wódki? – zdziwił się barman. – Tutaj wódki nie ma...

– To... poproszę koniak.

Jak ona wtedy wracała... jak wyglądała jej przeprawa przez góry, o których napisała w swoich dziennikach, że są surowe, ale mniej zdradliwe od gatunku ludzkiego... Zwierzała się Kate, że przejście miała tym razem bardzo trudne, a w Karpatach pikował na nią niemiecki samolot i nawet puścił serię.

Pan L. tak to skomentował:

— W ten samolot można wierzyć albo nie, Krystyna miała skłonności do ubarwiania faktów... ale prawdą jest, że wróciła w fatalnym stanie.

A w jakim miała być? Krystyna musiała mieć poczucie, że być może matkę aresztowano z jej powodu. Zanim panią Stefanię zabrano na Pawiak, gestapo kilkakrotnie przychodziło do mieszkania na Rozbrat, za każdym razem Niemcy robili rewizję, pokazując pani Skarbkowej list gończy za Krystyną, zawierający jej portret pamięciowy; trzeba przyznać, że doskonale uchwycono podobieństwo. Obiecywano poza tym nagrodę za ujęcie jej żywej lub martwej... Matka Krystyny zaprzeczała, jakoby podobizna przedstawiała jej córkę.

— Moja córka przebywa z mężem w Afryce – odpowiadała niezmiennie.

— Tak. A nie jest przypadkiem kurierem między Warszawą a Budapesztem? – pytał ironicznie gestapowiec.

— Nic o tym nie wiem...

Biedna kobieta, co musiała przeżywać, widząc podobiznę Krystyny, pod którą wymieniona była suma za jej głowę!

A Krystyna... co mogła czuć, oddając się temu odrażającemu człowiekowi, poświęcając swą intymność, czyli coś dla niej najważniejszego, co stanowiło o smaku życia. Prawdą jest, że miała wielu kochanków, lecz sama ich wybierała. I byli to zawsze mężczyźni obdarzeni nie tylko przymiotami ciała, ale i duszy.

Tutaj los dopuścił się nadużycia... Jej ciało zbrukano i zelżono... To piękne, wypielęgnowane ciało. Tak o nie dbała, nacierając je przeróżnymi wonnymi olejkami, opalając na brąz. Pan Andrzej wspominał z czułością, że miała złocisty odcień skóry, bo nie opuściła żadnej sposobności, aby chociaż na chwilę wystawić się do słońca. Twarz, dekolt, plecy albo przynajmniej nogi... Stwierdził, że była jak jaszczurka wygrzewająca się na skale.

I nagle swoje hołubione ciało Krystyna musiała wystawić na sprzedaż. Zrobiła to bez wahania, nie miała zresztą zbyt wiele czasu na podjęcie decyzji. Jeden taniec w obskurnej knajpie na terenie warszawskiego getta...

– Poproszę jeszcze raz to samo – mówię, dziwiąc się, że barman jest jakiś rozmazany, jakby znajdował się za szybą. Przecież mam go tuż przed sobą...

Najtrudniejsza do zniesienia była myśl, że zmuszono do czegoś tak niewyobrażalnie wstrętnego istotę pełną dobroci i naturalnego wdzięku. Krystyna nie była bowiem wampem, który świadomie niszczy mężczyzn; ona ich uwodziła, przywabiała w jakiś sobie tylko wiadomy sposób. Tak jakby wysnuwała wokół siebie tysiące niewidzialnych niteczek, a oni się łapali w tę erotyczną pajęczynę... Uśmiech, spojrzenie z ukosa, czuły gest.

Trafnie to określił Adam, jej pierwszy kochanek, była wielką miłośnicą... ale nie chodzi tylko o miłość do mężczyzn, była miłośnicą życia w ogóle. Kochała niebezpieczeństwo, rywalizację, ryzyko, kochała też zwierzęta i wiele miejsc na ziemi... a szczególnie jedno – o nazwie Trzepnica...

Pożegnanie z nim – wiedziała, że to jest pożegnanie i że już tam nigdy nie wróci – opisała w dziennikach. To było wtedy, kiedy przekradła się do Polski po matkę... Zanim opuściła swoją ojczyznę na zawsze, postanowiła pojechać pod Piotrków, chociaż w jej sytuacji, kiedy na każdym posterunku policji wisiał plakat z jej podobizną, była to wielka lekkomyślność. Ale tym razem mogła to zrobić, bo narażała już tylko siebie. Bała się jechać pociągiem, więc skorzystała z kilku okazji, ostatni odcinek drogi przebyła drabiniastym wozem, kolebiącym się po zmarzniętej wyboistej drodze; trzęsło niemiłosiernie. I w końcu dotarła do celu swej podróży...

Warszawa, 18 listopada 1940

Było już ciemno, w listopadzie szybko zapada zmrok. Szłam od strony parku, groblą pomiędzy stawami, dwór był oświetlony i dobrze widoczny pomiędzy nagimi pniami drzew. Światło paliło się także na górze, w moim dawnym pokoju. Ciekawe, kto go teraz zajmuje i czy nadal mieszka tu ten sam człowiek, który kupił od nas Trzepnicę? Nie byłam tutaj od tamtego czasu. Dowiedziałam się od chłopa, który jechał do wsi, że na szczęście Niemcy nie zarekwirowali dworu. Ominęłam z daleka dom i przez podwórze dostałam się do stajni. Pies,

którego trzymają na uwięzi, szczekał, ale szczekał też, kiedy nie mógł mnie jeszcze wyczuć, więc może w ten sposób skraca sobie czas niewoli. Mam nadzieję, że spuszczają go z łańcucha chociaż na noc. Nasze psy miały zawsze swobodę i nocowały z nami w domu, wszystkie nasze psy, także te ostatnie: wyżły i dog Amok ojca, terier Rebus brata i moje: jamniczka Dora i kundelek Wacuś, którego znalazłam w lesie i uratowałam od śmierci, na jaką skazał go okrutny właściciel, przywiązawszy sznurkiem do drzewa. Tylko mama nie miała swojego psa, bo do żadnego się nie przyznawała i robiła nam wyrzuty, że się kłębią w domu. A gdyby jeszcze wiedziała, że moja Dora sypia ze mną w łóżku! Kiedyś poplamiła całe prześcieradło, bo miała cieczkę, ale powiedziałam, że to... ja. One, jak i nasza rodzina, skończyły tragicznie. Doga i wyżły po sprzedaniu domu wziął do siebie sąsiad i słyszałam, że w kilka dni później jeden z wyżłów, Rex, został przypadkowo zastrzelony na polowaniu. Dorcię wzięłam ze sobą, Wacuś już wtedy nie żył, ale nie uchowała się w mieście. Wymknęła się z domu za Celusią, naszą kucharką, wyskoczyła na ulicę i wpadła pod samochód. Terier brata najdłużej się utrzymał, ale też go już nie ma, jak i mojego brata. Nie ma mamy. Tylko ja jestem przez przypadek...
Dobrze, że tu przyjechałam, pomyślałam, widząc dwór tak rozświetlony. Bo przetrwał, jest, mimo że mieszkają tam obcy ludzie, ale mogłoby go już nie być, jak nie ma tylu innych domostw... Weszłam do stajni i poczułam ten zapach... najpiękniejszy zapach na świecie, już zapomniany, jak dzieciństwo.

W stajniach stoją konie, jak wtedy. Chodziłam od boksu do boksu i gładziłam im chrapy, żałując, że nie mam przy sobie cukru. A one mnie witały, jakbyśmy się dobrze znali, mimo że tamte nasze konie już od dawna cwałują po innych łąkach... Nie żyją bliscy, konie, psy. Wszyscy poumierali. W stajni nakrył mnie właściciel Trzepnicy, okazało się ten sam, który kiedyś zajechał kabrioletem przed ganek, tylko bardzo się postarzał, posiwiał, kto by pomyślał... A wtedy był świeżo upieczonym żonkosiem. Szukał dla siebie gniazdka. On mnie oczywiście nie poznał, ja jego od razu. „Co pani tu robi!". „Ja..." – nie wiedziałam, co powiedzieć. „Jest pani sama?". Chyba się bał, że jakaś szajka koniokradów się tu kręci. „Ja już sobie idę" – odrzekłam. „Ale co pani tu robiła?". Ciągle był niemiły i nawet zaświecił mi w twarz latarką. „Kiedyś tutaj mieszkałam...". No i jak się okazało, kim jestem, zabrał mnie do domu. Żonę ma bardzo miłą i życzliwą, są tutaj tylko we dwoje. Ich syn – wiadomo, co robią w tych czasach synowie w odpowiednim wieku. Bardzo się o niego boją i nie bez powodu. Zaproponowali mi, żebym u nich przenocowała. Oczywiście odpowiedziałam, że nie mogę ich narażać, bo moja podobizna wisi na ścianie każdego posterunku, więc pewnie i w Piotrkowie, i tutaj obok w Tokarzach. Ale o niczym nie chcieli słyszeć. Skoro tak, to bardzo bym chciała spędzić tę noc w moim dawnym pokoju, ale tam chyba któreś z nich śpi, bo widziałam z zewnątrz palące się światło. „Ten pokój jest wolny – odpowiedziała pani domu – poszłam po coś do szafy i zapomniałam

zgasić światła, a nigdy mi się to nie zdarza. Oszczę-
dzamy prąd". Ale ja wiedziałam, dlaczego zapomniała je zgasić. Okno, oświetlone okno mojego
dzieciństwa, to był znak. A noc spędzona w dawnym moim pokoju... To było jak *katharsis*. Dzięki
dwojgu obcym ludziom mogłam dalej żyć...

Ten fragment dzienników nabrał dla mnie zupełnie
innego znaczenia, po rewelacji, którą przekazała mi
dawna sprzedawczyni od Harrodsa. Pojęłam, że noc
w Trzepnicy była dla Krystyny fizycznym oczyszcze-
niem...

Dziwne, chciałam wynieść się już z tego baru, ale
nie mogłam. Nogi odmówiły mi posłuszeństwa, a w dodatku nie bardzo wiedziałam, gdzie się znajduję, bo
pomyliłam stacje. Jedyne, co mogłam zrobić, to poprosić, aby barman zatelefonował do Arka. Powiedziałam,
że czuję się chora i ktoś musi tu po mnie przyjechać.
Siedziałam na wysokim stołku, przytrzymując się blatu,
aby nie spaść. W takiej pozycji zastał mnie Arek.
— Ewa, co się stało? Co ty tu robisz?
— Nie wiem, przejechałam stację i... źle się poczułam.
Rozmawialiśmy po polsku, więc barman nic nie
rozumiał, ale kiedy mój przyjaciel chciał uregulować
rachunek, okazało się, że wypiłam trzy czwarte butelki
koniaku.
— Ale dlaczego? Przecież ty nie pijesz — robił mi
wymówki, prowadząc mnie do samochodu.

– Nie piję. Ona też nie piła. Nie lubiła tego.

– Jaka ona?

– Krystyna!

Miałam do niego żal, że nie zorientował się od razu, kogo mam na myśli. Mieszkając ze mną pod jednym dachem, musiał chyba zauważyć, co się ze mną dzieje, widział, że nie mogę przestać o niej myśleć nawet na chwilę.

– Więc skoro Krystyna nie piła... To dlaczego ty się wyłamujesz? – pyta Arek. Nie patrzy na mnie, prowadząc samochód. Nagły błysk w mózgu. To ona wyłamywała, jak rasowy koń w zaprzęgu... ktoś tak o niej powiedział... nie pamiętam już kto... Ciągle jest tylko ona. Ona. Jakbym traciła powoli zdolność samodzielnego istnienia.

Kilka dni temu byliśmy razem w hotelu, w którym została zamordowana. Znajdował się o trzy ulice dalej od domu Arka, poszliśmy więc tam piechotą. Serce mi waliło, kiedy wchodziłam po schodkach na biały ganek. I już drzwi frontowe. Otwierają się... Serce mi wali, mimo że wnętrze wygląda zupełnie inaczej niż w tamtych czasach. Zostało gruntownie przebudowane. Obecny właściciel, Arab, porobił na dole przepierzenia, przeniósł portiernię w inne miejsce. Portierka, nieładna i niemłoda już kobieta o mysim kolorze włosów, też jest z innej epoki. Ale wie, co tu się kiedyś wydarzyło.

– Tak, tak, Christine Granville – mówi – o, tutaj upadła, przy końcu schodów... Chyba była na ostatnim stopniu, jak on wbił w nią nóż. – I dodaje: – Teraz toby nie dał rady, przez tę ściankę. Goście narzekają, że muszą się przeciskać...

Staliśmy z Arkiem o krok od miejsca, gdzie upadła. Patrzyłam na ostatni stopień schodów, stanęła na nim, a potem odwróciła się do Dennisa. Jaką miała wtedy twarz? Złą? Zniecierpliwioną? A może jedynie znudzoną? To mogło być dla niego najgorsze, i tego nie mógł znieść...

– Proszę pani, czy mogłabym zajrzeć do jadalni? – pytam błagalnie portierkę.

– Niech pani sobie zagląda, gdzie chce – odpowiada życzliwie.

Otwieram drzwi z szybkami, które przesłaniają udrapowane firanki. Kwadratowe stoliki przykryte kraciastymi serwetami, na nich nieduże wazoniki, w każdym kwiatek. Schludnie i bezosobowo. Nic mi nie mówi to wnętrze, które kiedyś musiało wyglądać zupełnie inaczej. Jak? Jak czuła się Krystyna, schodząc tu co rano na śniadanie?

Kair. Krystyna traktowana była jak prawdziwa gwiazda przez stacjonujących tutaj Anglików. Można by do niej odnieść hebrajskie powiedzenie: „Imię twoje cię wyprzedza", ale właśnie przy jej profesji było to ze wszech miar niewskazane. Andrzej Kowerski pozostawał w jej cieniu i nie wiadomo, jak to znosił.

– W Kairze przy Krystynie świecił odbitym światłem – powiedział pan L., ale znalazłam potwierdzenie tego w książce Juliana Amery *March Approach*.

Współpracowaliśmy również bardzo ściśle z polskimi i czeskimi tajnymi organizacjami. Wśród

Polaków była Krystyna Granville, która członków swej organizacji szmuglowała przez Wysokie Tatry i Karpaty w bagażniku samochodu Andrew Kennedy'ego. To on w sztucznej nodze przewiózł wiele cennych dokumentów i mikrofilmów. Krystyna była najmilszą dziewczyną i najbardziej kobiecą, jaką w życiu spotkałem. Nie mogłem sobie wyobrazić, jak z takim wyglądem mogła dokonać wyczynów należących do najbardziej bohaterskich w tej wojnie...

Tak, z pewnością w tamtym czasie złamała niejedno angielskie serce. Pan L. dosyć dowcipnie to opisał:

To, co teraz nastąpiło, można przyrównać do tryumfalnej odysei, poprzez podminowane Bałkany, a w dalszej kolejności – kraje Bliskiego Wschodu. Stacją docelową był Kair, kwatera główna Armji Brytyjskiej w basenie Morza Śródziemnego. Tam rezydował sztab SOE, najwyższa władza zdolna wyrokować o dalszych losach Krystyny. Wzdłuż marszruty placówki angielskie podawały sobie z rąk do rąk Krystynę, owianą sławą węgierskich dokonań; Andrzeja zaś traktowano jako „księcia małżonka".

Narastaniu legendy sprzyjała tajność roboty, na temat której nie wypadało zadawać pytań ani udzielać spontanicznych wyjaśnień. Raz puszczonej w obieg, pantoflowo wyolbrzymionej wersji nie miał kto sprostować czy zanegować; wprost przeciwnie, znajdowała potwierdzenie w zupełnym braku chełpliwości Krystyny, która błyskiem uśmiechu czy niedbale rzuconym półsłówkiem umiała stwarzać aurę tajemniczości, z której wiele można było wysnuć. Na przykład mikrofilmy w nodze Andrzeja. Nie bez znaczenia była także uroda Krystyny. Albowiem owi wychowankowie Etonu, Oxfordu i Cambridge, synowie brytyjskiego establishmentu, których skrzyknięto do tajnej roboty w SOE, bo posiadali kontakty oraz wprowadzenia i w całym Imperjum czuli się jak u siebie w domu, ci wypieszczeni kandydaci na bohaterów dyskutujący z równą swobodą o winach, kulturze islamu czy ekspedycjach polarnych, jak o przekonaniach politycznych partyzantów Czarnogóry i Albanii – wszyscy oni podatni byli na urodę, zwłaszcza egzotyczną. W kontraście do towarzyszek ich młodości – co zrezygnowawszy z atrakcji opartej na kobiecości, usiłowały pogrubionym głosem i kostjumem z szorstkiego tweedu przyciągnąć uwagę mężczyzny – zwiewna, bardzo dziewczęca i cienkopęcinna Krystyna stanowiła egzotyzm pierwszej wody, z dodatkiem *charme slave*.

Cóż za bogaty materiał... można by napisać kilka książek o Krystynie, tej z czasów trzepnickich, warszawskich, budapeszteńskich, londyńskich... Za każdym razem była kimś innym. Znalazłam wypowiedzi dwóch Angielek, które spotkały Krystynę w czasie wojny w Egipcie. Obie były żonami oficerów służb specjalnych. Krystynę łączyły z ich mężami zawodowe kontakty. Pierwsza z nich, pani Crawshaw, wyznała:

„Christine zawsze zachowywała rezerwę... i nie nazwałabym jej piękną... raczej powiedziałabym, że miała w sobie coś niezwykłego, ale na pewno nie była piękna... W tym samym czasie przebywały w Kairze dwie inne Polki, siostry Tarnowskie, kobiety niezwykłej urody... Ale, nie wiem dlaczego, mężczyźni byli zafascynowani Krystyną... Jeden z moich kuzynów po prostu zwariował na jej punkcie... miał nieprzytomne oczy, kiedy o niej mówił...". A pani Tamplin: „Nie byłam dla niej atrakcyjna w sensie towarzyskim, chyba ją nudziłam... Co innego mój mąż, wyraźnie ożywiała się na jego widok. To samo zresztą mogłabym powiedzieć o nim i o jego kolegach...". I dodała, że Krystyna była *a special kind of person.*

Ale nie wszyscy zachowali w pamięci taki obraz Krystyny. Dowiodła tego moja wizyta u Jennifer, dawnej Jennifer Russel, teraz małżonki lorda D. Państwo D. mieszkają w dużej posiadłości pod Londynem. Pojechałam autobusem do najbliższego miasteczka, a potem szłam jeszcze spory kawał, podziwiając niezwykły krajobraz, równo przystrzyżone trawniki po obu stronach drogi, czy raczej, zważywszy na ich ogromną powierzchnię, całe łąki, które, jak się dowiedziałam, były polami golfowymi. Kiedy tak szłam, co jakiś czas wymijali mnie jeźdźcy na koniach; czerwona marynarka, czarna czapeczka z daszkiem, w ręku szpicruta. Oto jak żyje angielski *high life.* Choć nie cierpię snobów, czułam się jak uboga prowincjuszka, ustępując z drogi elegantom zażywającym przejażdżki konnej. A jak musiała się czuć Krystyna, w dodatku te konie...

Nie dziwię się, że nie chciała odwiedzać, mimo zaproszeń, swoich dawnych przyjaciół. Musiałaby iść do ich domów, jak ja, piechotą... Wreszcie dotarłam na miejsce. Posiadłość rzeczywiście imponująca, od bramy do drzwi frontowych okazałego domostwa, chyba nawet zamku, trzeba przemierzyć co najmniej kilometr. Był słoneczny, ciepły dzień, lady D. zaprosiła mnie więc na taras.

Siedzimy w fotelach pod parasolem, popijając soki, które przyniosła nam pokojówka.

– Ach, cóż tu mówić po tylu latach – wzdycha lady D.

– To dla mnie ważne, piszę o Krystynie Skarbek i chcę, żeby to było w miarę obiektywne...

Ona uśmiecha się smutno.

– A nie chce pani napisać o Andrew Kowerskim? O nim należałoby napisać...

– Ale on żyje.

– Tak się pani tylko wydaje – odpowiada.

Patrzę na nią zaskoczona.

– Nie spodoba się pani to, co powiem o Krystynie... nie dlatego, że zniszczyła moje szczęście, to się zdarza... Ale uważam, że była okropną egoistką, tak zagarniała ludzi, głównie mężczyzn... i potem już nie umieli normalnie żyć... A Andrew... był jej niewolnikiem...

Lady D. urywa nagle, zamyśla się na chwilę i potem mówi już spokojniej:

– Andrew mnie kochał, chcieliśmy się pobrać... ale uzależniał to od Krystyny. Ujął to tak: ,,Jeżeli Krystyna nie będzie mnie potrzebowała...''. A ona oczywiście potrzebowała go, bo nie potrafiła sobie ułożyć życia.

Rysy jej twarzy wyraźnie łagodnieją.

– Andrew... to był wyjątkowy człowiek, mimo że na to nie wyglądał... i tak bardzo potrzebował odrobiny uczucia... Potrafiliśmy leżeć obok siebie przytuleni całymi godzinami. I miłość przepływała między nami, jak w połączonych naczyniach... Przy Krystynie stawał się inny, zamknięty, bał się, że ona go zrani.

Lady D. spogląda na mnie. Jej twarz znowu się zmienia.

– Co by pani powiedziała o kobiecie, która wybiera się ze swoim mężczyzną na wakacje, już wszystko jest zaplanowane, a potem nagle poznaje kogoś w barze, wychodzi z nim pod rękę i znika na dwa tygodnie. Okazuje się, że to z nim właśnie wyjechała...

Nie wiem, co odpowiedzieć, a ona nie spuszcza ze mnie wzroku. Oczywiście chodzi tu o Kowerskiego i jedną z przelotnych znajomości Krystyny.

– To wszystko nie jest takie proste – mówię wreszcie. – Krystyna kochała pana Andrzeja...

– Bardzo wątpię, czy ona była zdolna kochać kogokolwiek...

Ton jej głosu uświadamia mi nagle, iż niepotrzebnie tu przyszłam. Żadnej obiektywnej prawdy o tym trójkącie sprzed lat się nie dowiem. Mam przed sobą starą, zgorzkniałą kobietę, mimo jej pozycji, uwielbiającego ją męża, dorosłych już dzieci i wnuków.

– Krystyna Skarbek bardzo cierpiała...

Ona przerywa mi, chyba nie dotarł do niej sens moich słów.

– Ja ją też kochałam... – mówi. – Trudno to może pani zrozumieć, ale na swój sposób kochałam ją. Kochałam ich oboje. Wtedy, na początku. I walczyłam z uczuciem do Andrew... Ale potem, jak on mnie odnalazł w Anglii, nasza miłość rozkwitła... On mnie kochał naprawdę, mnie, nie ją. Owszem, martwił się o nią, myślał o niej, ale to było z jego strony braterskie uczucie... Gdyby nie jej śmierć, bylibyśmy razem...

Waham się, czy powiedzieć jej o tym, że Krystyna tuż przed swoją śmiercią postanowiła pojechać do niego do Niemiec. W końcu jej to mówię.

– To wcale tak nie wyglądało – zaprzecza pani D., podkreślając to ruchem głowy. – Wiedziałam, że ona do niego jedzie, a właściwie nie do niego, musiała opuścić na jakiś czas Londyn... przez tego stewarda... Nie było mowy o żadnym jej stałym związku z Andrew, myśmy po prostu czekali, aż w jej życiu coś się wyklaruje...

Więc dlaczego on mi mówił coś zupełnie innego? – pomyślałam.

Jakby odgadując moje myśli, pani D. wyrzuca z siebie:

– Po jej śmierci musiał już kochać tylko ją...

Fetowana w Kairze, Krystyna skorzystała z okazji, aby na swoje miejsce w Budapeszcie zaproponować byłego męża, Jerzego Giżyckiego. Uważała, że jego kandydatura jest najlepsza, powinien tam pojechać Polak, i to w miarę energiczny, a co ważniejsze, odważny. Przekonała do tej sprawy Sir Owena, którego zdanie najbardziej się liczyło, bo Giżycki oficjalnie miałby zostać urzędnikiem poselstwa, a to wymagało zgody Russela. Więc rozdzwoniły się telefony, poszły w świat depesze: znaleźć niejakiego Giżyckiego, wsadzić na statek do Stambułu, gdzie się spotka z ustępującym szefem komórki, czyli z Krystyną Skarbek, a właściwie już Christine Granville. Na tym tle doszło do nieporozumień pomiędzy nią i Andrzejem, który był przeciwny kandydaturze Giżyckiego, może chodziło tu o zwyczajną zazdrość... Krystyna nic sobie jednak z tego nie robiła.

– Boisz się tego spotkania? On już dawno wie, że z nim nie jestem. A teraz mu powiem, że jestem z tobą.

– A jesteś? – spytał ponuro.

Swoją drogą dziwna to była para. W sytuacji gdy niemal całe Bałkany przechodziły na stronę państw Osi, oni zwlekali z ewakuacją na Bliski Wschód, jakby czekając na to, aż wkroczą Niemcy i ich zaaresztują. I jeszcze dodatkowo postanowili ściągnąć tu Giżyckiego, to znaczy Krystyna postanowiła... Ona jednak miała ważne powody, aby nie opuszczać Bałkanów, w tym czasie bowiem kurier Muszkieterów przekazał jej mikrofilmy i raporty o rozlokowaniu wojsk niemieckich w Polsce, a także szczegółowe dane o rozmieszczeniu magazynów paliwa i amunicji. Krystyna wręczyła te materiały attaché lotniczemu A.G. Crawleyowi, on zaś wysłał je natychmiast do ministerstwa w Londynie. Po czym otrzymał je Churchill, a zaraz potem Stalin. Spytałam pana L., na ile te informacje były ważne. Odpowiedział, że bez znajomości ich treści nie sposób tego stwierdzić. Niemniej Krystyna często narzekała, iż jej angielscy szefowie dosyć lekceważąco podchodzą do przekazywanych przez nią informacji. Możliwe, że działała konkurencja i materiały, które Muszkieterowie dostarczali Krystynie, trafiały już wcześniej do Anglików, sprzedane im przez wywiad ZWZ, drogą iskrową, znacznie szybszą niż przemycanie ich przez góry. Więc informacje, które przekazywała Krystyna, mogli traktować jak potwierdzenie znanych im już faktów...

Spotkanie z Giżyckim w Stambule przebiegło spokojnie. Małżonkowie porozmawiali sobie na osobności, a potem Krystyna z rozjaśnioną twarzą relacjonowała Andrzejowi:

– On już wie i wcale się nie gniewa... Rozumie... i chce nawet cię poznać...

Andrzej odetchnął z ulgą i stał się łaskawszy w ocenie pokonanego rywala.

– Orla uroda, zimne szare oczy, ale widać w nich prawość...

Było ciepło, słonecznie, więc cała trójka chodziła na długie wycieczki, jak niegdyś w Budapeszcie, z tą różnicą, że tam zamiast męża Krystyny towarzyszył im wtedy jej kochanek, czyli pan L., który z humorem tę wymianę skomentował:

– Andrzej miał szczęście do niewybuchowych sytuacji trójkątnych.

Wyglądało zresztą na to, że obaj panowie się polubili. W czasie naszego spotkania pan Andrzej opowiedział mi, że podczas jednej z wycieczek w okolice Stambułu nieoczekiwanie drogę przebiegł im dziki indyk. Na to mąż Krystyny błyskawicznie wyjął z kieszeni lasso i pochwycił go.

– Rzeczywiście niezwykłe – przyznałam.

– Już nawet nie to, że zrobił to tak sprytnie – ciągnął pan Andrzej – ale skąd mu przyszło do głowy, żeby zabrać ze sobą lasso?

Giżycki wkrótce wyjeżdża, a losy pozostałej pary zaczynają się komplikować. Bo pierwsze zachwyty osobą Krystyny w Kairze przeminęły i zaczęła się twarda rzeczywistość. Kiedy Krystyna zameldowała się wreszcie w kwaterze głównej SOE, okazało się, że nie bardzo wiadomo, co z nią zrobić, a tym bardziej nie wiadomo, co zrobić z Kowerskim. Delikatnie dawano mu do zrozumienia, że może by się zgłosił do polskiej Brygady Karpackiej, która stacjonuje w tej chwili na pustyni i potrzebuje ludzi.

– To było takie gadanie – powiedział pan Andrzej. – Jakbym się tam zgłosił, w najlepszym razie zrobiliby ze mnie magazyniera i sortowałbym gacie. Mieli dużą nadwyżkę oficerów z obiema zdrowymi nogami, to po co był im potrzebny jeszcze kolejny tylko z jedną nogą?

Krystyna wydeptywała ścieżkę do kwatery SOE, lecz ciągle nikt nic na jej temat nie wiedział. W końcu oświadczono, że z Londynu ma przyjechać oficer, który teraz prowadzi jej sprawę, i na niego powinna czekać.

– Kiedy przyjedzie? – spytała.

– No... niebawem...

Ale jego przyjazd się opóźniał, mijały już nie tygodnie, a miesiące, Krystyna była coraz bardziej sfrustrowana, bo jak długo można się opalać i popijać kawkę nawet w najbardziej sympatycznym towarzystwie? W końcu jednak jej mityczny opiekun się zjawił, ale patrzył na nią dość niechętnie i poradził jej, aby przystała do Czerwonego Krzyża.

– Ta organizacja z pewnością lepiej od nas wykorzysta pani umiejętności – rzekł lodowato.

Teraz Krystyna się wściekła i skontaktowała się z Russelem, a on z kolei z jej pierwszym opiekunem, majorem G. Taylorem. I wtedy okazało się, że teczka personalna Krystyny pęka od donosów na nią, a więc automatycznie i na Andrzeja. Po prostu nie należy mieć do nich zaufania, bo są zamieszani w jakieś nieczyste afery szefa Muszkieterów Witkowskiego, który już jawnie współpracuje z gestapo. Rewelacje te przekazali Anglikom „koledzy" z polskiego podziemia. Taylor w to wszystko nie wierzył, ale nie był niestety wszechmocny, tyle tylko zdziałał, że SOE wypłacało Krystynie i Kowerskiemu pieniądze, dosyć chyba nędzne.

– Jakoś mogliśmy za to wegetować na bocznym torze – powiedział pan Andrzej. – To już było coś, oczywiście dzięki uprzejmości angielskiego oficera. Gdyby nie Taylor, pozostalibyśmy bez środków do życia, jako zużyci agenci...

Para naszych bohaterów była mocno odosobniona w tej potrzebie działania. W notatkach pana L. znalazłam dość obrazowy opis sytuacji w wojennym Egipcie.

Wojenny Egipt odgrywał rolę podobną do Kapui, której rozkosze zmiękczyły wojowników Hannibala do tego stopnia, że dawali się później wyrzynać Rzymianom jak barany. Od tego zepsucia nie uchroniły się sztaby SOE, tak dalece, że centrala londyńska zmuszona była kilkakrotnie w czasie wojny przeprowadzać daleko sięgające czystki, przeganiając zbyt zaawansowanych w procesie zmiękczania do bardziej spartańskich klimatów. Pułkownik Hamilton-Hill, jeden z pierwszych dowódców szkół spadochronowych w Anglji (a więc i tych, w których szkolono cichociemnych), opowiada, jak przyjechawszy do Kaira dziwował się wprowadzonemu w biurach SOE zwyczajowi sjesty poobiedniej, w klimacie kairskim ze wszech miar wskazanej, ale być może nie w momencie, gdy na froncie rosyjskim ginęły miljony, gdy kilkadziesiąt kilometrów na Zachód od Kaira Rommel gotował się do podboju Delty i Kanału Sueskiego.

Londyn był wszakże daleko i mimo całej dezaprobaty dla zachowań swoich podwładnych nie mógł zapobiec ogólnemu rozprzężeniu i brakowi dyscypliny. Oficerowie bawili się na całego, najdroższe kairskie lokale zapełnione były do białego rana. Krystyna tam jednak nie bywała, wolała kółko swoich starych przyjaciół, z którymi zasiadała w jakiejś ustronnej kawiarni, jak przedtem w Budapeszcie. Dzień rozpoczynała od wyprawy do klubu Gezirach, który mieścił się w rozległym parku. Znajdowały się tam boiska sportowe, baseny, korty, ale także przestronne trawniki i zacienione miejsca pod drzewami. Więc Krystyna gdzieś się rozkładała, najpierw na słońcu, mogła się przecież opalać godzinami, a kiedy słońce stawało się zbyt dokuczliwe, przenosiła się w cień. Potem jadła obiad i szła na spacer po mieście, zwiedzając muzea i oglądając meczety. Wieczorami spotykała się ze znajomymi w umówionym lokalu, który z czasem zaczął jej służyć za biuro. Przychodzili tam do niej bowiem zagubieni Polacy, którzy też chcieli mieć swój udział w tej wojnie. Zgłaszali się także żołnierze z Brygady Karpackiej, jeśli robiło im się za ciasno w polskiej armii. Wiadomo było, że Krystyna ma rozległe znajomości w angielskich kołach wojskowych i że dużo może pomóc. Krystynie też to było na rękę, gdyż nareszcie przydzielono jej jakieś zadanie. Miała werbować przyszłych skoczków spadochronowych, których chciano wykorzystać na Bałkanach. Pan L. umówił mnie z jednym z nich, zwerbowanym właśnie w Kairze przez Krystynę. Był to pan Michał Makowski, z zawodu architekt. Wspominał tamten czas ze wzruszeniem, bo też był to czas jego młodości.

– Czy pan również się w niej kochał? – spytałam, nie mogąc sobie tego odmówić.

– No! – odrzekł robiąc wiele mówiącą minę. – Gdybym tylko mógł się do niej dopchać... Ale nie miałem szans, bo otaczał ją ścisły kordon adoratorów, i to z dużo wyższymi stopniami zaprzyjaźnionej armii...

Po chwili spoważniał i przyznał, że Krystyna wszystkim im wtedy pomagała, miała większe od nich doświadczenie i lepiej znała Anglików.

Latem 1942 roku do Kairu przybywa Patrick Howarth, absolwent Oxfordu, ideowiec, z olbrzymim poczuciem odpowiedzialności nie tylko za siebie, ale także za innych. Ci inni to przede wszystkim Krystyna, która z miejsca go omotała wokół palca, zorientowawszy się, iż może jej pomóc w przełamaniu nieufności ze strony centrali. Howarth pełnił funkcję *Dispatch Officer* i był odpowiedzialny za wyposażenie techniczne agentów zrzucanych z samolotów lub przewożonych łodziami podwodnymi.

Nieoceniony pan L. opowiedział mi więcej o spotkaniu Krystyny z Howarthem, niż mogłam znaleźć w oficjalnych źródłach. Oficjalne źródła nic nie wspominały bowiem o tym, że zafascynowany Krystyną Patrick, obdarzony talentem literackim, pisał o niej poematy. Jeden z nich pokazał panu L., gdy ten, już po śmierci Krystyny, odwiedził go w Londynie.

– I o czym to było? – pytam zaciekawiona.

– O niej. O Krystynie.

– No tak, ale jakie jej przymioty sławiły te utwory? Pewnie odwagę?

Pan L. uśmiecha się znacząco.

– To też, ale głównie urodę. Pamiętam, że było coś o jej oczach, że są ruchliwe, frapujące, błyszczące i brązowe, wie pani, taki gąszcz przymiotników, z których każdy z osobna dałby dużo lepszy efekt poetycki...

– Ale to oznacza, że on również! – niemal wykrzykuję.

– I ja tak myślę, chociaż gdy go spytałem wprost, odpowiedział, że to była tylko przyjaźń, bardzo bliska, ale przyjaźń. W jej towarzystwie czuł się jak podwojony!

– Podwojony – powtarzam – ciekawe określenie. A czy pan też czuł się podwojony w towarzystwie Krystyny?

Pan L. śmieje się.

– Cóż, można by to tak nazwać...

– Lepiej się teraz poznaliśmy i lepiej się rozumiemy – mówię patrząc mu w oczy. – Zbyt wiele pan wie o Krystynie, zbyt wiele czasu pan poświęcił na odszukanie publikacji o niej, na spotkania z ludźmi, którzy ją znali, aby nie potrafił pan odpowiedzieć na pytanie: kim dla pana była?

– No cóż... – pan L. milknie na chwilę. – Z pewnością była kimś ważnym... Ale na przykład nie zapamiętałem koloru jej oczu, a Howarth zapamiętał. Myślę, że to była sprawa pewnego niedosytu, a może nawet urażonej męskiej ambicji, że tak łatwo ze mnie zrezygnowała...

Po tej przeprawie do Polski, kiedy zostali kochankami, jak mu to w Budapeszcie obiecała, długo się nie widzieli. On oczywiście wiele słyszał o jej wyczynach, krążyły o niej w polskich oddziałach przeróżne legendy. Jak choćby ta, że kiedy niemiecki patrol w Polsce chciał ją aresztować, wyjęła spod kurtki karabin maszynowy i wystrzelała Niemców co do jednego. Nie było to zgodne z prawdą, bo chociaż Krystyna nosiła czasami broń, to chyba ani razu nie wystrzeliła w czasie tej wojny.

Więc kiedy się w końcu spotkali, a było to w lipcu 1942 roku w Kairze właśnie, pan L. oczekiwał jakiegoś żywszego zainteresowania z jej strony. Krystyna najwyraźniej się ucieszyła na jego widok, ale nawet nie zauważyła, że dawny kochanek ma usztywnione ramię. Dopiero kiedy na jej pytanie, co tutaj robi, odrzekł, iż jest na rekonwalescencji, lepiej mu się przyjrzała. Ale nie spytała, gdzie otrzymał tę ranę.

Po wstawiennictwie Patricka Howartha sprawa Krystyny powróciła na wokandę. W centrali tłumaczono się, że skoro polskie podziemie nie darzy jej zaufaniem, nie powinno się jej wysyłać do Polski, na Bałkanach ktoś taki jak ona nie ma już co robić, a poza tym jej wielkim atutem jest doskonała znajomość francuskiego i trzeba czekać na okazję, by to wykorzystać. Ale sama znajomość języka po kilku latach wojny już nie wystarczała. Teraz, aby okazać się dobrym agentem, należało zdobyć odznakę skoczka spadochronowego, a od Krystyny, ponieważ była kobietą, wymagano także szkolenia na radiooperatora.

Ale czy Krystynę mogło cokolwiek powstrzymać? Zdobyła odznakę skoczka, zrobiła kurs na radiooperatora i otrzymała stopień oficera RAF-u. Niezwykle z tego dumna, chodziła teraz w mundurze. Andrzej nie mógł pozostać w tyle. I on zgłosił się na kurs spadochronowy. Początkowo przyjęto to ze zdumieniem graniczącym z niedowierzaniem, że facet z protezą zamiast nogi wpadł na pomysł skakania z samolotu. Lecz wcale nie chodziło o to, że sobie nie poradzi.

Pan Andrzej skomentował to z humorem:

– Po prostu urzędnicy nie mogli znaleźć w przepisach, kto miałby zapłacić za uszkodzoną protezę w czasie ewentualnego niezbyt pomyślnego skoku. I wszystko się o to rozbijało. Na moje oświadczenia, że zapłacę sam, nie zwracano uwagi...

W końcu znalazł się Irlandczyk, lekarz, który wystawił mu zaświadczenie, że jest zdolny do odbycia kursu skoczków spadochronowych.

– Jakbym panu tego nie dał, i tak byś pan skakał, tyle że bez przeszkolenia – powiedział, co oznaczało, że poznał się na Kowerskim lepiej niż kto inny.

Kiedy Krystyna dowiedziała się, co Andrzej zamierza, była przerażona i próbowała go od tego odwieść na wszystkie możliwe sposoby. Prosiła też Howartha, aby Andrzeja powstrzymał, ale nic nie wskórał. Nie skutkowały nawet jej łzy.

– Tak – mówił – a jak ja cię prosiłem, żebyś nie szła do Polski, bo zaspy w górach są po czubek twojej głowy, to co powiedziałaś? Że jak Janek idzie, to ty też. Więc ja ci teraz mówię: jak ty skaczesz, to ja też!

Gdy po raz pierwszy Kowerski wykonywał swój skok, na lotnisku czekały dwa ambulansy z wymalowanym czerwonym krzyżem na drzwiach, no i gapiów było co niemiara, chyba zbiegł się cały personel lotniska.

Andrzej wylądował pomyślnie, natomiast inny z kursantów złamał nogę, więc przynajmniej jedna z karetek pogotowia nie wracała pusta. Krystyna nie chciała tego oglądać, czekała na Andrzeja w hotelu, w którym zajmowali wspólny pokój. Kiedy wszedł, siedziała odwrócona tyłem do drzwi i nawet nie drgnęła. Podszedł do niej swoim ciężkim niedźwiedzim krokiem i próbował ją objąć, ale uwolniła się niecierpliwie.

– Co cię znów ugryzło? – zdenerwował się. – Nie pytasz, jak mi poszło...

Wtedy dopiero się do niego odwróciła. Miała obcy wyraz twarzy, jakiego nigdy u niej nie widział.

– Wiele razy się narażaliśmy, ale to było co innego – powiedziała. – To miało sens. A twoje powietrzne wyczyny to dziecinada... Musisz się pogodzić z tym, że pewne działania są dla ciebie niedostępne.

– Mianowicie jakie?

– Skakanie na spadochronie.

– Ale ja właśnie skoczyłem – odrzekł.

Na cmentarzu Kensal Green znajduje się grób kobiety, która w pięknym ciele nosiła wielkiego ducha prawdziwych wojowników. Walczyła o wolność, walczyła z przemocą; przez swoje zamiłowanie do wolności i swoją postawę nie umiała się pomieścić w świecie powojennym. Głosy rodaków Krystyny po jej śmierci były pełne bólu i goryczy. „Krystyna Skarbek nie miała z czego żyć" – pisała polska gazeta w Londynie.

Fakt, że zwycięstwo, o które walczyła tak dzielnie, nie przyniosło jej pokoju ani szczęścia. Tak jak nie przyniosło wielu żołnierzom. Miała trudności nawet w otrzymaniu obywatelstwa brytyjskiego. A kiedy wręczano jej paszport, widniał w nim napis: *British Subject by Naturalisation.* Obywatel drugiej kategorii...

Londyn, ,,Kronika", 1952

Po kursie, który Andrzej szczęśliwie ukończył i otrzymał dyplom skoczka spadochronowego, wysłano go z kolei na kurs oficerów łącznikowych do Londynu. Po raz pierwszy on i Krystyna mieli rozstać się na tak długo, bo okazało się, że na cały rok. Nie byli tego świadomi, żegnając się w Kairze. Nie wiadomo, co sobie obiecali przy rozstaniu, czy powiedzieli, kim dla siebie są, co ich łączy... Faktem jest, że w Londynie Andrzej odszukał Jennifer Russel, która została wtedy jego kochanką. Pierwsza zdrada Andrzeja. Na tle zdrad Krystyny mogłaby być w pełni usprawiedliwiona, tyle że dla niego nie była to jedynie chwilowa fascynacja młodą dziewczyną, ale prawdziwe uczucie. To wtedy, jak opowiadała mi Jennifer, całymi godzinami leżeli przytuleni i miłość przepływała przez nich jak w połączonych naczyniach. Więc kto kogo zdradził tak naprawdę? Kto snuł nawet plany małżeńskie? Krystyna chyba do końca nie mogła mu zapomnieć romansu z Jennifer, czy raczej miłość Andrzeja do Jennifer tkwiła w niej przez lata jak zadra...

Kair, 15 listopada 1943
Ten i ów coś tam bąka, a za tymi półsłówkami kryje się nie kto inny, tylko J. Czego się domyślałam.

Wiedziałam, że A. się z nią spotka, ale żeby aż tak! On mi oczywiście słowem o tym nie wspomniał w swoich listach, i to właśnie wydawało mi się podejrzane, bo jak już jest w L., to niemożliwe, aby się nie widział z Owenem i małą. Wiem, o co chodzi, A. potrzebował kogoś, kto by się nim pozachwycał, nad nim porozczulał, poprawił mu szalik. No dobrze, to mogę zrozumieć, ale dlaczego to przede mną ukrywał! Tego mu chyba nie będę umiała wybaczyć. Nie wiem, czy dać mu do zrozumienia, że wiem o wszystkim, czy też poczekać, aż sam pęknie. Bo w końcu się do mnie przyczołga. Ile jeszcze może potrwać ta groteskowa *love story*? Tygrys i kaczątko. Przecież w końcu musi je połknąć jednym kłapnięciem...

A jednak Krystyna nie doceniła potrzeby Andrzeja bycia kochanym. Od Jennifer otrzymał to, czego ona nie mogła mu dać: pełną akceptację swojej osoby i bezgraniczne oddanie. Dla Jennifer liczył się tylko on, podziwiała go, kochała i była mu wierna. A Krystyna ani nie była mu wierna, ani też nie wpadała w zachwyt nad jego odwagą i bohaterskimi czynami, bo często nie był w stanie jej dorównać. Jak choćby w jej wędrówkach przez granice tam i z powrotem. To wszystko musiało mu ciążyć, a poza tym ten wieczny tłok wokół jej osoby.

Jeden z jej dawnych znajomych powiedział: ,,Krystyna miała do mężczyzn taki swój zaczepliwy styl. Przechylała główkę i jak wypaliła, to sam nie wiedziałeś, czy się z ciebie nabija, czy na ciebie leci". Inny zaś, że miała szczególny dar ściągania na siebie uwagi... bez zwracania uwagi. A kiedy poprosiłam, aby to dokładniej wyjaśnił, po zastanowieniu dodał:

– Sam nie wiem, na czym to polegało. Siedziała gdzieś w kącie, za filarem, z mimo to jej obecność była wyczuwalna. Poza tym, mogła być zaprzątnięta rozmową z dziesięcioma innymi facetami, a jak tylko na ciebie spojrzała, to sobie myślałeś, że jesteś dla niej ten jedyny, wybrany, najważniejszy na świecie...

A co na to ten naprawdę wybrany, ten jedyny? Musiał to ciężko znosić. No więc kochankowie się rozstali. Andrzeja wysłano do Londynu, a Krystynę do obozu pod Algierem, gdzie miała czekać na zrzut do Francji.

Siedziałam w tej bazie jak jaka głupia. Nic do roboty. Absolutnie nic. Tylko czekać. Otoczenie nawet przyjemne, mieszkaliśmy w bungalowach otoczonych piaszczystymi wydmami, za którymi zaraz było morze. Wieczorami słyszałam jego szum, ale nie pozwolono nam wychodzić poza teren, więc nawet nie widziałam, jak wygląda... Troszkę nas tu podszkalano co do przyszłych zadań we Francji. Powtarzało się stale: Vercors i Roger, dwie sprawy, które miały mi niebawem wypełnić życie... ta druga nawet chwilami bardzo przyjemna...

(Uwaga, przyjrzeć się ostatniemu zdaniu pod światło, w kontekście wypowiedzi Rogera, który absolutnie zaprzeczna, jakoby łączyło go z Krystyną coś więcej niż stosunki służbowe – E.K.)

Po bazie szwendali się chłopaczkowie, z którymi miałam skakać, mleko pod nosem i nic ciekawego, tacy z lekka amerykańscy: *Really? Oh, it's great!* Nic dla mnie, dzieci niech piją tran! Występowaliśmy wszyscy pod pseudonimami. Ja jako Pauline Armand, moje kolejne wcielenie w tej wojnie. Ale to wszystko otaczała ścisła tajemnica, nawet chodzenie na siusiu objęte było tajemnicą, a nuż któryś by wyśledził, jaki mam kolor koronki przy majtkach.

Na odprawach stale nam powtarzali, że jesteśmy *lucky*, bo skaczemy na teren kontrolowany przez przyjaciół, ale czy to rzeczywiście aż taka różnica? Wszystko, co się dzieje na ziemi, można kontrolować, co innego w górze. Nie byłam pewna, czy oswoiłam się z myślą, iż będę skakać. Patrzyłam na zawieszoną na ścianie mapę i przesuwający się po niej kijek prowadzącego odprawę: ,,Wylądujecie tu, w tej okolicy..." i brzmiało to jak bajka o żelaznym wilku... Tym bardziej że mieliśmy ten ciągły stan gotowości – i nagle alarm odwołany. I tak całe tygodnie. Bo księżyc musi być w pełni albo tuż po niej, bo wiatr taki a nie inny, bo pułap chmur, i tak dalej... Już nawet kilka razy siedziałam z tymi młodziakami w samolocie, nerwy napięte i nagle komunikat: ,,Jesteście wolni...". Niech to szlag.

Myślałam o tym Rogerze, który miał być we Francji moim szefem, i wcale mi się to nie uśmiechało. Bo do tej pory sama sobie szefowałam, a teraz ktoś mi będzie wskazywał palcem, co mam robić. W dodatku to jakiś narwany facet, czytałam kilka jego obelżywych wręcz telegramów. ,,Jeżeli ktoś się obudzi z poobiedniej sjesty, dajcie mi znać!". Tak pisać do przełożonych! Ale tutaj miano przed nim respekt i jakoś przełykano te piguły, które podsyłał. Na przykład takie nadał potwierdzenie zrzutów: „Połowa spadochronów w ogóle się nie otworzyła i pojemniki waliły o ziemię, jeden nawet spadł na dom mego człowieka, przetrącając grzbiet jego matce. Byłoby z waszej strony uczciwiej, gdybyście nas po prostu zbombardowali". Mocne, nie ma co. Naprawdę byłam ciekawa tego Rogera...

Któregoś dnia obudziłam się i pomyślałam, że to jest ten dzień. Wyjrzałam przez okno: słońce, ani jednej chmurki. Rzut oka na kalendarz: 6 lipca. No, doczekać teraz nocy!

Około północy zagonili nas do samolotu, słyszałam, jak jeden z moich „kolegów" powiedział: „Jak nas cofną, to zniosę jajo!". Ale wy-star-to-waliśmy. Mogę teraz przyznać, że mi było jakoś tak cienko w środku. Oj, było. Oczekiwałam komendy: *Action stations*... potem miałam się sprężyć, spuścić nogi we właz. Zaczęli liczyć: numer pierwszy, drugi, trzeci... ja miałam szósty... I kiedy usłyszałam: *Number six ready*... dałam krok do przodu i potem był ten cholerny świst w uszach i ciemność dookoła, pędzę w dół i nagła myśl: a jak się nie otworzy... Ale gwałtowne szarpnięcie... I potem wszystko jak we śnie, lądowanie... czyjeś głosy. Słyszę tupot i mowę francuską. Śmiesznie trochę było, bo zupełnie jakbym przyleciała wprost na bankiet. Ja w kombinezonie, nieco, że tak powiem, rozczochrana, bo kiedy mnie spadochron pociągnął za sobą, czasza się nie chciała złożyć, zdarło mi pilotkę, a naprzeciw: wójt Vassieux, pan X, sekretarz, pan Y... nawet miejscowy proboszcz, przyszedł chyba poświęcić mój spadochron... Prosimy, zapraszamy na lampkę wina do hotelu... Ja tego nie pamiętam, ale potem mi opowiadano, że jak się tylko zjawiłam w hotelu, poprosiłam recepcjonistkę, aby mi pożyczyła szminkę, bo mi się zgubiła przy lądowaniu.

– Prawdziwa kobieta! – śmiał się podobno wójt.

A co miałam robić, jak on był w muszce!

Rogera wśród witających Krystynę nie było, ani przy zrzucie, ani potem, podczas bankietu wydanego na jej cześć. Był gdzieś w terenie i zobaczyła go dopiero po kilku dniach.

Roger, czyli podpułkownik Francis Cammaerts, postać tak ważna, że należałoby chyba poświęcić mu kilka słów. Był szefem misji alianckich na południu Francji, a więc podlegał mu spory teren, który patrolował dzień w dzień z całym zapałem. Syn belgijskiego poety, wychowanek Oxfordu, nie uznający przemocy jako środka rozwiązywania problemów. Uważał, że dżentelmenom przystoi dyskusja, a nie walka na pięści czy też za pomocą karabinów. Więc po wybuchu wojny nie zaciągnął się do wojska. Ale pod wpływem wypadków w Europie powoli zaczął zmieniać zdanie, zajęło mu to jakieś pół roku. A może na zmianę jego decyzji wpłynęła śmierć brata, pilota RAF-u.

Krystyna zobaczyła z daleka jego długą sylwetkę i jasnoblond czuprynę – jechał na rowerze – i zamarła. Tak bardzo odbiegał wyglądem od mieszkańców południa Francji, niewysokich i czarniawych, że tylko głupocie niemieckiej administracji można było przypisać fakt, iż jeszcze przebywał na wolności. Potem się miało okazać, że jak przystało na kogoś zwerbowanego przez SOE, potrafił w zdumiewający sposób nie rzucać się w oczy osobom niepowołanym. Zupełnie jakby stawał się niewidzialny. Kiedy podjechał do niej i zsiadł z roweru, pomyślała, że jest bardzo przystojnym mężczyzną.

A on? Ponieważ odmówił rozmowy ze mną, zaczęłam szperać, gdzie się dało, i natrafiłam na wywiad Cammaertsa dla BBC. Poprzedzał go komentarz dziennikarza, który chciał wymusić na Cammaertsie bardziej osobiste zwierzenia, lecz mu się nie udało.

– Tylko razem pracowaliśmy – zastrzega się Cammaerts. – Łączyła nas oczywiście przyjaźń, niezwykłe porozumienie, wręcz telepatia w sytuacjach zagrożenia. Los nas rzucał to tu, to tam, z meliny na melinę. Czasami nocowaliśmy pod gołym niebem, z plecakiem pod głową zamiast poduszki. Takie koczownicze życie nie sprzyja romansom...

A mnie się wydaje, że wręcz przeciwnie. Na dowód przeprawa Krystyny do Polski z panem L. Tam też było niebo nad głową i plecak zamiast poduszki, a nie przeszkodziło jej to w dokonaniu miłosnego podboju. Czyżby teraz przepuściła okazję, mając tuż obok przystojnego młodego mężczyznę?

Cammaerts tak Krystynę scharakteryzował:

W ścisłym tego słowa znaczeniu, nie miała klasycznej urody, ale miała magnetyzm polegający, czy ja wiem, może właśnie na tym, że nie robiła nic, by zwracać na siebie uwagę, nie malowała się zbytnio, nie stroiła; nałożyła jakąś bluzczynę, jakiś fularek wkoło szyi i wyglądała, jakby wyszła z butiku na rue St. Honor. Najlepiej czuła się w sytuacji, gdy znikały wszystkie bariery klasowe, majątkowe, wykształcenia, a nawet płci. A to nie zdarza się w czasach normalnych, pokojowych; raczej w katastroficznych, takich właśnie jak w okresie blitzu londyńskiego, kiedy ludzi nagle zjednoczyła wspólnota myśli i dążeń, kiedy jedynym celem stało się biologiczne przetrwanie. W sytuacji, w której znaleźliśmy się we Francji, w tym przedwiośniu wolności, było podobnie. Jedna myśl nas łączyła – sprzęgnięcie wszystkich sił ku jednemu celowi, jakim było przepędzenie Niemców. Dla tych czterech czy pięciu tysięcy ludzi, których znaliśmy osobiście, dla tych maquisardów, komunardów, sklepikarzy, wykładowców filozofii czy pastuchów kóz, byliśmy linką ratowniczą rzuconą przez wolny świat, na znak, że o nich nie zapomniał. Mieli do nas bezgraniczne zaufanie, które Krystyna odwzajemniała im przyjaźnią. Miała szczególny dar do stwarzania klimatu-grzybni, na której rosła przyjaźń albo przynajmniej jej iluzja. Każdym ruchem ręki, rozluźnieniem czy napięciem muskułu twarzy, czy ja wiem, nawet w małym palcu u nogi, umiała wyrazić zmienne uczucia radości, zawodu, oburzenia... Obserwując ją, można było czytać z niej jak z otwartej księgi. I na tym polegała jej zaraźliwa żywotność, o której wszyscy mówią, bo czymże innym jest ona, jak nie zdolnością do wymiany, do przekazu, co w innych pogłębia uczucia. Nie dziwota, że do dziś na vercorskim masywie pamięć o niej nie wygasła i że na dźwięk jej imienia ludzie strzygą uszami i pokazują dom w St. Julien-en-Vercors, w którym mieszkała, mówiąc: *C'est la maison de Miss Pauline.*

Krystyna spędziła we Francji siedem tygodni, bardzo ważnych tygodni jej życia. Razem z Cammaertsem objeżdżała ośrodki Maquis, Roger poznał ją ze wszystkimi szefami. Docieranie do najbardziej oddalonych placówek w górach nie było łatwe, ale Krystyna miała przecież za sobą dobry trening w Tatrach i Karpatach i często jej francuski szef padał już ze zmęczenia, a ona chciała ruszać dalej. Dotarli pod granicę włoską, w okolice Barcelonnette. Rejon ten miał duże znaczenie strategiczne. Po lądowaniu aliantów w Normandii i otwartych potyczkach Resistance z Niemcami w tym rejonie wielu wcielonych do armii niemieckiej Polaków, Ukraińców, czy nawet byłych jeńców rosyjskich, przebranych w mundury Wehrmachtu, po prostu dezerterowało. Tworzyli grupy wałęsające się po górzystej okolicy. Chodziło o to, aby namówić ich do przejścia na drugą stronę. I Krystyna okazała się tu bardzo przydatna. Miała niezwykły dar zawierania znajomości z przygodnymi ludźmi, zaczynała z kimś rozmowę i nagle ten nagabnięty człowiek opowiadał jej swoje życie. Wkrótce więc całe Vercors uważało, iż jest zaprzyjaźnione z Miss Pauline, i witało ją jak starą znajomą. Ale ona była wybredna w obdarzaniu prawdziwą przyjaźnią.

Niewątpliwie jej przyjacielem stał się Paul Herault, z zawodu stolarz. Prowadził mały warsztat, w którym zatrudniał jednego tylko pracownika. Wyglądał jak stary Indianin, był wysoki, bardzo chudy, chodził lekko przygarbiony. Krystynie przypominał trochę Jana Marusarza, kuriera z Zakopanego, i jak tamten znał i kochał góry. Był członkiem Resistance i chociaż nie miał jakichś wybitnych zdolności przywódczych, jego prawość i niezłomność charakteru spowodowały, iż został szefem Ruchu Oporu w całym departamencie; Krystyna i Cammaerts darzyli go dużym szacunkiem. Cammaerts zwierzył się w wywiadzie dla dziennikarza BBC: „Nieświadomie przejęliśmy jego sposób patrzenia na świat, i to do tego stopnia, że w trudnych sytuacjach, niepewni, jak postąpić, zadawaliśmy sobie pytanie: A jak Paul postąpiłby w takim wypadku?".

Niestety, we Francji, jak w innych okupowanych krajach, oprócz ludzi walczących w podziemiu byli także konformiści i zdrajcy. Więc Niemcy dokładnie zostali poinformowani o tym, kim jest Paul Herault i jaką pełni rolę w podziemnych strukturach. Ale on też był tego świadom, więc uczynił ze swojego domu niedostępną twierdzę: po zapadnięciu zmroku zaminowywał wejście. Nie było więc mowy, aby ktoś mógł przyjść i aresztować go. Przypominało to trochę dziecięcą zabawę w głuchy telefon – obie strony miały się na baczności. Ale ta zabawa zakończyła się tragicznie. Niemcy rozumiejąc, że nie są w stanie dostać go w jego domu, zastawili pułapkę: szlaban na drodze. Oczywiście zostali przez kogoś uprzedzeni, że Paul tego dnia będzie tamtędy jechał.

Cammaerts tak o tym powiedział: „Kiedy wchodziliśmy z Krystyną do oswobodzonego Vercors i zastaliśmy jego dom pusty, płakaliśmy jak bobry. Dla niego swojego syna nazwałem imieniem Paul...".

W tym czasie Krystyna dostała list od Andrzeja:

189

Kochana Krystyno, nie ulega wątpliwości, że wojna się kończy i trzeba będzie coś zrobić ze swoim życiem. Moje niewiele jest warte, jak wiesz, pijus ze mnie i obieżyświat i ciężko ze mną wytrzymać. Ale tak się złożyło, że znalazł się ktoś, kto by chciał je ze mną dzielić, a nawet podążyć za mną do Polski. Bo zamierzam tam pomimo wszystko wrócić.

Nie wiem, jakie są Twoje plany, co będziesz chciała robić, jak się to wszystko rozwiąże, i gdzie osiąść. Mało o sobie przez te miesiące słyszeliśmy, brakuje mi Ciebie. I to też chciałem Ci powiedzieć: że we wszystkich moich planach Ty jesteś najważniejsza. I cokolwiek zadecydujesz, mogę się tylko temu podporządkować.

Twój Andrzej

Odpisała mu:

Kochany Andrzeju, jesteś naiwny jak dziecko, uważając, że koniec wojny będzie dla nas jakimkolwiek rozwiązaniem i że będziemy mogli wrócić do Polski. Churchill przehandlował ją Stalinowi, więc dla takich jak my nie będzie tam miejsca. Chyba że lubisz sobie posiedzieć, ale zapewniam Cię, że sowieckie więzienie jest dużo dużo gorsze niż to, które już poznaliśmy na Węgrzech. A wielce prawdopodobne, że mogłoby nas nawet spotkać coś gorszego, po prostu kulka w tył głowy. Piszę ,,nas", ale nie myślę tylko o Tobie i o sobie, raczej o nas wszystkich tutaj, na Zachodzie, którzy nagle zostają bez niczego. Co do Twoich planów osobistych, miło mi, że mnie w nich uwzględniasz, ale zapewniam Cię, że nie zamierzam stanąć na drodze do Twojego szczęścia z tym tajemniczym kimś, kto chce je z Tobą dzielić, a nawet „podążyć" za Tobą do Polski. Raczej uwijcie sobie gniazdko w bezpieczniejszym miejscu, na przykład w Londynie, gdzie ten ktoś, jak sądzę, mieszka.

Ja jestem jak dotąd cała i zdrowa, i to tyle, co mogę Ci, ze zrozumiałych względów, napisać. Trzymaj się.

Twoja Krystyna

Ale w dziennikach, w których odnotowała nadejście listu od Andrzeja, była mniej wspaniałomyślna.

Vercors, 13 marca 1944

Głupi, jaki głupi! Co on sobie wyobraża, że wystarczy napisać parę zdań, by zamknąć całą naszą sprawę? „We wszystkich moich planach Ty jesteś najważniejsza", dobre sobie, a tu na boku romansik leci na całego. I z jakimi planami! Pewnie będą mieli z tuzin dzieci, bo znając J. i jej zachłanność, samo podziwianie bohatera jej nie wystarczy, ona go będzie chciała pomnożyć! Doprawdy, jak sobie o tym wszystkim pomyślę, ciarki mi chodzą po plecach. Ją nawet rozumiem, to przecież kompletna gęś, a takiej łatwo zawrócić w głowie. Ale on dobrze siebie zna i wie, że życie w piernatach nie jest dla niego. Znudzi go po tygodniu. Teraz, kiedy nie mieszkają razem, to może się wydawać nawet miłe. A potem tak dzień po dniu znosić te jej hołdy!

Musiałam się też zastanowić nad sobą, trudno się nie zastanawiać, jeśli się myślało, że z kimś się jest i zawsze będzie, a nagle się okazuje, że jest inaczej. Nam we dwoje nie było łatwo, bo on jest trudny i ja nie jestem najłatwiejsza, ale przecież jakoś to szło. Mogliśmy zawsze na siebie liczyć. A teraz widać, że nie ma nic stałego, wszystko płynie, płynie... Ze strachem myślę, że to, w czym tkwię po uszy, niedługo się skończy. Czy będę umiała istnieć na normalnych zasadach? Teraz wszystko jest *crazy*, a ja się w tym czuję jak ryba w wodzie...
Ale co tam, o sobie pomyślę później, jutro mam coś ważnego do załatwienia.

To „coś ważnego do załatwienia" opisała w dziennikach już po wojnie.

Londyn, 12 lutego 1947
Jechaliśmy z Rogerem w kierunku przełęczy Vars i wtedy pokazał mi forty Roche-la-Croix wysoko w górach, które odcinały dostęp do Francji od strony Lombardii. Nasz wywiad odkrył, że stacjonowały tam garnizony złożone głównie z volksdeutschów.
– Muszą tam być też Polacy – powiedziałam. A Roger się ze mną zgodził. Chciałam działać natychmiast, ale on był zawsze niezwykle ostrożny, więc musiał to wszystko przemyśleć. Raczej stawiał na to, żeby starać się rozsadzić forty od środka, zawiązać jakąś komórkę spiskową wewnątrz garnizonu. Ba, ale jak to zrobić? Moim zdaniem, było to

kompletnie nierealne. Jeżeli działać, to tylko z zewnątrz. W końcu ci volksdeutsche to też ludzie, nie siedzą tam na okrągło, muszą gdzieś wyjść na przepustkę. Tylko gdzie? Do najbliższej miejscowości. Tam muszą być przecież jakieś knajpy i co ważniejsze, dziewczynki. Myślałam nawet o tym, żeby udawać jedną z nich, ale pryncypialny i sztywny jak cylinder angielskiego lorda Roger absolutnie się na to nie zgodził. Na inne metody jednak przystał, pewnie ze strachu, żebym nie wróciła do pierwotnego pomysłu. Więc się przeniosłam do górskiej mieściny o nazwie Seyne, wynajęłam pokój u miejscowego weterynarza i zaraz przy kolacji zaczęłam go przepytywać, tak, oczywiście, żeby się nie zorientował, do czego zmierzam. Gdybym mu od razu wyjawiła, że mam zamiar w pojedynkę rozbroić forty Roche-la-Croix, z pewnością uznałby mnie za wariatkę.

Dużo czasu nie miałam, ale już po dwóch dniach mój weterynarz, nazywał się Turrell, jadł mi z ręki. Nie wprowadzałam go, rzecz jasna, w cały mój plan, bo po co, powiedziałam tylko, że muszę zapolować na któregoś z polskich volksdeutschów z fortów, bo potrzebny mi „język". Dobrze się złożyło, że Turell był weterynarzem, gdyż jako jego pomocnica mogłam się poruszać po okolicy. Ubrana w biały fartuch, nosiłam za nim torbę z lekami i strzykawkami. A raz mu nawet naprawdę pomogłam, bo wezwano nas do cielącej się krowy. Cielę miało złe położenie i nie mogło się urodzić. Trwało to już drugi dzień, krowa coraz bardziej słabła. Turrell zdecydował się poświęcić dziecko dla ratowania matki. „Co pan chce zrobić?" – spytałam. A on na to: „Wyjmę je po kawałku". Tak mnie to przeraziło, że go odepchnęłam, zakasałam rękawy i wsadzając ręce po łokcie w krowi tyłek, po prostu obróciłam cielaka, który się chciał wydostać grzbietem na świat. I zaraz się urodził. Właściciel krowy gratulował weterynarzowi takiej pomocnicy, a ja się tylko śmiałam pod nosem.

Za którymś takim wypadem zauważyłam czule żegnającą się parkę, on w wiadomym mundurze. Od razu nastawiłam ucha, i co słyszę? Polską mowę. „Czekaj na mnie, Kazia!". Więc się już tej Kazi trzymałam, dowiedziałam się, kiedy jej narzeczony znowu się pojawi. I przystąpiłam do natarcia. Moja przynęta nazywała się Kaczmarek Edwin i pochodziła ze Śląska. Podprowadził mnie pod same mury fortu taką ścieżką, której nie widać było z wartowni. I mnie tam zostawił, bo sam musiał dołączyć do swojej kompanii.

Przesiedziałam w okopie porośniętym rachitycznymi sosenkami cały dzień, obserwując zwyczaje panujące w forcie. Słynna niemiecka punktualność była mi na rękę, bo co do minuty odbywały się wszystkie zajęcia i co ważniejsze, wieczorny apel, który mnie najbardziej interesował. Uznałam, że z tego miejsca do placu zbiórki odległość jest zbyt duża, abym mogła stąd przemówić do moich sfolksdojczałych rodaków. Trzeba było zdobyć głośnik i jakoś go tu wtaskać. Kaczmarek się zaofiarował, że mi ten sprzęt dostarczy i zainstaluje w moim grajdole. Był bardzo tym wszystkim przejęty i zaklinał się, że jego kolesie na dźwięk polskiej mowy zaczną wewnątrz rebelię i w pierwszej kolejności załatwią dowódcę Szwaba. „Ale co dalej?" – spytał mój Ślązak. A ja mu na to: „Zaprowadzę was do partyzantów, dostaniecie biało-czerwone opaski i będziecie walczyć o Polskę". Gęba mu się od razu roześmiała, przyznał, że oni już dawno o czymś takim myśleli, tylko nie wiedzieli, jak tego dokonać. „Więc spadłam wam jak z nieba" – odpowiedziałam, co było świętą prawdą.

Ale tylko ja wiem, ile mnie kosztowało to spadanie, bo przecież ogólnie wiadomo, że paraszuty były wtedy takiej jakości, że co drugi nie działał. Roger, którego wtedy jeszcze nie znałam, ciągle się wściekał na byle jaką kontrolę techniczną przed wypuszczaniem spadochronów. Dowalał gryzipiórkom jak mógł, mając w wielkiej pogardzie tych, którzy siedzieli bezpiecznie na tyłach. Ach, ten Roger, kochałam go!

Tego nie traktowałabym dosłownie. Takie stwierdzenie w wypadku Krystyny było bardzo pojemne. Zauważyłam, że przekornie tych, z którymi coś ją naprawdę łączyło, raczej „lubiła". No, nie da się wykluczyć, choć on stanowczo temu zaprzecza, że coś ją łączyło także z Rogerem, czyli Cammaertsem. Należy pamiętać, co napisała w dziennikach: „Powtarzało się stale: Vercors i Roger, dwie sprawy, które miały mi niebawem wypełnić życie... ta druga nawet chwilami bardzo przyjemna...".

6 sierpnia gdzieś tak od południa byłam już na swoim stanowisku. Apel wieczorny w forcie zaczynał się o siódmej, więc miałam sporo czasu, ale wolałam być wcześniej, by znaleźć najdogodniejsze miejsce i się z nim oswoić. Upatrzyłam sobie nawet słupek, na którym miałam stanąć do speechu, pierwszego publicznego przemówienia w moim życiu. Kaczmarek wszystko już wcześniej zmontował, niestety ,,próba mikrofonu'' nie była możliwa. Mój występ też zresztą miał być jeden jedyny. ,,Wóz albo przewóz'' – jak mawiała nasza kucharka Celusia.

No więc siedzę w tych przysłowiowych krzakach i filuję na plac zbiórek. Są. Ustawiają się w dwuszeregu w podkowę wokół masztu, na którym wisi ta hitlerowska szmata. Pojawia się dowódca, w randze majora. Złote binokle na nosie, trzyma jakieś papiery, coś chce im odczytać, pewnie kolejny rozkaz szalonego Adolfa. Ale raczej nie zdąży... Bo ja włażę na betonowy słupek, przystawiam tubę do ust i zaczynam:

– Rodacy! Żołnierze polscy, porzućcie wrogie mundury i przyłączcie się do nas, do Ruchu Oporu!
– I teraz wrzeszczę, aby i inni zrozumieli: – *Hitler kaput!*

I co się dzieje? Major tupie nogami ze złości, ale już nic nie może poradzić. Wszyscy wystąpili z szeregu, nie kilkunastu, jak mi obiecywał Kaczmarek, ale wszyscy! Dosłownie wszyscy! Więc biegnę do nich co sił w nogach, nawet się przewracam i tłukę kolano. Zawadziłam o jakiś pieniek, krew się leje,

ale co tam. Przystaję tylko, żeby krzyknąć do tuby:
– Niemcy *kaput! Hitler kaput!* Niech żyje wolność!
Jeszcze Polska nie zginęła!
Przełażę przez żelazne ogrodzenie, trzymając megafon pod pachą. Wbiegam na płytę służącą samolotom do lądowania, w rzeczywistości to dach koszar, i patrzę przez chwilę w dół na ten wiwatujący na moją cześć tłum. Wyciągają się ku mnie ręce, las rąk. Widzę, że niektórzy już zdejmują mundury, a nawet koszule, jakby chcieli się pozbyć zarazy. Biją się pięściami po gołych piersiach i przypomina to jakiś pogański obrządek. Ale widzę też, że ten piekielny major wyciąga rewolwer, mierzy do mnie i niestety ma mnie jak na dłoni. I wtedy sobie myślę, że jeżeli umierać, to w chwili triumfu! Ale oni wytrącili mu rewolwer, przewrócili na ziemię i poczęli go tratować nogami. Chciałam temu zapobiec, więc zeskoczyłam na dół, wprost w wyciągnięte ku mnie ramiona. Zanieśli mnie pod maszt i tam postawili. Nie byłam już w stanie pomóc dowódcy fortu, więc sięgnęłam do linki i zaczęłam ściągać przy akompaniamencie ryków i gwizdów chorągiew ze swastyką. Pomyślałam jeszcze tylko, że nie wolno mi dopuścić do kolejnego samosądu na niemieckiej załodze, która się zabarykadowała w kancelarii.

,,Jestem winien" – odpowiedział spokojnie ciemny, przystojny, młody człowiek. ,,Jeśli tak – sędzia pokiwał głową – nie pozostaje mi nic innego jak ogłosić wyrok". I włożywszy na głowę tradycyjny czarny biret, skazał Muldowneya na powieszenie.

Londyn, ,,Kronika", 1952

Ale triumf w tym czasie mieszał się z porażką. Kiedy Krystyna powróciła do Seyne, zastała tam hiobową wieść, że Rogera i dwóch dopiero co zrzuconych do Francji angielskich oficerów aresztowało gestapo.

– Gdzie ich trzymają? – spytała tylko.

– W Digne.

Francuzi snuli jakieś plany napadu na więzienie i odbicia Rogera i reszty, ale Krystyna uważała to za nierealne. Jak? W jaki sposób? Pod bokiem siedziby gestapo, gdzie zgromadzono spore siły niemieckie? To trzeba było załatwić inaczej.

Pojechała tam nazajutrz rowerem, po drodze odtwarzając swoje rozmowy z Rogerem. Przypomniała sobie, jak mówił, iż w Digne mają współpracownika, kapitana policji chyba o nazwisku Schenck, który działa na dwie strony, wysługuje się i im, i Niemcom. Niemal usłyszała głos Rogera: ,,Wiesz, to taki asekurant".

Od razu skierowała się na posterunek policji i zaczęła wypytywać o tego Schencka. Dowiedziała się, że ma służbę po południu. A więc jednak istnieje ktoś o takim nazwisku, i w dodatku jest kapitanem, pamięć jej nie zawiodła. Teraz należy tylko działać ostrożnie, aby nie narazić Rogera i samej się nie wpakować. Połaziła trochę po mieście i po jakimś czasie wróciła na posterunek. Kapitan już był, ale okazało się, że jest zajęty. Krystyna uzbroiła się w cierpliwość i potulnie czekała. Kiedy wreszcie przyszła jej kolej, poprosiła, aby przekazać kapitanowi, iż nazywa się Pauline Armand i ma do niego sprawę osobistą. Łaskawie zgodził się ją przyjąć. Siedział za biurkiem zawalonym różnymi papierzyskami i teczkami. Pewnie w każdej z nich zamknięty był ludzki los, który on, gdyby tylko chciał, mógł uratować. Wystarczyłoby zatrzymać te teczki, nie przekazywać ich gestapo.

Przede wszystkim ją wylegitymował. Sprawdził zdjęcie, czy jest podobna. Odszyfrował imiona rodziców: Richard i Pauline, a także miejsce urodzenia i obecnego zamieszkania: w Grenoble przy ulicy Malifaud 14. Jest urzędniczką na poczcie głównej.

– Co panią do mnie sprowadza? – spytał, przyglądając ciemny wąsik.

Uroda Krystyny najwyraźniej zrobiła na nim wrażenie. Specjalnie tak usiadła, aby mógł dojrzeć jej nogi w cienkich pończochach.

– Czasy są trudne – mówiła, rozciągając sylaby – ale wojna się już kończy. Podobno zeszłej nocy alianci wylądowali w Marsylii...

– To jakieś bajki – odrzekł nieco nerwowo.

– Raczej prawda – ciągnęła z przekornym uśmiechem. – A jeżeli nawet jeszcze nie wylądowali, to wylądują jutro, pojutrze...

– Do rzeczy – uciął.

Krystyna spojrzała mu głęboko w oczy i z tym samym uśmiechem oznajmiła:

– Nie urodziłam się w Grenoble i nie pracuję na poczcie...

Tutaj zawiesiła głos, sprawdzając reakcję. Po jego minie poznała, że dobrze trafiła i że to jest ten człowiek, który pracuje na dwie strony, ten, jak go określił Roger, asekurant.

– Więc do rzeczy – powtórzyła. – Przedwczoraj gestapo aresztowało trzech oficerów angielskich, z którymi zostałam zrzucona z Algieru. To nie są zwykli oficerowie, więc zrobimy wszystko, żeby ich wydostać...

On miał taką minę, że przez moment pomyślała, iż się pomyliła i trafiła do niewłaściwego człowieka. Mogła przekręcić nazwisko albo jest jeszcze jeden kapitan, który się tak nazywa, chociaż to mało prawdopodobne.

– Nie boi się pani? – spytał po długiej chwili.

– A pan?

Znowu mierzyli się wzrokiem.

– Ja? Czegóż ja miałbym się bać?

– No... – wykonała w powietrzu ruch ręką – jakbym była na pana miejscu, to jednak bym się chociaż niepokoiła. Front się zbliża i przyjdzie niektórym zapłacić rachunki...

Kapitan odsunął krzesło i wstał. Pomyślała, że zaraz wezwie strażnika, ale podszedł do okna i odwrócił się do niej plecami. Widocznie musiał przeprowadzać jakieś kalkulacje, bo wrócił na miejsce i spytał:

– Za co ich wzięli?

– Zupełny przypadek, kontrola dokumentów... jeden z nich miał francuskie papiery i... nie mówił po francusku...

– Ładna konspiracja – uśmiechnął się, ale był to już uśmiech wspólnika. – Oni są naprawdę tacy ważni dla Londynu?

– Bezcenni.

– To dobrze, bo to będzie kosztowało.

– Ile?

– Dwa miliony franków.

Krystyna przez chwilę myślała, że źle słyszy. Skąd miała nagle wytrzasnąć taką sumę, i to do jutra. Należało się śpieszyć, głowy jej przyjaciół wisiały na włosku.

– Sumka jest okrągła – powiedziała w miarę normalnym głosem, aby go przekonać, że jest wypłacalna, zamierza się tylko trochę potargować.

– Muszę się z kimś podzielić – odrzekł na to. – Jeżeli jest pani zainteresowana, proszę przyjść jutro o godzinie dziewiątej rano do mnie do domu... Oto mój adres.

Krystyna wsiadła na rower i pojechała z powrotem do Seyne, gdzie czekali na nią szefowie z francuskiego podziemia. To oni właśnie wpadli na pomysł, aby wziąć więzienie w Digne szturmem. Powiedziała im, jaką sumę trzeba zorganizować do jutra rana, i napotkała bezradne wzruszenie ramion. Jak? Skąd? I znowu zrozumiała, że może liczyć tylko na siebie. Postanowiła wysłać depeszę do Algieru. Żeby w nocy zrzucili pieniądze. Odpowiedź przyszła odmowna. W tym terminie nie jest to możliwe. Zgnębiona zajrzała do zaprzyjaźnionego weterynarza, zwierzając mu się z kłopotu.

– No jasne – odrzekł – takiej forsy nie wezmą z sufitu. Przecież to formaliści, oni muszą mieć wniosek, podpisy. A pora jest późna, jeden ważniak siedzi w klubie i spił się whisky, drugi z dziewuchą pod pierzyną... To musi potrwać.

– Więc co robić? – Krystyna była bliska rozpaczy.

– Wiem, co robić – odparł weterynarz. – Znam takiego jednego, na handlu z Niemiaszkami dorobił się majątku, od niego się pożyczy, a jak Algier zrzuci mannę z nieba, to mu się odda.

– A myślisz, że on pożyczy? – spytała z nadzieją.

– Niechby tylko spróbował nie pożyczyć – zagrzmiał Turrell. – Wojna się kończy, a on ma niejedno na sumieniu.

Punktualnie o dziewiątej Krystyna stawiła się u kapitana.

– Dobrze – odrzekł zadowolony – teraz dużo zależy od pani dyplomacji. Ten, który o wszystkim decyduje, jest chętny, ale to straszny tchórz...

Chodziło o gestapowca imieniem Max, który aresztował Anglików i był za nich odpowiedzialny. To on miał zainkasować połowę tej sumy.

– Więc ja biorę swoją część – zakończył kapitan.

Krystyna schowała za siebie torbę wypełnioną banknotami.

– Kota w worku nie kupuję – powiedziała ostro, z pewnością mając w pamięci inną wymianę gotówki na ludzkie życie, tyle że teraz to były franki. – Jak zobaczę na własne oczy więźniów całych i zdrowych, wyłożę forsę na stół...

– Nie ufa mi pani? – uśmiechnął się kwaśno Schenck. – Takie transakcje mogą się opierać wyłącznie na zaufaniu.

– Najpierw muszę porozmawiać z tym Maksem.

Kapitan był wyraźnie niezadowolony.

– Ale to dopiero wieczorem. O siódmej. Niech pani teraz sobie pospaceruje po naszym mieście i spotkamy się tutaj o wpół do siódmej...

Krystyna zaprotestowała.

– Mam chodzić po mieście z torbą pełną pieniędzy? Chce pan, żebym dostała po łbie? Poczekam na pana tutaj...

Nie widząc innego wyjścia, kapitan zostawił Krystynę w swoim mieszkaniu, a kiedy wrócił wieczorem, zobaczył ją w fotelu z książką.

– Co pani czyta?

– *Czerwone i czarne*... ma pan niezłą bibliotekę.

Kiedy wyszli na ulicę, Krystyna powiedziała:

– Oczywiście mamy do siebie zaufanie, ale mój szyfrant spali listę numerów seryjnych banknotów z tej torby dopiero po transakcji.

Max okazał się mężczyzną o przyjemnej powierzchowności i dobrych manierach i gdyby Krystyna nie wiedziała, kim jest, mogłaby go wziąć za prawdziwego dżentelmena. Rozmawiali po francusku.

– Kawa? – spytał Krystynę z uśmiechem. – Koniak?

– Kawa – odrzekła.

Gdy krzątał się w małej kuchence obok, Krystyna szepnęła do kapitana:

– Mógłby się pan ulotnić?

– Ale... – Wyraźnie bał się o swoje pieniądze.

– Na dziesięć minut! To także w pańskim interesie.

Kiedy Max wrócił do pokoju, kapitan oznajmił, że musi niezwłocznie wyjść i pojawi się znowu za pół godziny.

– Wspaniale – powiedział gestapowiec. – Wspaniale jest zostać sam na sam z piękną kobietą...

Krystyna puściła to mimo uszu, wracając do rzeczy:

– Panie majorze... nie wiem, czy pan się orientuje, jakie ptaszki trzyma pan w klatce?

Niemiec zastrzygł uszami.

– Mój wuj marszałek Montgomery jest już dokładnie poinformowany, kto mu pomieszał szyki, sama mu to przetelegrafowałam ubiegłej nocy. Rozumie więc pan, że gdyby pańskim więźniom cokolwiek się stało, niezadowolenie mojego wuja skrupi się przede wszystkim na panu...

Był to oczywisty szantaż, a mimo to Max zerwał się na równe nogi, prężąc się przed nią:

– Jestem zaszczycony, że mogę gościć taką osobistość!

– Niech się pan nie wygłupia – odrzekła już bezczelnie. – Niech pan zrozumie, że gra pan teraz o swoje życie.

– Ja? – był nieco zdumiony.

– Jeśli ocali pan więźniów, daję panu oficerskie słowo honoru, że zabiorę pana ze sobą i otoczę opieką.

I oto jak w szpiegowskim filmie, kiedy wydarza się nagle coś takiego, co czarnemu charakterowi ułatwia decyzję, otworzyły się drzwi i goniec z komendy wręczył gestapowcowi rozkaz ewakuacji Digne. Max odprawił go i przetłumaczył Krystynie dokument nakazujący przed wycofaniem się zatarcie wszelkich śladów.

– Więźniowie mają być rozstrzelani?

Mężczyzna skinął twierdząco głową. Zapadła cisza.

– Niech pan rozważy moją propozycję, sam pan widzi, że to początek końca. Nasi są już w Cannes, ile to kilometrów stąd, sto? Jeszcze mniej?

Jego twarz przybrała na chwilę ludzki wyraz, widać było, że postanowił zatroszczyć się o własną skórę.

– Dobrze – rzekł – jutro pod wieczór wyprowadzę ich za bramę niby na przesłuchanie. Nie wiem jeszcze, jak to zrobię, ale zrobię to! A pani... niech pani czeka

przy takiej opuszczonej stodole, dwa kilometry od roga-
tek. Droga do Seyne...

A oto cała akcja opisana piórem jednego z trzech
uwięzionych, majora Xana Fieldinga:

Byłem w stanie takiej depresji, że gdy w południe
tego dnia przyniesiono do celi po raz pierwszy je-
dzenie, i to obfite, składające się z zupy i chleba,
przyszło mi na myśl tylko jedno: koniec. I gdy później, pod wieczór, Max, policjant, ten sam, co nas
zaaresztował, kazał nam iść za sobą, nie wątpiłem
ani chwili, że prowadzi nas na rozstrzelanie. Tym
bardziej że nie był w cywilu, ale miał na sobie mundur i czapkę gestapowską. Tak musi być – myślałem – ten oficjalny ubiór doda nieco powagi naszej
egzekucji. Po wyjściu poza obręb murów Max,
zamiast skręcić w lewo, ku boisku, które było
miejscem straceń, skierował się w prawo. Obok
niego szedł Roger, ja z Chasuble'em zamyka-
liśmy pochód.
Mżyło i chmury zawlekające niebo wydawały się
przyśpieszać zapadanie zmierzchu. Przemknęło mi
przez myśl, że moglibyśmy próbować prysnąć
w jedną z bocznych uliczek i że ten gestapowiec,
uzbrojony czy nie, nie mógłby nam w tym prze-
szkodzić. Ale po tylu dniach w więzieniu ogarnęła
mnie taka apatia, że nie było mnie stać na podsunię-
cie kolegom podobnego planu. Wydawało mi się,
że wszystko odbywa się jakby poza mną, jakbym był
obserwatorem, toteż gdy Max zatrzymał się przy
zaparkowanym samochodzie, wykonałem biernie

jego rozkaz: „Włazić, ale szybko...". Zatrzasnął za nami drzwiczki, sam usiadł przy kierownicy i już w następnej minucie gnaliśmy, aż gumy piszczały, krętymi ulicami w dół, do głównej arterii, dalej prosto do szlabanu na punkcie kontrolnym – a tam, na widok umundurowanego gestapowca, posterunki salutując przepuściły nas. I dalej pędziliśmy otwartą drogą, dopiero za jakimś zakrętem zatrzymaliśmy się przy samotnej stodole.

Zauważyłem, że ktoś tam czekał. Czyjaś sylwetka zarysowała się wyraźnie na tle białej ściany, a potem oderwała się od niej, by zbliżyć się do nas. I wtedy w zapadającym mroku rozpoznałem Krystynę. Wszystko, co się dotychczas stało, do tego stopnia przerastało moją zdolność rozumienia, że przyjąłem jej obecność w tym miejscu jako dowód, że gestapo pochwyciło i ją. Tym bardziej że Krystyna wsiadła bez słowa, samochód ruszył i znów jechaliśmy dłuższą chwilę w absolutnym milczeniu. W pewnym momencie Max zatrzymał samochód i skinął na mnie, abym mu towarzyszył. Staliśmy na skraju urwistej skarpy, u stóp której płynęła rzeka. Max zszedł na dół, ja za nim. Stanął nad wodą, a ja bez zdziwienia obserwowałem jak zdejmuje mundur i czapkę.

– Pomóż mi to zakopać – zwrócił się do mnie proszącym tonem.

Rękami wygrzebaliśmy w ziemi dół, nazgarnialiśmy kamieni i jak do grobu złożyliśmy insygnia jego niedawnej władzy. A potem wróciliśmy do wozu i ruszyliśmy znajomą drogą w stronę gór – do Seyne.

I wtedy po raz pierwszy Krystyna odwróciła się do nas trzech siedzących na tylnym siedzeniu i uśmiechnęła się. Wtedy, dopiero wtedy zrozumiałem, że byłem wolny.

W Seyne czekano już na nich, w domu weterynarza stół uginał się od jadła i napitku. I wszyscy obecni nie stronili od kieliszka, poza Krystyną, oczywiście. Cały czas nastawione było radio przekazujące komunikaty o lądowaniach aliantów na południu. Nagle spiker przerwał w połowie komunikat, by nadać ważną informację. Przy stole zrobiło się cicho.

– *Roger libre, félicitations à Pauline, Roger libre félicitations à Pauline...*

Roger spojrzał na Krystynę, która siedziała po przeciwnej stronie stołu.

– *Thank you, Pauline...*

– Nie ma za co – odpowiedziała skromnie.

Oddając jeszcze raz głos mężczyźnie ocalonemu przez Krystynę, majorowi Xanowi Fieldingowi:

Powzięcie tej decyzji nie mogło przyjść Krystynie łatwo. Albowiem, pominąwszy już potrzebną do jej powzięcia odwagę, musiała rozważyć, czy jej obowiązki na to pozwalały. Kwestia oddania własnego życia za nasze trzy nie stanowiła dla niej problemu, ale jako oficer SOE musiała ocenić wartość takiej transakcji. Gdyby doszła do przekonania, że jej życie jest cenniejsze dla służby, jej obowiązkiem było pozostawienie nas naszemu losowi. Ale w jej ocenie Roger przeważył szalę na korzyść akcji, na którą się zdecydowała. W porównaniu bowiem z nim, życie moje i Chasuble'a nie miało wielkiej wagi. Gdyby nie to, że wpadliśmy razem z Rogerem, Krystyna miała wszelkie prawo nieprzedsiębrania niczego, zwłaszcza gdy taka akcja narażała ją samą. Dlatego zawdzięczam życie Rogerowi pośrednio, Krystynie zaś – bezpośrednio.

A jakie były dalsze losy uczestników tej niezwykłej ucieczki samochodem prowadzonym przez gestapowca? Major Chasuble wyjechał do głównej kwatery w Paryżu, Xan do Grecji, Roger do Londynu. A Max? Władze brytyjskie, respektując słowo honoru oficera SOE Krystyny Skarbek, internowały Maksa Waema w Australii, skąd po latach wrócił do Belgii. Krystyna wybrała kierunek Londyn. Nie zawiadomiła Andrzeja o swoim przybyciu, chociaż tym razem z zupełnie innych powodów niż po powrocie z Polski do Budapesztu z panem L. Teraz jej londyńskie łóżko było puste. Ale, jak wtedy, Andrzej robił jej wymówki, że się nie odezwała.

– Nie chciałam ci przerywać idylli z tym kimś, kto gotów jest za tobą podążyć aż do Polski – powiedziała.

– Moje miejsce jest przy tobie – odrzekł na to krótko.

Zgodnie z angielskim prawem cała skomplikowana machina sądowa została unieruchomiona. Nie potrzebowano udowadniać przestępstwa, nie wzywano świadków, nie badano materiałów. Wszystko, co w tej sprawie wiedziała policja, zniknęło w archiwach nie wykorzystane. Wszystko, co mogli powiedzieć świadkowie, nie zostało wypowiedziane. Prawdę miłości i śmierci zabrali ze sobą do grobu: zasztyletowana Krystyna Skarbek i powieszony w więzieniu Dennis Muldowney.

Londyn, „Kronika", 1952

Największe tragedie swojego życia Krystyna komentowała zwykle jednym krótkim zdaniem w rodzaju: „Trzepnica sprzedana". W 1943 roku pojawiły się dwie równie lakoniczne notatki: „Dzisiaj dowiedziałam się o Katyniu" i „W katastrofie w Gibraltarze zginął Sikorski". Nie wiadomo, co wtedy myślała, czy odnosiła jakoś te informacje do swojego losu, czy rozważała, co się teraz z nią stanie... Przestrogi, jakich udzielała Andrzejowi w liście, gdy ją powiadomił o planowanym małżeństwie z Jennifer i ewentualnym powrocie do Polski, wskazywały, że raczej nie miała złudzeń co do dalszego przebiegu wypadków w powojennej Europie. Dobrze wiedziała, kto po tej wojnie będzie zwycięzcą, a kto przegranym... Jednakże kiedy po powrocie do Londynu dowiedziała się o powstaniu warszawskim, które właśnie dogorywało, natychmiast zgłosiła się na ochotnika na lot nad Warszawę, jako radiotelegrafistka; tym razem wyuczona umiejętność mogła być atutem w uzyskaniu zgody na to zadanie. Niestety wciąż istniała jej teczka personalna pełna donosów z Polski, że jest współpracowniczką gestapo. Już dużo wcześniej przełożeni Krystyny położyli szlaban na jej kontakty z krajem.

Tłumaczyli się, że im zależy na dobrych stosunkach z polskimi władzami podziemnymi, i nie mogą dopuścić do tego, by osoba Krystyny te stosunki popsuła.

– Moje miejsce jest tam, w Warszawie – upierała się Krystyna.

– Ale pani jest tam *persona non grata* – padła okrutna odpowiedź.

Krystyna była zdruzgotana. Andrzej próbował ją pocieszać, znowu byli razem. Jako oficer łącznikowy przebywał w bazie, z której samoloty startowały i powracały znad Warszawy. On je wyprawiał i przyjmował. Ale za każdym razem bilans mu się nie zgadzał, a czasem bilans ten był tragiczny.

Nie poddawała się jednak, to nie było w jej stylu. I w końcu znalazła wyjście. Do Polski miała zostać wysłana Misja Wojskowa, która w kontakcie z Komendą Główną Armii Krajowej informowałaby rząd angielski, co się dzieje w Warszawie. Krystyna zgłosiła się i została przyjęta. Przyjmowano tu ludzi według innych kryteriów i raporty z Polski do SOE, także te oczerniające Krystynę, nie były brane pod uwagę. Andrzej też się zgłosił do Misji, bo zawsze podążał po śladach Krystyny. O dziwo, został przyjęty, chociaż spodziewał się powtórki całej tej biurokratycznej komedii wokół protezy, co będzie, jeśli... Widocznie w zamieszaniu o jego sztucznej nodze zapomniano. Zaczęło się czekanie na zrzut do Warszawy...

Cel wysyłania takich misji, w sytuacji gdy powstanie już upadało, był bliżej nieokreślony. Ale Krystyna i Andrzej nad tym się nie zastanawiali. Przecież chodziło o to, żeby tam być, uczestniczyć w agonii Warszawy, a nawet zginąć razem z nią. Sami pomysłodawcy poszli w końcu po rozum do głowy i zaczęli się z tego wycofywać, może jeszcze niezbyt otwarcie, ale czekanie na rozkaz odlotu się przedłużało. W końcu pierwsza grupa wojskowych ekspertów odleciała do Warszawy i szczęśliwie dotarła na miejsce. Jak to pan Andrzej powiedział: „Wpadła wprost w ramiona Armii Krajowej". W kolejnej grupie miał lecieć on, a Krystyna w ostatniej, jako łączniczka pomiędzy ekipami. Ta huśtawka trwała jednak dalej. Andrzej i reszta załogi, a co najważniejsze, pilot, siedzieli już w samolocie, kiedy nadszedł telegram od Churchilla odwołujący wszystkie loty. W ostatniej chwili goniec wjechał na motocyklu na płytę lotniska i wstrzymano start. Było to dokładnie 31 grudnia 1944 roku. Od tego dnia już ani jeden samolot nie wystartował w stronę Warszawy.

Krystyna była wtedy w bazie. Patrzyła przez okno, jak Andrzej w skórzanej lotniczej kurtce i pilotce na głowie wysiada z samolotu i mocno kulejąc, przecina płytę lotniska. Sylwestra, wbrew przewidywaniom, mieli spędzić razem, ale nie był on wcale wesoły. Andrzej przynajmniej się upił.

Pan L. uważał, że upadek powstania warszawskiego położył kres złudzeniom, jakie Krystyna jeszcze mogła żywić. Nagle dotarło do niej z całą siłą to, że powrót do kraju ma zamknięty, a przecież bez względu na swe obawy, o których pisała Andrzejowi, tylko tam wyobrażała sobie życie po wojnie, pośród znajomych murów, pośród przyjaciół. Mimo że utraciła najbliższą rodzinę, Warszawa była jedynym miejscem, w którym istniał dla niej ciąg dalszy...

– Dobrze, że jednak nie wróciła, jak niektórzy – wtrąciłam.

Starszy pan skinął głową.

– Mogła wrócić, była przecież nieobliczalna. Nie wiem, czy pani słyszała opowieść o pewnym jej wyczynie, podobno miała wejść naga do siedziby gestapo, trzymając w podniesionych rękach granaty...

Roześmiałam się.

– To było inaczej, ją i kilku Francuzów z podziemia zatrzymał patrol boszowski i wtedy ona na rozkaz podniesienia rąk do góry pokazała im dwa odbezpieczone granaty...

– Krystyna i granat to nieodłączna para.

Patrzyłam na niego zaskoczona. Wyglądało na to, że wcale nie żartuje.

– Ale po co? W jakim celu? A poza tym... jak tego dokonała? Nago szła przez miasto?

– Może przejechała na koniu jak Lady Godiva...

Potem mówiliśmy o czym innym, a jednak musiało to zrobić na mnie wrażenie, bo tej nocy przyśnił mi się sen. Istnieją takie sny, w których wszystko jest takie jak na jawie, jabłko, którego się dotyka, jest prawdziwym jabłkiem, ma smak, zapach. Tak było i teraz. Zobaczyłam pustą ulicę w jakimś nieznanym mi mieście, chyba jednak nie w Polsce ani nie w Anglii, może we Francji, tak, raczej wyglądało to na Francję. I ją zobaczyłam... naga, szła z podniesionymi w geście chrystusowym rękami, coś w nich trzymała. I już wiedziałam, co zaciska w dłoniach. Przybliżała się do mnie, widziałam ją coraz wyraźniej, zarys piersi, ciemny trójkąt na wzgórku łonowym... Chciałam ją powstrzymać, zawrócić, ale ona mnie nie widziała, po prostu przeszła przeze mnie jak przez powietrze i już była przed budynkiem oznaczonym swastykami. Zobaczyłam jej nagie, niknące za drzwiami plecy. Chciałam krzyczeć, wołać pomocy, byłam pewna, że za chwilę usłyszę wybuch i to będzie koniec, ona już nigdy stamtąd nie wyjdzie... Uczułam rozdzierający ból i nagle otoczyła mnie ciemność. To była ciemność mojego mieszkania. Dotykając czoła odkryłam, że jest lodowate, pokryte kroplami potu... Zapaliłam światło.

Trzeba było pomyśleć teraz o zorganizowaniu sobie życia na nowo i pogodzić się z faktem, że się będzie emigrantem ze wszystkimi tego skutkami. Któregoś dnia Andrzej zjawił się u Krystyny w hotelu, tym samym, w którym potem zginęła. Odstawiony, w marynarce, pod krawatem.

– Co się tak wyelegantowałeś? – spytała z lekko ironicznym uśmiechem.

Nie była w najlepszym nastroju, bo w końcu to, co odkładała z dnia na dzień i czego się obawiała, nadeszło. Musiała się zastanowić nad swoją przyszłością i najgorsze, że nic mądrego nie przychodziło jej do głowy.

– Krystyna – zaczął – chyba wiesz, co do ciebie czuję...

– Wiem i nie wiem.

– Więc ci to jeszcze raz powtórzę: kocham cię.

– No i co?

– To, że hm... proszę cię o rękę, tylko nie każ mi przyklęknąć, bo to niewykonalne.

Powiedział to żartobliwie, ale był bardzo przejęty, gdyż nie wiedział, co mu Krystyna odpowie. A ona popatrzyła na niego niemal wrogo.

– Już raz komuś proponowałeś małżeństwo, więc na tym poprzestań!

– Daj spokój, to teraz nie ma znaczenia.

– Może dla ciebie. Dla mnie ma.

Spojrzał na nią bezradnie.

– To co, będziemy się kłócić?

– Nie, po prostu nie będziemy o tym rozmawiać.

– Szkoda – powiedział wychodząc.

Zapomniał, że zostawił pod drzwiami olbrzymi bukiet róż, który miał jej wręczyć, gdyby się zgodziła, i omal kwiatów nie rozdeptał. Podniósł je teraz i wrzucił do kosza w holu. Ale nie uważał tej rozmowy za skończoną, postanowił poczekać, aż Krystyna będzie w lepszym nastroju, dobrze ją znał. Może należało zmienić scenerię oświadczyn? Londyn nie był do tego najlepszym miejscem, bo cóż, nie da się ukryć, że dopuścił się tutaj zdrady, ale stało się tu jeszcze coś gorszego: oni oboje zostali zdradzeni, i nie tylko oni, wszyscy Polacy, którzy walczyli pod brytyjską flagą... Po kilku dniach zaproponował Krystynie wyjazd na urlop, dokądś, gdzie jest ciepło, ona przecież tak kochała słońce, może na Sycylię, na Kretę?

– Dobrze, jedźmy na Kretę – zgodziła się.

Więc Andrzej szybko się zakręcił i wynajął dla nich mały domek z widokiem na morze. Mieli wyruszyć w piątek, ale we wtorek zatelefonowała do niego i nieszczerym głosem – tego najbardziej jej nie mógł zapomnieć, że nie stać jej było na prawdomówność – oświadczyła, że z nim nie jedzie.

– Dlaczego?

– Bo... coś mi się szykuje... mam dostać przydział do sekcji transportowej przy Kwaterze Głównej w Kairze...

A naprawdę sprawa tak wyglądała, że poprzedniego dnia spotkała przypadkiem owianego legendą serbskiego pilota Michajłę Michaloffa i zadurzyła się w nim po uszy. Wystarczyło, że na nią spojrzał błękitnymi oczami w ogorzałej od słońca twarzy. Rzeczywiście był wyjątkowo przystojnym mężczyzną, a poza tym to nie ktoś zwyczajny, ale prawdziwy bohater. Spod samego nosa Niemców uprowadził messerschmitta i szczęśliwie, mimo zajadłej pogoni, wylądował we Włoszech. Cały personel lotniska w Brindisi wyległ, aby go powitać, oglądano podziurawiony kulami kadłub samolotu i z podziwem kiwano głowami. A był to tylko jeden z wyczynów Michajły, miał ich na swoim koncie znacznie więcej, należał do rekordzistów, jeżeli chodzi o zestrzelenia maszyn wroga.

Krystyna zetknęła się z nim przelotnie w Kairze, gdzie się pojawił z jakąś misją. Spotkali się dosłownie w przejściu w kwaterze SOE. Ona miała wtedy przestój i ciągle tam przychodziła z nadzieją, że coś się już wyklarowało. On, w lotniczej kurtce, z usmoloną twarzą, bo nie miał czasu się umyć, niósł pod pachą jakiś ważny raport, mijając, obrzucił ją spojrzeniem i uśmiechnął się. Długo nie mogła tego uśmiechu zapomnieć. I teraz znowu się spotkali w ponurym, zamglonym Londynie. Krystyna wpadła do jakiegoś barku napić się kawy, on przez chwilę ją obserwował, a potem do niej podszedł. Tym razem był po cywilnemu, w świetnie skrojonym garniturze, wyświeżony i lekko podpity.

– Czy mnie oczy nie mylą? – spytał. – Czy to słynny agent we własnej osobie!

– Jak już, to raczej agentka – roześmiała się Krystyna.

Wyszli z baru pod rękę i pojechali prosto do jego hotelu. Stamtąd Krystyna zatelefonowała do Andrzeja. To, że dostała przydział do kwatery głównej w Kairze, było zgodne z prawdą, ale nie musiała się tam stawić natychmiast, spokojnie mogła spędzić z Andrzejem dwa tygodnie na Krecie. Wolała tam jednak pojechać z przystojnym Serbem, lecz wcale nie po to, aby odpocząć i zażywać kąpieli słonecznych. Prawie nie wychodzili z pokoju, a ściślej, z łóżka. On wydawał telefonicznie dyspozycje kelnerom, co mają im przynieść do zjedzenia i – niestety – do wypicia. Potrafił opróżnić butelkę koniaku do kolacji, co gorsza, pił także przed południem, a prawdę mówiąc – od samego rana. W odróżnieniu od Krystyny i Andrzeja miał dużo forsy, bo już pod koniec wojny zaczął robić jakieś interesy, mocno podejrzane.

Miał też szeroki gest, szastał pieniędzmi. Kiedy kochankowie wychodzili z hotelu, kelnerzy kłaniali się w pas, bo nikt im nie dawał takich wysokich napiwków. Krystyna naprawdę zawróciła Serbowi w głowie, był gotów wykupić dla niej cały sklep jubilerski, najdroższe brylanty, ale powstrzymała go, mówiąc, że nie lubi biżuterii. Jedyną rzeczą, jaką nosiła, był sygnet po ojcu z... żelaza.

– Nie stać was było na złoto?

– Ach – odrzekła lekko – chodzi o herb Skarbków „Habdank" i jego legendę... Wiesz... coś takiego... „My Polacy kochamy się w żelazie...".

Urwała, widząc, że biedny Michajło nic nie kapuje.

A po dwu tygodniach oświadczyła mu, że musi stawić się w Kairze.

– Nie jedź tam, zostań ze mną – prosił.

Ale Krystyna tylko kręciła na to głową.

– Więc mnie nie kochasz?

– Kocham cię, najmilszy, ale mam swoje życie... a ty masz swoje...

– A czy tego nie da się połączyć?

Nic mu nie odpowiedziała. Widocznie kolejny atak tropikalnej gorączki, jak pan L. nazwał jej gwałtowne zakochania i taki sam gwałtowny ich koniec, minął.

Z Kairu zatelefonowała do Andrzeja do Londynu i dowiedziała się, że wyjechał do Niemiec. Kair końca wojny niczym się nie różnił od tego, który już znała, to znaczy bawił się na całego. Ale ona nie była wcale w nastroju do zabawy. To, że Andrzej wyjechał tak nagle z Londynu, bez słowa pożegnania, źle wróżyło. Co prawda nie mógł wiedzieć, gdzie ma jej szukać, może próbował jej szukać w Kairze, lecz oczywiście jej tam nie znalazł... Zwykle jej wybaczał takie wyskoki, ale tym razem, czuła, to było coś poważniejszego. I dlaczego pojechał do Niemiec? Może miał tam jakieś interesy i wkrótce powróci...

Minął tydzień, dwa... ale Andrzej nie dawał znaku życia. Próbowała o tym nie myśleć i wdała się w nowy romans z pierwszym, który się napatoczył. Zresztą niezupełnie tak, bo Krystyna wyznawała zasadę, że jeżeli ktoś jej się podoba, jest rozgrzeszona. Nowym obiektem jej uczuć był Michael Dunford, którego poznała w gmachu Kwatery Głównej, gdzie oboje teraz pracowali. Krystyna organizowała repatriację jednostek angielskich do Anglii, a on zajmował stanowisko likwidatora w dziale komunikacji, jako specjalista od radarów.

Czekała jednak niecierpliwie na wiadomość od Andrzeja, sprawdzając co jakiś czas, czy już wrócił do Londynu. Wciąż go nie było. Więc pozwalała się tymczasem adorować temu Anglikowi, który z temperamentu wcale nie był angielski, zakochał się w niej po uszy i na każdym kroku okazywał jej swoje uwielbienie. Kiedyś spadł obfity deszcz i przed wejściem do hotelu, w którym mieszkała Krystyna, utworzyła się spora kałuża, tak wielka, że aby dostać się do środka, musiałaby w nią wejść. Wtedy on, bez namysłu, zdjął marynarkę i rzucił jej pod nogi. Było to zaiste, jak na Anglika, czymś zdumiewającym... to znaczy według moich wyobrażeń. Kiedy opowiedziałam o tym zdarzeniu Arkowi, wyprowadził mnie z błędu.

– W tym jednym wypadku się mylisz. Sir Walter Raleigh uczynił coś podobnego w momencie, kiedy miała przestąpić kałużę Elżbieta I, i w ten sposób przeszedł do historii...

– A kim był ten Raleigh?

– Słynnym angielskim korsarzem.

– Korsarzem? – zdziwiłam się. – To skąd tytuł „sir"?

– Otrzymał go pewnie za „gest z marynarką" – odpowiedział Arek – ale nie jestem zbyt oblatany w historii Anglii.

Minęło jeszcze kilka tygodni i wobec uporczywego milczenia Andrzeja Krystyna dała się namówić nowemu adoratorowi na wyjazd... na Kretę, gdzie po koleżeńsku podrzucił ich znajomy pilot RAF-u. Jeszcze parę miesięcy wcześniej nie byłoby to możliwe, teraz jednak dyscyplina rozprzęgła się do tego stopnia, że na wszystko patrzono przez palce. Ten sam kolega przyleciał potem, by ich odebrać.

Zamieszkali w rybackiej wiosce nieopodal Kirenii, gdzie wynajęli chatę od starego rybaka. Warunki były raczej prymitywne, ale Krystyna kąpała się godzinami, godzinami leżała na słońcu i wyglądała na zupełnie zadowoloną. W końcu trzeba było wracać, Dunfordowi wydawało się, że wracają razem, jako para, ale tak mu się tylko wydawało. Krystyna na lotnisku w Kairze uśmiechnęła się chłodno i poprosiła, aby przywołał dla niej taksówkę.

– Dla ciebie? – zdziwił się. – To chyba jasne, że jedziemy do mnie.

Spojrzała na niego ze zdumieniem.

– Jak to sobie wyobrażasz?

– No... traktuję cię jako swoją żonę, przecież...

Popatrzyła na niego tak, aż poczuł się nieswojo, a potem bez słowa obróciła się na pięcie i zaczęła się oddalać. Dunford stał zupełnie osłupiały i patrzył za nią.

Ale nawet tak brutalna odprawa nie wyleczyła go z tej największej fascynacji jego życia. Kiedy się dowiedział, że Krystyna jest sama w Londynie, odszukał ją, proponując, aby wyjechała z nim do Kenii, gdzie otrzymał pracę. Wahała się, Andrzej ciągle się nie odzywał... A cały świat świętował zakończenie drugiej wojny światowej.

Krystyna wiedziała, że w oficjalnej defiladzie w Londynie nie uczestniczyli Polacy. Ten dzień stworzył niewidzialny mur pomiędzy prawdziwymi zwycięzcami, czyli Anglikami, a przegranymi... i chodziło tu o Niemców. Po prostu to, co było naturalne podczas wojny, zmieniło się po jej zakończeniu. Jak inni oficerowie służb specjalnych dostała sto funtów odprawy, tyle że ci inni, tacy jak Cammaerts, Xan Fielding, Pat Howarth, powracali do swojego dawnego życia, do przerwanych wojną karier, ona zaś miała przed sobą pustkę...

Więc wahała się, czy przyjąć propozycję Dunforda. A jeżeli Andrzej jednak wróci? Chowając ambicje do kieszeni, postanowiła sama go o to zapytać, zwłaszcza że już dawno ustaliła, gdzie przebywa. Zatelefonowała do Bonn.

– Dzwoni igła ze stogu siana – zażartowała.

– Cześć, Krystyna! – usłyszała jego uradowany głos, ale jej jego radość nie ucieszyła, bo czuła się przez niego opuszczona, zapomniana. – Gdzie jesteś? Co porabiasz?

– Jestem w Londynie.

– Aha, i jak leci?

– No... nie bardzo cię to interesowało przez ostatnie miesiące. Nie szukałeś mnie...

– Bo sądziłem, że tego nie chcesz.

Krystyna zawahała się.

– A gdybym ci powiedziała, że chcę?

Cisza w słuchawce.

– Wiesz... ja tu zapuściłem korzenie, mam dobrą pracę... raczej tu zostanę.

– Chcesz żyć obok Niemców? – spytała niemal z odrazą.

– Wojna się skończyła, to teraz tacy sami ludzie jak my.

– No jasne! – wybuchnęła. – Można spotkać na spacerze jakiegoś Franka albo Göringa, zamienić parę słów o pogodzie...

– Nie żartuj!

– Mówię całkiem poważnie i... proszę cię, abyś przyjechał do Londynu.

Cisza.

– Nie, Krystyna, nie przyjadę. Jak chcesz, przyjedź tutaj.

– Nigdy – odrzekła i rzuciła słuchawkę.

Odczekała długą chwilę, w nadziei, że Andrzej się odezwie, przeprosi ją i zgodzi się na jej warunki. Zawsze tak było, po każdej awanturze. Wydawał się wściekły jak nie wiem co, ale potem kapitulował. Przepraszał. Telefon ciągle milczał, więc znowu ujęła słuchawkę i wykręciła numer.

– Zgoda – powiedziała. – Jadę z tobą do Kenii...

Była tam już kiedyś i miała stamtąd dobre wspomnienia. Ale wtedy przyjmowano ją jako żonę polskiego konsula, więc jej status był zgoła inny. Teraz mieszkała z Michaelem w obskurnym hotelu, gdzie w nocy gryzły ich pluskwy; kiedy szczególnie dawały się we znaki, Krystyna rozpościerała prześcieradło na podłodze i kładła się na nim. Każdego ranka Michael, jadąc do pracy, podwoził ją do klubu, gdzie odsypiała noc, rozkładając kocyk nieopodal basenu. Kąpała się, opalała na słońcu i tak jej schodził czas do wieczora, a wieczorem jej przyjaciel zabierał ją do hotelu. Przyjaciel w dosłownym sensie, bo od czasów Krety już nie byli kochankami. On bardzo z tego powodu cierpiał, ale łudził się, że to te marne warunki zniechęcają Krystynę do miłosnych uniesień. Każdego by mogły zniechęcić, co więc mówić o delikatnej kobiecie. Gdyby znał Krystynę lepiej, wiedziałby, że żadne warunki nie były dla niej przeszkodą. Że jeżeli chciała z kimś być, wystarczał byle jaki kocyk pod gołym niebem.

Kiedy dowiedziałam się, że Krystyna spędziła cały rok w Kenii z tym człowiekiem, postanowiłam go odszukać. Okazało się to nadspodziewanie proste. Odnalazłam jego numer w książce telefonicznej i zadzwoniłam.

– Pan Michael Dunford?

– Tak.

– Czy nie zechciałby mi pan poświęcić paru minut, piszę książkę o Christine Granville.

Zgodził się natychmiast. Umówiliśmy się w herbaciarni na Roland Gardens nieopodal jego domu. Za każdym razem, kiedy umawiałam się z kimś, kto znał Krystynę, zaskakiwał mnie widok starego człowieka. Dla mnie oni się nie starzeli, bo w jakimś sensie, tak jak dla mojej bohaterki, czas zatrzymał się w 1952 roku, a wtedy oni wszyscy byli jeszcze w sile wieku. Wyjątek stanowił Andrzej Kowerski, bo mimo swoich siedemdziesięciu kilku lat trzymał się wspaniale i nie mogłam myśleć o nim jak o starcu.

Przez grube, cięte zielonkawe szyby w oknach do wnętrza herbaciarni wpadało przytłumione światło, więc panował lekki półmrok, który rozświetlały małe lampki z abażurami, ustawione na stolikach. Stoliki przedzielały ażurowe przepierzenia, stwarzając atmosferę intymności. Przed sobą na barze zauważyłam lalkę-marionetkę ubraną w smoking i cylinder, niby to palącą papierosa w długiej fifce. Kiedy jej się bliżej przyjrzałam, dostrzegłam duże podobieństwo z Marleną Dietrich.

Tuż obok marionetki stały rzędem kieliszki na wysokich nóżkach i dwóch młodych kelnerów przygotowywało koktajle. Zdziwiło mnie, że czynią to w takim skupieniu, zupełnie jakby miały to być aptekarskie mikstury, a nie zwyczajne drinki. Dopiero potem dostrzegłam mężczyznę, który stojąc nieco z boku, coś sobie notował. A więc odbywał się tu chyba egzamin mistrzowski.

Michael Dunford był wysokim, zupełnie siwym mężczyzną, o pociągłej, niemal chudej twarzy, z wydatnymi workami pod oczyma, ale jego twarz zachowała wyrazistość rysów, nie rozmyła się w starości. Zaczęliśmy rozmawiać. Zdziwił mnie i zaskoczył sposób, w jaki mówił o Krystynie, nie wspominkowy. Przecież to było tak dawno, przez ten czas zdążył mieć dwie żony, kilkoro dzieci, a teraz i wnuki, a mówił o niej jak o jedynej kobiecie swojego życia.

– Bo jest jedyna – odrzekł – szczególnie teraz, kiedy po przejściu na emeryturę kupiłem w Kirenii tę chatę, w której spędzaliśmy z Christine wakacje, wyremontowałem ją i siedzę tam przez większą część roku, właściwie zastała mnie pani w Londynie przypadkiem. Przyjechałem tu tylko na kilka dni...

– Mieszka pan tam sam?

– Sam, oczywiście... a właściwie mieszkam tam z nią... te widoki dookoła, zatoka... wszystko wygląda jak wtedy. Gdyby piasek mógł skamienieć, zastygłyby w nim ślady jej stóp...

Byłam poruszona tym niezwykłym wyznaniem, przed sobą miałam człowieka, który sam siebie uczynił strażnikiem pamięci o Krystynie... stworzył na dalekiej Krecie małe muzeum i był w nim kustoszem.

– Czy pani książka o Christine wyjdzie też po angielsku?

– Mam taką nadzieję.

– Chciałbym ją przeczytać... bo książka pani Masson nie oddaje wcale sylwetki Christine. Pani Masson mojej osobie poświęca tam zaledwie parę zdań, a ja spędziłem z Christine rok życia!

– Rok to sporo czasu – powiedziałam. – Wiem, że pan tam pracował, w Kenii. A co robiła ona? Przecież nie mogła się tylko kąpać i opalać?

– Jeżeli chodzi o nią, to mogła – uśmiechnął się. – Ale oczywiście próbowała się gdzieś zaczepić, bo z pieniędzmi było dość krucho. Kiedyś znaleźliśmy ogłoszenie, że lokalne linie lotnicze poszukują stewardesy. Christine się zgłosiła, ale jej nie przyjęto, bo w paszporcie miała adnotację, iż jest naturalizowaną obywatelką Królestwa. Poradzili jej, aby wracała do swojego kraju...

– To musiało być dla niej przykre.

– O tak, wróciła do hotelu wściekła, ale ona tak łatwo nie rezygnowała. Poszła tam nazajutrz z adwokatem z mojej firmy i zażądała, aby szef personelu latającego powtórzył swoją opinię o niej w jego obecności. Oczywiście wszystkiego się wyparł i powiedział, że to miejsce jest już zajęte.

Nie były to jedyne szykany, jakie ją tam spotykały. Nie miała prawa stałego pobytu w Kenii, bo urząd imigracyjny nie chciał jej go przyznać, grożono jej nawet deportacją. Sytuacja nie do pozazdroszczenia, bo to uniemożliwiało jej podjęcie jakiejkolwiek legalnej pracy. Wpadła wtedy na pomysł, że będzie sprzątać rezydencje dygnitarzy. Wieczorem z rozbawieniem demonstrowała Michaelowi, jak w fartuszku wyciera kurze i froteruje podłogi, a potem pani domu przychodzi i sprawdza.

– Bardzo dobrze, moja droga – Krystyna modelowała głos, udając panią gubernatorową, bo do niej ostatnio chodziła.

Raz doszło do paradoksalnej sytuacji, kiedy to Krystyna wróciła ze swojej „pracy na dziko" i akurat przybył do niej goniec z zaproszeniem na raut w... rezydencji gubernatora, którą przed chwilą wysprzątała. Miała zostać udekorowana Orderem Brytyjskiego Imperium, przyznanym przez Jej Królewską Mość. Nie poszła. Napisała list do Sir Philipa Mitchella: jest zaszczycona nadaniem jej tak wysokiego odznaczenia, ale nie może się stawić, gdyż właściwie się ukrywa, zagrożona deportacją. Dosłownie w dwa dni później ten sam goniec doręczył jej list od gubernatora z przeprosinami i z załączoną kartą stałego pobytu...

– No i trzeba było jednak odebrać ten order, Krystyna to sama rozumiała, wyciągnęła z walizki swój rafowski *battledress*... Jak tam weszliśmy, pomiędzy tych wyfraczonych jegomościów i roznegliżowane damy, straciłem ją z oczu, bo dla tych ludzi była nie lada atrakcją... Ale rozglądam się, rozglądam, naprawdę jej nie ma... Dogoniłem ją już za bramą rezydencji, szła boso, niosąc pantofle w ręku... „Christine – zawołałem – co ty wyprawiasz?". „Oddalam się po... angielsku – odpowiedziała – a poza tym cisną mnie te cholerne buty...".

Pan Dunford uśmiecha się do tego wspomnienia.

– Przepraszam, że o to pytam... ale... chcę się dowiedzieć jak najwięcej o kimś, o kim będę pisała. Czy przez ten rok, wy... pan i ona... naprawdę nie byliście kochankami? Dwoje ludzi zdanych tylko na siebie, to dziwne...

Uśmiechnął się smutno.

– Ona się wtedy pogubiła, żyła w nierealnym świecie jakichś planów... ja w tych planach nie byłem brany pod uwagę... Ciągle mi opowiadała o swoim kuzynie Andrew Kennedym, twierdziła, że między nimi nigdy nic nie było, że to tylko kuzyn... ale planowała go tu ściągnąć.

No tak, to byłby kolejny trójkąt – pomyślałam – jej ulubiona konfiguracja.

Mówił dalej, na twarzy pojawiły mu się wypieki, może dlatego, że herbata była bardzo gorąca. Ta angielska herbata w specjalnych *teapotach*... obok mleko w dzbanuszku i przepyszne drożdżowe bułeczki z rodzynkami, tak zwane *scones*, do których podano masło, a w małym porcelanowym koszyczku świeże truskawki. Już dawno nic mi tak nie smakowało.

– Były projekty, żeby zasłużonym weteranom z paszportami angielskimi przydzielać w Kenii ziemię. Ona się tego uchwyciła, chciała z tym swoim kuzynem hodować konie na farmie... Ale jej odpisał, że nie ma najmniejszego zamiaru pchać się gdzieś na koniec świata. Wkrótce potem dostała telegram z Niemiec, że jej kuzyn, ten Andrew, miał wypadek samochodowy i leży w szpitalu. Zaraz zaczęła się pakować... Protestowałem, ale powiedziała stanowczo, że on nie ma nikogo, że jest jego jedyną krewną i musi jechać go pielęgnować... Zobaczyła, że jestem zrozpaczony, i odruchowo zdjęła sygnet z palca, dając mi go na dowód, że wróci. To była dla niej cenna rodzinna pamiątka.

Wyciągnął rękę.

– Widzi pani, noszę go do dziś, na małym palcu, bo tylko na tym się mieści... Ale wiem, że jej ojciec też go nosił na małym palcu, bo taka panowała w Polsce tradycja. To był sygnet jej ojca...

– Nie wróciła po niego? – spytałam cicho.

– Nie.

Wieczorem opowiedziałam o tym spotkaniu Arkowi. Siedzieliśmy przy kolacji, którą on zwykle przyrządzał. Był mistrzem w robieniu sałatek. Dzisiaj też wymyślił: kapusta pekińska, tuńczyk, pomidor pokrojony w plasterki.

– To dziwne – powiedziałam – żyje sobie jakiś człowiek, o którego istnieniu przez tyle lat nie miałam pojęcia, i nagle spotykam się z nim w Londynie w herbaciarni, a on opowiada mi o najważniejszych dla siebie sprawach...

– W przeciwieństwie do ciebie.

– Jak to?

– Ty o sobie nic nie mówisz.

– Jestem tutaj po to, by słuchać.

– Zwierzeń staruszków, a jakbyś ty się pozwierzała, na przykład mnie?

– Co chciałaś wiedzieć?

– Wszystko.

„Śmierć Krystyny Skarbek przerwała mi pisanie książki o niej" – stwierdził James Gleeson, dziennikarz z „Daily Express". I podawał dalej fakty z jej życia z przeświadczeniem, że jest jednym z tych, którzy wiedzą najlepiej. Czy wiedział? Napisał, że Krystyna wyszła za mąż za hrabiego Skarbka, podczas gdy naprawdę była córką hrabiego Skarbka. Czy to pomyłka, czy nieświadomość?

Inny dziennikarz zafascynowany postacią Krystyny napisał o niej serię reportaży w „Picture Post". W następstwie ich publikacji ukazał się w „Dzienniku Polskim" list zarzucający autorowi Stanleyowi Mossowi „szereg... nieścisłości". List podpisał Andrzej Kowerski-Kennedy, przyjaciel i towarzysz wojenny Krystyny, który na zakończenie oświadczył: „Ze względu na planowaną książkę o Krystynie Skarbek zobowiązałem się wobec wydawcy nie udzielać żadnych informacji do użytku periodyków".

Ani Gleeson, ani Kowerski-Kennedy nie napisali książki. Przyjaciele polscy Krystyny i jej rodzina – która zresztą najmniej się ujawniła – uznali za najsłuszniejsze zabrązowanie wszystkiego. Ich postawę wyraża zdanie z „Dziennika Polskiego": „Przyjaciele zamordowanej rozgoryczeni są z powodu wzmianek, jakie ukazały się w niektórych dziennikach londyńskich na temat rzekomej «awanturniczości» pani Skarbek. Podkreślają oni, że wręcz na odwrót, zamordowana była osobą bardzo spokojną i bynajmniej nie miała żyłki awanturniczej. Na ogół mało dbała o swoją powierzchowność i nie używała nawet różu".

Londyn, „Kronika", 1954

Wypadek Andrzeja Kowerskiego okazał się poważny, długo leżał nieprzytomny, a kiedy otworzył wreszcie oczy, pierwszą osobą, którą zobaczył przy swoim łóżku, była Krystyna. Oprócz wstrząsu mózgu miał jeszcze złamaną nogę i nadwerężony kręgosłup. Wyglądał tak mizernie, że Krystyna z trudem go rozpoznawała. Jak zawsze jednak starał się trzymać fason.

– Miło, że wpadłaś – powiedział lekko, choć w rzeczywistości był przejęty tym, że ją widzi.

– Zajmę się tobą – odrzekła z energią i mimo że nie lubiła i nie bardzo umiała gotować, przynosiła mu codziennie do szpitala rosół z żółtkiem i lanymi kluskami.

To były domowe sposoby jej matki. Kiedy Jerzy Skarbek spadł z konia i uszkodził sobie kręgosłup, musiał jadać codziennie taki właśnie rosół, który „stawia na nogi".

– Mnie na nogi już nic nie postawi – bronił się przed tym lekarstwem Andrzej, który dużo bardziej wolałby szklaneczkę whisky. – Jak wiesz, mam tylko jedną, i to w proszku...

Ale Krystyna nie zwracała na to uwagi, katując go rosołem łyżeczka po łyżeczce.

Zatrzymała się w jego mieszkaniu. Wciąż łączyła ich silna więź, a to, że teraz go pielęgnowała, mogło stać się preludium do powrotu. Tak ona myślała, a co myślał Andrzej... Zdawał sobie sprawę, że marnie jej się powodzi, i tak niby od niechcenia powiedział:

– Wiesz, jaki jestem ostatnio nadziany? Nie mam pojęcia, co z tymi papierkami robić, może byś mnie uwolniła od paru?

– Mam pieniądze – ucięła krótko.

I żyła bardzo oszczędnie, sama prawie nie jedząc, aby starczyło na te rosoły dla niego. Ale w końcu musiała się złamać, bo jego pobyt w szpitalu się przedłużał, noga źle się zrastała.

– Nie zmęczyła cię rola pielęgniarki? – pytał.

– Zostanę z tobą, dopóki nie wyzdrowiejesz... tylko niestety moje fundusze się wyczerpały.

Andrzej wypisał jej czek.

Wreszcie po dwóch miesiącach lekarz obwieścił im radosną nowinę. Krystyna mogła zabrać Andrzeja do domu.

Bonn, 12 czerwca 1948

Cóż to za ponure miasto, doprawdy. Boję się wychodzić gdziekolwiek, słyszę wkoło ten nienawistny język, którego w dodatku nie rozumiem. Nie ma mowy, żeby wstąpić do jakiejś kafejki napić się kawy, bo tu czegoś takiego nie ma. Tu są solidne niemieckie lokale, w których siedzą opite piwskiem facety i rechoczą głośno. Jak on może tu żyć i czuć się swojsko? Co prawda nigdy nie zwracał uwagi na otoczenie, to otoczenie musiało zwracać uwagę na niego. Więc mu wszędzie dobrze, ale mógłby się trochę liczyć ze mną.

Mój przyjazd tutaj to gorzka pigułka. Bo Andrzej bardzo się zmienił, to już nie jest ten człowiek, którego pamiętam. Wciąż dzwonią do niego jakieś baby. Czasami, jak słyszą mój głos, odkładają słuchawkę, ale inne bezczelnie się domagają Andrzeja. Coś mi tam szwargoczą łamaną angielszczyzną, że niby mają bardzo pilną sprawę.

– Odbierzesz telefon? – pytam, a on kręci głową
i kładzie palec na ustach.

Jedna się tak uczepiła, że musi się dowiedzieć
o zdrowie Herr Kennedy, że w końcu podałam mu
słuchawkę. Rozmawiał z nią po niemiecku, długo
coś jej perswadował. Takim nienaturalnym głosem.
Głupio mu przede mną, ja tu przecież haruję jak
służąca, zakupy, pranie, gotowanie. Muszę pamiętać o jego lekarstwach, dzwonię do masażysty, ustalam terminy, wożę go taksówkami na fizykoterapię.
Kręgosłup ciągle mu dokucza.

Niby ze sobą rozmawiamy jak dawniej, ale dzieli
nas jakaś ściana. Nie wiem, czego się spodziewałam, że Andrzej zawsze będzie na mnie czekał? Jak
przed laty w Budapeszcie, kiedy czułam się wręcz
osaczona jego miłością i broniłam się, i uciekałam.
Wtedy nie był kobieciarzem, liczyłam się tylko ja.
Sądziłam, że ta sprawa z J. to pojedynczy wyskok,
a teraz widzę, jak bardzo się myliłam. Porządkując
coś na jego biurku, potrąciłam kopertę, z której
wypadły zdjęcia. I proszę, Andrzej i jakaś dziewucha w kostiumie narciarskim, ujęcie takie, inne. Ma
długie jasne włosy, ładną twarz. Na jednym ze zdjęć
roześmiana trzyma głowę na jego ramieniu, a on ją
obejmuje. Spojrzałam na podpis: „Ja i Anette
w Garmisch-Partenkirchen". Ja i Anette...

Pewnie, czemu nie, on jest teraz facet. Ma gest,
jeździ porschem, to imponuje takim panienkom.
J. widziała przynajmniej jakieś przymioty jego ducha, ale wątpię, czy o to chodzi tej Anette. Boże, co
się z nami porobiło, gdzie są tamte dobre czasy?
Gdzie jest Andrzej? I gdzie ja jestem?

Po powrocie do Londynu Krystyna musiała zacząć szukać dla siebie jakiegoś zajęcia. Wszystkie oszczędności wydała na pielęgnowanie Andrzeja, który zaofiarował się z pożyczką, żeby to lepiej brzmiało, ale jej nie przyjęła. I tak musiał opłacić jej bilet powrotny.

Powiedział mi, że nie orientował się w stanie jej finansów, nie chciała na ten temat rozmawiać, twierdząc, że ma jakieś odłożone pieniądze w Londynie. Co oczywiście nie było prawdą. Przy okazji zwrócił moją uwagę na pewien szczegół, który rzucił więcej światła na jej sylwetkę.

– Gdyby miała jakieś finansowe zabezpieczenie, mogłaby osiąść na przykład na południu Francji, gdzie była znaną osobistością, żyłoby jej się tam znacznie łatwiej niż w Londynie. Mogłaby wreszcie otoczyć się zwierzętami, o czym zawsze marzyła, stworzyć sobie od nowa rodzinę. Bo ona psy, koty i papużki traktowała na równi z ludźmi, a nawet powiedziałabym, że obdarzała je większą miłością niż najbardziej namiętnego kochanka... Umiała okazać zwierzętom czułość... Dosłownie. Kiedyś byłem zazdrosny o kundla z przetrąconą nogą, którego oczywiście musieliśmy zabrać z drogi i zawieźć do weterynarza, i jeszcze Krystyna zostawiła pieniądze dla kogoś, kto by się psem potem zaopiekował...

Roześmiałam się.

– Usiłuje pan z niej zrobić taką drugą zwariowaną Brigitte Bardot.

Wzruszył na to ramionami.

– Nie wiem, na ile Bardot jest w tym szczera, ale Krystyna już się z miłością do zwierząt urodziła... I mogłaby swoje plany zrealizować, bo dużo później się dowiedziałem, że jakiś jej wielbiciel zapisał jej w spadku duży dom w Londynie. Umarł w odpowiednim czasie, bo wojna się skończyła i biedna jak mysz Krystyna mogłaby się naprawdę odkuć... ale kiedy notariusz tego człowieka się z nią skontaktował, oznajmiła, że nie przyjmuje darowizny... Gdybym wcześniej o tym wiedział, nigdy bym na to nie pozwolił – pan Andrzej aż zacisnął pięści na samo wspomnienie. – Jak ją potem zapytałem, dlaczego tak postąpiła, uśmiechnęła się, spojrzała z ukosa, jak to ona, i powiedziała, że nie chce o tym mówić.

Zadumaliśmy się oboje nad jej lekkomyślną naturą, uświadomiłam sobie, że była jak motyl, który nie wie, że po pięknym lecie przychodzą jesienne szarugi...

– Czy naprawdę nie mogliście razem ułożyć sobie życia?

Nie otrzymałam na to odpowiedzi.

– A jak wyglądało wasze spotkanie wtedy, po przeszło roku niewidzenia? – spytałam po długiej chwili.

– To było... niezwykłe, nagle ją zobaczyć... Wyglądała okropnie, chuda, skóra i kości... ale promieniała, bo w końcu Francja to był jej wielki sukces... wyrosła tam na prawdziwą bohaterkę, Francuzi nazwali ją nawet królową podziemia.

W dniu pogrzebu za jej trumną niesiono poduszkę z odznaczeniami: George Medal, Croix de Guerre avec Étoile d'Argent, Order of the British Empire, Parachute Wings, The ,,Chamois" of Association Nationale des

Pionniers et Combattants Volontaires du Vercors oraz ryngraf z Czarną Madonną...

Ryngraf z Czarną Madonną... ten sam, który ściskała w dłoni, błagając Boga o uwolnienie matki. Dostała go od przeora klasztoru na Jasnej Górze, a więc wysokiej kościelnej władzy. Sam klasztor miał status szczególny miejsca świętego, więc talizman powinien działać, i choć nie podziałał, miała go przy sobie, jak widać, do końca. Moment wręczania ryngrafu opisała w swoich dziennikach. Kiedy miała jedenaście lat, jej ojciec wybrał się z pieszą pielgrzymką do Częstochowy i wziął ją ze sobą. Początkowo bardzo mnie zdziwił ten pomysł, bo trudno mi było sobie wyobrazić pana Jerzego wśród pielgrzymów, ale potem doszperałam się prawdziwej przyczyny jego dziwacznej decyzji. Jak wiadomo, nie był człowiekiem zbyt pobożnym; chodził wprawdzie do kościoła co niedziela, ale tylko dlatego, że jako dziedzic Trzepnicy miał tam osobną ławkę i jego nieobecność od razu wszyscy by zauważyli. A do bezbożnego pana nikt by się nie zgodził na parobka, to pewne. No więc powodem wyruszenia z pielgrzymką było ślubowanie, które pan Jerzy złożył w dniach oblężenia Warszawy przez bolszewików w 1920 roku. Ślubował mianowicie, że jeżeli Warszawa się obroni, on na kolanach pójdzie do Częstochowy. No i potem nie miał wyjścia, bo uczynił to przy świadkach, chociaż i on, i świadkowie biesiadowali w trzepnickim dworze i, co tu mówić, mieli już wtedy nieźle w czubie. Ale był człowiekiem honoru.

Radomsko, 12 września 1920

Idziemy już drugi tydzień, a właściwie ja głównie jadę na wozie, na który podsadzają chorych albo bardzo zmęczonych, ale mnie chyba wszyscy lubią i ciągle robią mi obok siebie miejsce, żebym usiadła. Jest naprawdę wesoło, bo sypiamy w różnych stodołach po drodze, a siano dopiero co zwiezione i pachnie a pachnie, zupełnie jakbym spała na łące. Jedna pani, która idzie w intencji swojego syna, aby się odnalazł po tej strasznej wojnie, powiedziała mi, że trzeba bardzo uważać, jak się śpi na świeżym sianie, bo szczypawka może wejść do ucha i jak już wejdzie, to nie umie wyjść i przegryza się do mózgu i taki człowiek umiera. Ale tatek się tylko z tego uśmiał i powiedział, że szczypawka jak już wejdzie komuś do ucha, to najwyżej może sama umrzeć ze strachu.

Wczoraj szliśmy chyba przez pół dnia obok siebie i rozmawialiśmy. I tatek mnie spytał, o co będę Matkę Boską Częstochowską prosić, więc mu wyznałam prawdę, że poproszę, aby on był lepszy dla mamy. Roześmiał się, ale był chyba niezbyt zadowolony, a potem powiedział: ,,A nie mogłabyś poprosić, aby nasze konie przyszły pierwsze w jesiennej gonitwie na torze w Piotrkowie?".

Częstochowa, 20 września 1920

Częstochowa nie jest miastem ładnym, wygląda jak jakaś dziura zabita deskami, już nasz Piotrków ciekawiej się prezentuje. Ale za to Jasna Góra, klasztor, to jest coś wspaniałego. I sama msza. Tłumy, tłumy ludzi, głowa przy głowie, że aż człowiek się czuje taki maleńki i nieważny, nawet tatek, który zawsze nad wszystkimi góruje, tutaj się zgubił. I nagle odzywają się werble, jak przed bitwą. Potem głośna muzyka organowa. Organy huczą, jakby za chwilę miały się rozpaść. I widzę, że daleko przed nami, na ołtarzu obraz przedstawiający Zmartwychwstanie Chrystusa wolno zaczyna podjeżdżać w górę, odsłaniając inny, ten święty, z Czarną Madonną... Ludzie klękają, unosząc twarze jak ślepcy. W kościele słychać coraz większy szum, głośniejszy teraz niż muzyka organów. To ludzie płaczą i powtarzają półgłosem prośby:

– Ocal... Pomóż... Uzdrów...

A ja prosiłam w myślach Matkę Boską, aby sprawiła, żeby moi rodzice się kochali. W jakiejś chwili tatek na mnie spojrzał i chyba wiedział, o co proszę, przecież mu to powiedziałam. Wieczorem zostaliśmy zaproszeni przez zakonników na kolację, w której uczestniczył sam przeor. Siwy, o surowej twarzy. Najpierw była modlitwa, a potem usiedliśmy przy długim stole. Ja się na wszelki wypadek nie odzywałam, ale jak już wychodziliśmy, przeor położył mi rękę na ramieniu i powiedział: ,,Chciałbym ci coś dać na pamiątkę, że tu z nami byłaś". I wręczył mi ryngraf z Czarną Madonną. ,,Jest poświęcony i będzie cię chronił od złego – dodał – noś go zawsze przy sobie".

Krystyna miała wielu przyjaciół w Londynie, niechętnie jednak zwracała się do nich ze swoimi problemami. Uważała, że powinna je rozwiązywać sama. Starała się zmienić swój status w Anglii z obywatelki „przyszywanej" na prawdziwą. I udało jej się to, oczywiście z pomocą dawnych towarzyszy broni, sama bowiem nic by nie zdziałała. Sprawa oparła się o szczyty administracji brytyjskiej. A.M. Crawley, ten sam, któremu w czasach węgierskich Krystyna przekazywała zaszyfrowane meldunki dla Churchilla, był teraz podsekretarzem stanu w Ministerstwie Lotnictwa i to po jego interwencji zmieniono adnotacje w jej paszporcie: wymazano sformułowanie o naturalizacji, wpisując na to miejsce, iż jest obywatelką Zjednoczonego Królestwa Wielkiej Brytanii i Kolonii.

Teraz bez przeszkód mogła starać się o posadę. Ale nikt na nią nie czekał z otwartymi rękami. Bo też nie miała żadnych kwalifikacji, które pozwoliłyby jej znaleźć ciekawą i dobrze płatną pracę. Żeby z czegoś żyć, podejmowała się przeróżnych zajęć, a ponieważ zupełnie się do nich nie nadawała, pogłębiało to jeszcze jej depresję. Przez krótki okres pracowała jako telefonistka w India House, ale migające światełka na tablicy rozdzielczej rozstrajały ją do tego stopnia, że któregoś dnia zerwała słuchawki z uszu i po prostu wyszła, aby nigdy tam nie powrócić. Następnie pracowała jako sprzedawczyni u Harrodsa w dziale damskiej bielizny, oferując klientkom biustonosze i koronkowe majteczki, ale to też nie trwało długo. Wylądowała w końcu jako pokojówka w hotelu Paddington. Starała się tam o posadę recepcjonistki, gdzie mogłaby wykorzystać znajomość języków obcych. Niestety, szef personelu oznajmił jej, że nie zatrudniają w tym charakterze kobiet niezamężnych, gdyż mając kontakt z gośćmi hotelowymi, mogłyby z nimi flirtować.

– A co z personelem męskim? – spytała.

– A, to co innego.

– W takim razie proszę o listę pracujących u was kawalerów i wybiorę sobie męża...

To był oczywiście żart. Nie mając wyjścia, przyjęła pracę pokojówki, która pojawia się zwykle w pokoju hotelowego gościa pod jego nieobecność i w związku z tym papierek z magistratu zaświadczający o stanie cywilnym jest jej zupełnie zbędny. Ale, jak było do przewidzenia, i tam Krystyna nie zagrzała długo miejsca. Jej kolejnym zajęciem była posada kelnerki w polskiej kawiarni „Marynka" na Knightsbridge.

Krystyna jakby odżyła po tym nużącym i beznadziejnie wlokącym się czasie spędzonym za ladą u Harrodsa; nie potrzebowała już namawiać podstarzałych Angielek do kupna nowego biustonosza czy majtek, co przekładało się na wysokość jej pensji, nie musiała też grzebać się w czyichś brudach, dosłownie, przewlekając hotelową pościel.

Pan L. tak to opisał:

U „Marynki" wszystko było proste. Żadnego udawania. Kawa to kawa, ciastko z kremem to ciastko z kremem.

Przychodzili tu starsi panowie, byli wojskowi różnych szarż, ministrowie i wojewodowie w dni wolne od zmywania talerzy u Lyonsa. Całowali szarmancko panią Krysię w rękę i nieśmiało zamawiali swoje kawy, tak jakby ich żenowało, że im będzie usługiwać. Niejeden nawet wstawał od stolika, potrzaskując reumatyzmem, by jej pomóc zetrzeć szmatką okruchy z blatu, pozostawione przez poprzedniego klijenta.

Jeden z moich rozmówców stwierdził, że dawni przyjaciele wcale nie pozostawili Krystyny samej sobie. Powoływał się na rozmowę z Cammaertsem, który dowodził, iż on i wielu innych jej kolegów stawali na głowie, aby znaleźć dla niej jakąś przyzwoitą posadę. Proponowano jej szereg, jego zdaniem, ciekawych zajęć, gdzie mogłaby podnosić swoje kwalifikacje, awansować. Ale ciągle kręciła nosem. Na pytanie, co chciałaby robić, nie umiała udzielić konkretnej odpowiedzi. Wiedziała tylko, czego by robić nie chciała. Nie chciała pracować w biurze, nie chciała pójść na żaden kurs dający jej szanse zdobycia zawodu, po prostu nie chciała stykać się z ludźmi... Raz jeden okazała entuzjazm, kiedy jej dobry znajomy, ten sam, który potem pisał o niej poematy, został mianowany ambasadorem w Warszawie i spytał ją, czyby nie objęła posady jego sekretarki. Ależ tak, natychmiast!

– To pisz podanie.

Odpowiedź przyszła odmowna. Ministerstwo nie wyraża zgody na zatrudnianie osób pochodzenia innego niż angielskie.

Oddając głos panu L.:

Tak upływały dni w szarym, smutnym Londynie, rozjaśniane tylko od czasu do czasu przyjazdami Andrzeja z Niemiec. Wtedy natychmiast skrzykiwała się paczka przyjaciół, bo Andrzej miał gest szeroki, kelnerzy kłaniali mu się w „Chez les Ambassadeurs" czy u Mills'a na West Endzie i te polskie głodomory w jego cieniu prężyły piersi, bo na jedną noc znów czuły się panami.

Za którymś przyjazdem Andrzeja Krystyna poznała go z Michajłą, który znowu pojawił się w Londynie. Interesy chyba nie szły mu już tak dobrze, bo przestał odgrywać milionera, a potem się okazało, że szły mu wręcz kiepsko. Źle ulokował pieniądze, a nawet chyba je stracił. Bardzo się więc zdziwiła, kiedy ni z tego, ni z owego Andrzej zaproponował mu wejście do spółki. Być może panowie się jakoś porozumieli, bo Kowerski też w Niemczech raz był na wozie, raz pod wozem. Teraz twierdził, że odkrył złotą żyłę. Przedtem też tak często twierdził i przeważnie okazywało się to niewypałem. Zarabiał jakieś pieniądze, dużo jednak mniejsze, niż można by wnioskować po jego zachowaniu.

Kiedy przybywał na wyspę, szastał pieniędzmi bez opamiętania. Opowiadał, jak mu się świetnie wiedzie. Może dlatego to robił, żeby poprawić sobie samopoczucie, a może żeby podnieść na duchu swoich zrezygnowanych kolegów, którym się już całkiem nie wiodło. Tym razem to miał być pewniak. Interes stulecia. Przedstawicielstwo Porsche i Bogwarda na antypodach. I do tego był mu potrzebny Michajło i jeszcze ktoś, komu można by zaufać. Słynny pilot twierdził, że zna odpowiedniego człowieka. Myślałam, że Michajło był Serbem, ale potem odkryłam, iż miał dużą domieszkę krwi rosyjskiej, co mogło się okazać mieszanką wybuchową. I czyż się nie okazało? Przecież to on rozsadził od środka związek tych dwojga niezwykłych ludzi, on uwiódł Krystynę – oczywiście nie wbrew jej woli i chęci – i nie potrzebował na to więcej niż dziesięciu minut. Tylko... po co ona ich ze sobą poznała? Z taką konsekwencją przedstawiała Andrzejowi wszystkich kolejnych kochanków, zupełnie jakby była ciekawa jego opinii. W wypadku Michajły wydał opinię nader pozytywną. Twierdził, że Serb ma łeb do interesów.

– To dlaczego tyle stracił? – spytała sceptycznie Krystyna.

– No... tak to już jest, raz się wygrywa, raz się przegrywa, grunt, żeby był ruch w interesie – odpowiedział.

Plan wyglądał następująco: Michajło ze swoim kumplem mieli wyjechać do Australii i za pieniądze Andrzeja uruchomić przedstawicielstwo. Rynek jest tam dziewiczy, więc ze sprzedażą samochodów kłopotu nie będzie, byle tylko nadążyć z ich sprowadzaniem... Okazało się, że przyszli przedstawiciele światowych firm są na razie bez grosza i żaden nie ma nawet na bilet w tamtą stronę. Andrzej kupił im bilety, po czym wsadził ich na statek.

– Nie wiem, czy dobrze robisz, wchodząc z nim w ten interes – mówiła Krystyna. – Jaką masz gwarancję, że on się ze swoich zobowiązań wywiąże? A ten drugi to kto? Widziałeś go chociaż na oczy?

– Widziałem, robi dobre wrażenie.

– Każdy oszust robi dobre wrażenie, inaczej nikogo by nie oszukał!

Andrzej przyciągnął ją do siebie.

– Więcej optymizmu, moja pani. Podoba mi się ten Michajło, od razu widać, że chłopak obrotny. Do tego zabójczo przystojny. Może wydałabyś się za niego, wtedy już wszystko zostałoby w rodzinie – powiedział niby to żartem, ale wcale nie żartował i dlatego tak to Krystynę rozeźliło. Uwolniła się z jego objęć.

– Swataj sobie kogo innego – odrzekła ostro.

Po kilku miesiącach otrzymała od Andrzeja list:

Kochana Krystyno, chyba jednak miałaś rację. W Sydney coś mi śmierdzi, czuję to na odległość. Ciągle dostaję sprzeczne informacje od obu ,,wspólników", skaczą sobie do gardeł i oskarżają się wzajemnie. Jeden o drugim pisze, że to złodziej. Trzeba tam pojechać i sprawdzić na miejscu, co się dzieje. Czybyś się tego nie podjęła? Ja nie mogę ruszyć stąd swojej dupy, bo już całkiem moje interesy polegną.

Twój Andrzej

Tego samego dnia Krystyna pożegnała się z pracą w ,,Marynce" i pojechała do Andrzeja do Bonn. Przestudiowali razem całą korespondencję Michajły i jego wspólnika – o przyjemnym nawet nazwisku Hamilton – i doszli do wniosku, że tam istotnie źle się dzieje.

– Masz dla mnie na bilet? – spytała Krystyna.

Pokręcił przecząco głową.

– Ci dranie oskubali mnie do gołego... dosyłałem im gotówkę na rozruch... Zapewniali, że wszystko jest na dobrej drodze...

Krystyna zastanawiała się przez długą chwilę.

– Czy ktoś mógłby nam pożyczyć forsę?

Andrzej znowu pokręcił głową.

– Nasi są goli, a Angole... zwróciłabyś się do swojego Francisa albo Xana?

Teraz ona pokręciła głową.

– Wiesz co – powiedziała – mogę postarać się dostać na statek jako stewardesa. Zwrócę się do Rogera, żeby mi dał list polecający, w końcu wystawiał mi go już kilka razy...

W dwa tygodnie później podpisała kontrakt z linią okrętową Shaw Saville Line i poszła na kurs obsługi pasażerów na statkach. Ukończyła go tym razem, bo przyświecał jej cel nadrzędny, postanowiła odzyskać za wszelką cenę pieniądze Andrzeja.

Dostała przydział na statek „Rauhine" i stawiła się tam w wyznaczonym terminie. Podczas zebrania personelu trochę ją zmroziło przemówienie ochmistrza, który zarządził, aby osoby przychodzące tu z armii i posiadające jakieś bojowe odznaczenia przypięły do swoich ubrań służbowych wstążeczki orderowe. Chodziło o to, aby zrobić na gościach linii Shaw Saville jak najlepsze wrażenie. Noszenie tych wstążeczek obowiązywałoby do czasu opuszczenia wód terytorialnych Zjednoczonego Królestwa. Uznała ten pomysł za dziwaczny, bo jak się miały jej odznaczenia do obowiązków stewardesy polegających na zmianie bielizny pościelowej i ręczników? Ale gotowa była się do tego zastosować, bo bardzo jej zależało, aby dotrzeć szczęśliwie do Sydney i rozmówić się z tymi dwoma panami.

Zaczęło się przyjmowanie pasażerów, a więc nawał pracy, bieganina tam i z powrotem. Pomagała przeróżnym osobom, często nie mówiącym po angielsku, z którymi mogła porozumiewać się tylko na migi. Taszczyła czyjeś pękate walizy, wskazywała zagubionym drogę. W pewnej chwili przyszło jej wyminąć na schodach szefową stewardes i usunęła się tamtej z drogi. Ale kobieta przystanęła. Młodość już miała dawno za sobą, a poza tym nigdy chyba nie grzeszyła urodą. Zlustrowała Krystynę od stóp do głów i wpiła się wzrokiem we wstążeczki na jej piersi.

– A to co? – spytała. – Co to za zbędna ozdoba?

Krystyna zamknęła się w toalecie, odpięła wstążeczki i schowała je na dnie walizki. Wieczorem poprosił ją na rozmowę ochmistrz.

– Słyszałem, że Polacy nigdy nie przestrzegają dyscypliny, ale to statek angielski. Gdzie pani odznaczenia?

W innej sytuacji trzasnęłaby drzwiami i tyle by ją widziano. Ale po pierwsze, nie mogła ze statku ot tak sobie wysiąść, a po drugie, miała do spełnienia misję. To było teraz najważniejsze. W przeszłości też przyjmowała różne niewdzięczne zadania, w imię sprawy, i nieraz spotykały ją upokorzenia ze strony ohydniejszych, od tego tutaj, typów.

Niezwykła Krystyna uzyskała rozgłos, pomimo przeszkód stawianych przez jej przyjaciół. Pisano o niej moc rzekomych wspomnień, zmyślonych historii. Kiedyś w Hiszpanii widziałem w prowincjonalnej gazecie *strip-cartoon*, historyjkę obrazkową o contessie Skarbek i jej walce z Niemcami.

Karol Zbyszewski
„Dziennik Polski", 16 października 1975

Statek, którym Krystyna płynęła do Australii, przewoził głównie emigrantów z Europy. Byli to rozbitkowie wojenni, którym się wydawało, że tam, z dala od złych wspomnień, będą mogli zacząć wszystko od nowa. Tuż po zakończeniu wojny przypominało to wędrówki ludów, ludzie przemieszczali się stadami, z braku miejsc w kabinach koczując na korytarzach. Wśród takich nędzarzy, których personel pokładowy miał w wielkiej pogardzie, znajdowało się wielu Polaków, szczególnie tych, którzy po demobilizacji nie zdecydowali się na powrót do Polski i postanowili szukać szczęścia jak najdalej od niej. Drugą taką grupę z samego dna stanowili Włosi.

W 1951 roku, kiedy Krystyna weszła na statek, sytuacja się już ustabilizowała i wszyscy pasażerowie mieli swoje kabiny, ale uszczypliwe uwagi o tamtych biedakach przetrwały. Nikt z załogi statku, poza kapitanem, ochmistrzem i szefową stewardes, nie wiedział o polskim pochodzeniu Krystyny, tak jak wcześniej nie wiedziano o jej domieszce krwi żydowskiej, więc jej obecność wśród personelu nie kładła tamy niewybrednym dowcipom o *bloody Dagos*, czyli Włochach, i *bloody Poles*. Tak jak kiedyś opuszczała towarzystwo, gdy tylko zaczynano opowiadać szmoncesy, tak samo robiła to teraz. Do czasu aż doszło do ostrego starcia z przełożoną stewardes.

Pan L. starał się to opisać:

Chief-Stewardessa przyszła do stołówki rozwścieczona, bo jakaś polska grupa, z okazji czyichś imienin, urządziła popijawę tak ostrą, że rano zastała obie łazienki zarzygane, a nawet – *Good heavens* – jedną muszlę klozetową stłuczoną.

– No jak, proszę państwa, można zbić muszlę klozetową... czym? Gołym tyłkiem?

Toczyła po zebranych przekrwionym okiem, zezując raz po raz w stronę Krystyny, a na zakończenie przemowy wyraziła głębokie oburzenie, że rząd JKM, zamiast pozwolić tej hołocie gnić w obozach, wydaje ciężkie funty z kieszeni podatnika na przejazdy tych polskich szumowin w luksusowych warunkach do Australii. Krystyna wstała od stołu, rzuciła w stronę *Chief-Stewardessy: You just shut up* – i wyszła ze stołówki trzaskając drzwiami.

Po jej wyjściu zapadła nieprzyjemna cisza. Szefowa stewardes spazmatycznie łapała powietrze, na policzki wystąpiły jej wypieki. Wśród zebranych znajdował się ktoś, kto w napięciu śledził całą scenę, a potem wyjście Krystyny – tym kimś był Dennis Muldowney...

Kochany Andrzeju, list ten chyba dotrze do Ciebie przed moim powrotem, muszę Ci więc donieść rzecz arcynieprzyjemną. Cokolwiek oni obaj mówią nawzajem o sobie i gdzie leży prawda, nie ma to żadnego znaczenia wobec faktu, że oni Twoich pieniędzy już nie mają. Utopili je w jakichś ryzykownych interesach. Hamilton wydaje mi się nawet bardziej wiarygodny od naszego Michajły, ale w gruncie rzeczy wart Pac pałaca. Przykro mi, kochany, że nic nie mogłam poradzić, ale nikt by tu nie poradził. Więc nie rób sobie wyrzutów, iż sam się tym nie zająłeś, i przyjmij do wiadomości fakt, że Twój interes stulecia się nie udał, ale jak Cię znam, masz już na oku jakiś inny.

Twoja Krystyna

Tak napisała, ale wcale nie była pewna, czy komuś innemu ta misja by się nie udała. Ona nie znała się ani na samochodach, ani na handlu nimi i kiedy wspólnik Michajły, pan Hamilton, tłumaczył jej, że pomysł sprzedaży drogich europejskich aut nie jest najlepszy w tym właśnie momencie, gdyż w Australii zaczęła się recesja, wprowadzono nawet ograniczenia celne na sprowadzanie tych samochodów, nie miała powodu, by mu nie wierzyć. Poza tym ku jej zaskoczeniu okazał się dystyngowanym mężczyzną o nieskazitelnych manierach, zachowywał się wobec niej szarmancko, zapraszał ją do restauracji i tam przedstawiał swój punkt widzenia na całą sprawę. Wszystkiemu, jak twierdził, był winien ten dziki pół-Serb, pół-Rosjanin, który zdefraudował pieniądze Andrzeja. I w ogóle to osobnik mocno podejrzany, podejrzana też była ta jego bohaterska wojenna przeszłość.

– To wszystko mity, pani Krystyno. On nie mógł dolecieć na tym rzekomo ukradzionym messerschmitcie z Zagrzebia do Brindisi! Po prostu zabrakłoby mu paliwa!

Krystyna była naprawdę skonfundowana. Z kolei Michajło, przedstawiając jej swoją wersję, oskarżył Hamiltona o zagarnięcie wspólnych funduszów. Patrzyła na niego bez słowa i nie mogła pojąć, skąd się wzięła jej wcześniejsza fascynacja tym chłopakiem. To był zwyczajny kombinator, a cała jego legenda mogła być po prostu zmyślona.

Niepowodzenie misji, z którą przyjechała do Australii, bardzo ją przybiło. Wcześniej miała o wiele trudniejsze zadania do wykonania i nigdy nie zawiodła, udało jej się nawet rozbroić cały niemiecki garnizon, więc czemu nie poradziła sobie z dwoma hochsztaplerami? A jednak nie wzięła pod uwagę, że się zagubi w ich krętactwach, wzajemnych oskarżeniach. To mimo wszystko co innego niż walka z wrogiem, którego zachowania dało się do pewnego stopnia przewidzieć. Oczywiście zdarzały się niespodzianki, ale od tego miała inteligencję i refleks, które to cechy w obecnej sytuacji okazały się zupełnie nieprzydatne. Tu trzeba było walnąć pięścią w stół... Może gdyby Andrzej sam przyjechał... To ją właśnie najbardziej gnębiło, myśl, że zawiodła...

Wsiadała więc na statek zmieniona, i to do tego stopnia, że parę osób z załogi jej nie poznało. Na tym polegały słynne przeobrażenia Krystyny – wystarczyło, że się uśmiechnęła, i nagle stawała się kimś innym... Zauważyła to także przyszła biografka Krystyny, pani Masson. Podczas rejsu z Capetown do Southampton Krystyna została przydzielona do jej kabiny jako stewardesa.

Pani Masson wyznała później, że miała poczucie, iż jej stewardesa jest osobą niezwykłą, nie umiała powiedzieć, skąd się wzięło owo poczucie, ale jej nie opuszczało. Jej uwagę zwrócił już sam wygląd Krystyny, kiedy z uśmiechniętej ładnej dziewczyny nagle przeistaczała się w zmęczoną kobietę o szarej twarzy i podkrążonych oczach. Pani Masson coraz uważniej zaczęła się jej przyglądać, a potem ostrożnie wypytywała o nią kapitana. Jego wymijające odpowiedzi podsycały jeszcze jej ciekawość. Kiedy statek wpłynął do portu w Southampton, pisarka chciała wręczyć Krystynie napiwek, ale okazało się, że stewardesa jest niedysponowana. Prosiła więc, aby go jej przekazać, i wtedy dowiedziała się, że obsługiwała ją Christine Granville. W kilka dni później przeczytała w gazecie o jej zabójstwie...

Koniec tygodnia komplikował nieco nasze stosunki z Arkiem. Były to dni wolne od pracy i obawiałam się, że moja obecność może go krępować. Na szczęście, kiedy nie musiał się zrywać, wylegiwał się do południa na swojej antresoli, a ponieważ ja też nie należałam do rannych ptaszków, śniadanie jedliśmy zwykle w porze lunchu. Potem wracałam na dół do swoich notatek, a on wychodził na tenisa. Późne sobotnie popołudnie spędzaliśmy razem, chodząc do kina. Właśnie minął miesiąc od mojego przyjazdu, a więc wybieraliśmy się do kina po raz czwarty.

– Nie wiem, czy nie rezygnujesz dla mnie z jakichś swoich przyzwyczajeń – powiedziałam, kiedy szykowaliśmy się do wyjścia.

– To raczej ty stałaś się moim przyzwyczajeniem i nie mam wcale ochoty go zmieniać...

Ja też nie chciałam zmieniać tego, co istniało między nami. Z pewnością nie teraz.

Statek wypłynął na pełne morze, nie widać już było lądu, dookoła tylko zwały stalowosinej wody. Krystyna pomyślała, że tym razem nie ma już żadnej motywacji, aby się jakoś szczególnie starać. Machinalnie wykonywała więc swoje obowiązki, przewlekała pościel, sprzątała kabiny, rano wnosiła tace ze śniadaniem, potem je zabierała, często nie wiedząc, jak wyglądają ludzie, których obsługuje. Potem nadchodził wieczór, kiedy kładła się spać w swojej kabinie, odwrócona twarzą do ściany. Któregoś wieczora coś ją nagle obudziło. Zerwała się przerażona i zobaczyła przed sobą niewysokiego, ciemnego mężczyznę, który trzymał w rękach tacę.

– Nie była pani na kolacji – rzekł z przepraszającym uśmiechem.

Znali się już, to był Dennis Muldowney, starszy steward z pierwszej klasy, a więc pracujący piętro wyżej. Któryś z kolegów jej wspomniał, że po awanturze z szefową ujął się za nią. Podobno ostro oświadczył babie, że jeżeli nie przestanie szykanować pani Granville, złoży na nią raport. Może dlatego ta zgaga dała jej wreszcie spokój. Płynąc w tamtą stronę, nie dociekała, czy rzeczywiście ten człowiek wystąpił w jej obronie, czy nie. Głowę miała zajętą czym innym, wymyślała przemowy, które wygłosi do nieuczciwych wspólników Andrzeja, a te przymiarki okazały się całkiem zbędne, bo nie miała sposobności do takich oracji. Obaj ją przekrzyczeli, zagadali.

W pierwszej chwili chciała Muldowneya wyprosić, ale potem usiadła na koi. Koszulka nocna nieco jej się zsunęła z ramienia, jednak jej nie poprawiła.

– Trochę mnie bolała głowa, więc się wcześniej położyłam... Siadaj – dodała, widząc, że on ciągle stoi pośrodku kajuty, niemal na baczność.

Ogryzając udko kurczaka, przyglądała się Dennisowi spod oka. Nie był wcale taki szkaradny, jak się jej przedtem wydawało, miał ciemne, niemal aksamitne oczy, w których krył się smutek.

Siedział teraz wyprostowany, ze złączonymi kolanami. Najwyraźniej go onieśmielała.

– Ktoś mi mówił, że mnie broniłeś przed szefową...

– Należało się babie. Takie jak ona zawsze będą o panią zazdrosne, bo pani jest piękna...

– Nie pani, tylko Christine – powiedziała, przeciągając lekko słowa.

Następnego dnia Krystyna krzątała się po kabinach tak odmieniona, że jeden z pasażerów spytał ją, gdzie jest poprzednia stewardesa, zachorowała?

– Ach nie – odparła lekko – po prostu nastąpiła zmiana. Teraz ja będę pana obsługiwać...

Potem, sprzątając inną kabinę, nuciła cichutko, a kiedy się na tym przyłapała, parsknęła śmiechem.

Francis Cammaerts, czyli Roger, który biografię Krystyny pióra pani Masson opatrzył wstępem, wyznał, że nie jest możliwe czytanie książki o kimś, kogo się dobrze znało, bez zastanawiania się, jaka byłaby reakcja tej osoby na sam fakt powstania takiego dzieła. Był pewien, że Krystyna wykrzyknęłaby: ,,Książka o mnie!? To śmieszne!". I stwierdziłaby z pewnością, że są inne osoby, bardziej interesujące od niej i bardziej zasłużone, o których należałoby pisać...

Od tego wieczoru Dennis wynajdywał przeróżne preteksty, aby w ciągu dnia zbiegać na niższe piętro, do klasy turystycznej, gdzie pracowała Krystyna. Chciał ją choć na chwilę zobaczyć, przysunąć twarz do jej włosów i poczuć ich zapach, dotknąć jej ręki. Oczywiście wszystko to niby przypadkiem. Był w zawodzie stewarda dużo bardziej doświadczony niż ona i ochoczo dzielił się z nią swoją wiedzą, pokazując jej, jak należy nieść naraz trzy tace z herbatą, by się nie oblać i nie poparzyć, albo jak można ułatwić sobie pracę w przewlekaniu pościeli.

– Zobacz – mówił – bierzesz powłoczkę za rogi i odwracasz ją na drugą stronę...

A wieczorem przemykał się do jej kajuty. Przestał pić, bo Krystyna tego nie znosiła i nie wpuściłaby go do siebie nawet po jednej brandy. Dla Dennisa już samo to, że mógł na nią patrzeć, było szczytem niewyobrażalnego szczęścia, a przecież łaskawy los zezwolił mu na znacznie więcej. Oto każdego niemal wieczoru, bez względu na to, jak ciężki mieli oboje dzień, kiedy leżeli nadzy obok siebie, mógł sobie wyobrażać, że stanowią jedność, której nikt nie będzie w stanie rozdzielić. Chyba że śmierć któregoś z nich...

Kochał ją w szaleńczy sposób, opętany jedną myślą, aby móc ją trzymać w ramionach, czuć jej oddech, widzieć jej twarz w ekstazie, kiedy stawała się przejmująco piękna. Jej na wpół przymknięte oczy, rozchylone usta i szept: ,,Tak, Dennis, tak, tak...''.

Nie miał powodów, aby myśleć, że ona nie odczuwa tego co on. Wszyscy zauważyli, jak się zmieniła, jak wypiękniała. W wolnych chwilach chodziła teraz na górny pokład, aby się opalać, i wkrótce jej skóra zmieniła odcień na złocistobrązowy. Oczy nabrały blasku, usta stały się wypukłe i często rozchylały się w uśmiechu. Ona mnie kocha – myślał – przecież mi to powiedziała.

On też jej to powiedział, chociaż przedtem nie wyznał miłości żadnej kobiecie, nawet swojej żonie. Ale nikogo przed Krystyną nie kochał. Nie zdawał sobie sprawy, że może istnieć podobne uczucie. Gdyby wiedział, czym jest prawdziwa namiętność, być może cofnąłby się przed nią w porę. Z natury był człowiekiem bardzo ostrożnym. Nie miał przyjaciół, nikomu się nie zwierzał, zamknięty w sobie i małomówny. Nawet z żoną, z którą już dawno się rozstał, wiele nie rozmawiali, tylko o sprawach dnia codziennego i tych dotyczących ich syna. Inaczej było z Krystyną, zaczął jej o sobie opowiadać, o dzieciństwie w surowym irlandzkim domu, gdzie despotyczny ojciec znęcał się zarówno nad nim, jedynakiem, jak i nad jego matką. Pani Muldowney miała łagodne usposobienie i choć bardzo cierpiała, poddawała się woli męża. Dennis nigdy nie usłyszał od niej słowa skargi i być może te cechy miał po matce, skrytość i wręcz niemożność okazywania uczuć.

– Ja za to miałam cudownego ojca, cudownego – powtórzyła Krystyna. – Był jak jasne polano, które daje ciepły ogień...

– A twoja matka?

Tym razem nie odpowiedziała.

Długi ogonek ludzi chcących się dostać na rozprawę Muldowneya, zabójcy Krystyny Skarbek, stał od świtu przed Old Bailey. Zaledwie drobna część została wpuszczona na galerię. Sala sądowa (niedawno wykończona) była nabita. Wielu Polaków, tłum adwokatów. Wszyscy wstają, gdy wchodzi sędzia w białej peruce i czerwonej todze. Ława przysięgłych pusta.

Sędzia rozpatrzył naprzód dwie inne sprawy. Trwały bardzo krótko, jednak dłużej niż centralna sprawa dnia. Wreszcie, po schodkach spod podłogi, wprowadzają Muldowneya prosto na środek sali. To szczupły, brzydki mężczyzna o ziemistej cerze, czarnych zmierzwionych włosach. Jest w płaszczu deszczowym, trzyma ręce w kieszeniach. Zacięte usta, wzrok utkwiony w sędziego...

Londyn, ,,Dziennik Polski",
piątek, 12 września 1952

Mniej więcej w połowie rejsu powrotnego zdarzył się incydent, który zraził nieco Krystynę do Dennisa. Otóż w czasie krótkiej przerwy stała sobie z kolegą stewardem, który opowiadał coś zabawnego, była więc roześmiana, i wtedy nagle pojawił się Muldowney. Bez słowa pchnął tamtego w pierś, tak że mężczyzna się zatoczył.

– Co ty wyprawiasz? – ostro zareagowała, ale on bez słowa szybko się oddalił.

Wieczorem zastał drzwi jej kabiny zamknięte. Słyszała jego błagalny szept, aby go wpuściła, ale się nie ugięła. Bardzo długo stał jeszcze pod jej drzwiami.

Tego właśnie najbardziej nienawidziła, męskiej zazdrości, potrzeby wyłączności, której nie rozumiała. Przecież niczego nie można powielić, powtórzyć, coś, co się wydarza pomiędzy dwojgiem ludzi, jest niepowtarzalne. Niepowtarzalny jest każdy pocałunek, każdy uścisk, więc o co być zazdrosnym? To, co miała do ofiarowania Dennisowi, przeznaczone było tylko dla niego i nikt nie mógł mu tego odebrać. Niestety, miała mu do ofiarowania znacznie mniej, niż on sobie wyobrażał. Dla niej słowo „kocham" znaczyło co innego niż dla niego, przychodziło jej łatwo. Często je przedtem wypowiadała. Kocham cię, Jędrusiu... Włodeczku... Adasiu... tylko ciebie jednego... Zawsze przemawiała do swoich mężczyzn zdrobniale, zapewniając ich o wielkiej miłości. Być może wypowiadała te słowa z głębokim przekonaniem. Być może naprawdę tak czuła. Tylko że to, co czuła, mając przy sobie w ciemności gorące męskie ciało, często rozwiewało się w blasku dnia.

To ten Irlandczyk o twarzy półinteligenta zasztyletował Krystynę Skarbek, bohaterkę, która oddała tak wielkie usługi sprawie Aliantów, której przyznano tyle wysokich orderów cudzoziemskich i której czyny w czasie wojny stały się niemal legendą. Żadnego ustalania tożsamości, żadnych formalności wstępnych. Parę pytań sędziego; parę zwięzłych, szybkich, udzielonych bez namysłu, stanowczych odpowiedzi Muldowneya – i już sędzia nakłada czarny biret, już odczytuje wyrok śmierci. Wszystko odbyło się błyskawicznie, w trzy minuty. Wyprowadzają tymiż schodkami Muldowneya. Wzniósł oczy na galerię, jakby tam kogoś szukał, i pewnym krokiem ruszył za konwojentami. Głucha cisza na sali. Czuje się patos sytuacji. Skazany przyjął pełną odpowiedzialność za swój zbrodniczy czyn i zachował się po męsku. Wydaje się, że jego pierwotna próba samobójstwa nie była tylko udawaniem...

Londyn, „Dziennik Polski",
piątek, 12 września 1952

Przez kilka dni nie odzywała się do niego, ale brakowało jej jego uwielbienia, jego pieszczot. Początkowo zachowywał się zbyt nerwowo, nie potrafił odkryć jej pragnień, zasłuchany w siebie i w swoje przeżycia, potem było im razem coraz lepiej. Krystyna, mistrzyni w miłości, miała tę satysfakcję, że może go uczyć, i musiała przyznać, iż uczniem był pojętnym. Już nie tylko w siebie się wsłuchiwał, wsłuchiwał się także w nią, już wiedział, jak obłaskawić jej ciało, tak wymagające, tak zachłanne na każdy odruch miłosny. Gdyby umiał myśleć bardziej wzniośle, mógłby przyrównać jej ciało do instrumentu, na którym niełatwo grać. Ale myślał tylko o tym, jak wielkie spotyka go szczęście, że może jej dotykać, jej pięknych, chociaż niezbyt dużych piersi, jej płaskiego brzucha i silnych ud. Więc starał się dbać o to szczęście. Gdy Krystyna opalała się na górnym pokładzie, przynosił jej soki, nacierał plecy olejkiem, okrywał nogi kocem przy silniejszych podmuchach wiatru. Bezustannie zbiegał na dół i wracał, żeby nie uronić ani chwili.

Mniej więcej rok później w obecności obcych ludzi powie: ,,Zabiłem ją, bo ją kochałem...''

Andrzej stał w tłumie oczekujących na dworcu morskim w Londynie. Krystyna dostrzegła go już z daleka. Dawał jej znaki, krzyżując i rozprostowując ramiona nad głową, jakby chciał powiedzieć: ,,Masz ode mnie rozgrzeszenie, nie gniewam się, że wracasz z niczym, a nawet się cieszę, że wróciłaś''. Ona też do niego machała, stając na palcach, aby mógł ją lepiej widzieć.

– Kto to jest? – spytał Dennis ze ściągniętą twarzą, w jego oczach pojawił się niemal zwierzęcy strach.

– To mój kuzyn Andrew, głuptasie – odrzekła lekko.

– Zaraz was ze sobą poznam...

Ale kiedy po wszystkich formalnościach związanych z zejściem na ląd znalazła się blisko Andrzeja, rzuciła mu się w ramiona i niemal zapomniała o biednym Dennisie. Szli z Kowerskim, objęci, do jego samochodu, kiedy wróciła jej pamięć. Obejrzała się i zobaczyła Muldowneya, jak stoi z opuszczonymi ramionami i za nimi patrzy.

– Jędruś... moglibyśmy podrzucić do miasta mojego kolegę ze statku? – spytała z zakłopotaniem.

– Jasne – odparł.

Nadszedł w końcu dzień mojego spotkania z Kowerskim. Minęło przeszło pół roku, zanim zdołałam ustalić tę datę, bo najpierw on wybierał się do sanatorium, potem ja wyjechałam do Londynu i ciągle mnie tu coś zatrzymywało, jakiś nowy trop, którego nie chciałam zgubić, nowy adres albo publikacja. No i Arek. Czułam, że go potrzebuję nie tylko jako przewodnika i doradcy w moich poszukiwaniach. Na razie nie chciałam wnikać, jak silne jest moje zaangażowanie. Kiedy żegnaliśmy się na lotnisku, delikatnie pocałował mnie w usta. Uczułam niemal zawrót głowy. Potem przez chwilę patrzyliśmy sobie w oczy.

– Wrócisz, prawda?

Przytaknęłam w milczeniu, a po chwili dodałam:

– Muszę jeszcze odszukać tego młodego Muldowneya... obiecałeś mi pomóc...

– Jasne – odrzekł z uśmiechem. Wiedział, że nie będzie to jedyny powód mojego przyjazdu.

Samolot wylądował szczęśliwie w Monachium, lot nie został odwołany z powodu złych warunków atmosferycznych, a nawet nie opóźnił się ani o minutę. Pan Andrzej miał na mnie czekać na lotnisku.

– Odwiozę panią do hotelu – obiecał przez telefon – a potem pomyślimy...

Od razu go rozpoznałam wśród oczekujących i wzruszenie ścisnęło mnie za gardło, bo wydawało mi się przez chwilę, że patrzę na niego jej oczami i jej oczami notuję zmiany, jakie w nim zaszły. Niewiele się zmienił, bo tak właśnie go sobie wyobrażałam na podstawie jego opisów i dawnych fotografii. Te same zakola nad czołem, tyle że włosy zupełnie siwe, ale twarz czerstwa, pod posiwiałymi brwiami młode, bystre oczy. I czarny wąs nad górną wargą. Ubrany był do figury w bardzo elegancki garnitur, płaszcz miał przewieszony przez rękę. Kiedy podeszłam, zmierzył mnie od stóp do głów okiem znawcy. Byłam pewna, że wystawia mi jakąś cenzurkę, i trochę mnie to speszyło.

– Pan Andrzej Kowerski? – spytałam. – Nazywam się Ewa Kondrat...

– Miło mi, i to podwójnie – odparł. – Jest pani na szczęście młoda i ładna, nie cierpię starych, szpetnych bab...

Ujął moją walizkę.

– Więc ruszajmy, jak mamy ruszać...

Ze zdumieniem stwierdziłam, że wcale nie kuleje. Szedł sprężystym, pewnym krokiem. Przyszło mi nagle do głowy, że cała ta historia z jego protezą była wymyślona i przez nich wszystkich podtrzymywana. Przeprawy z dowództwem polskim w 1939 roku, potem z Anglikami, kiedy chciał zostać skoczkiem spadochronowym, to pewnie lipa mająca na celu stworzenie jego legendy. Ale kiedy wsiadaliśmy do samochodu, zauważyłam, że lekko podciąga rękami nogę, więc to jednak prawda, tylko technika tak poszła do przodu, iż protezy idealnie udają teraz ludzkie kończyny.

– Czy to auto to porsche? – spytałam, kiedy pełnym gazem ruszyliśmy sprzed budynku lotniska.

– A czy są jeszcze jakieś inne samochody? – roześmiał się.

– Pozostał pan wierny jednej marce – odrzekłam i ugryzłam się w język, bo już go chciałam zapytać, czy tak samo jest u niego z kobietami. Nie wiedziałam, jaki jest jego stan cywilny, nikt tego nie wiedział, nawet pan L., który dawno stracił z nim kontakt. Chyba się poróżnili, gdy pan Andrzej nie zgodził się na wydanie nieocenzurowanych wspomnień pana L. o Krystynie.

Podwiózł mnie, jak obiecał, do hotelu i przez chwilę się zastanawiał, dokąd się wybierzemy na kolację, a potem nagle zdecydował:

– Przyjdzie pani do mnie, ja sam coś upitraszę...

Kilka godzin później przyjechałam taksówką pod wskazany adres w luksusowej dzielnicy Monachium, w której, jak mi zdradził taksówkarz, mieszkają nadziani ludzie. Pan Andrzej zajmował spory apartament, ale urządzony dość surowo, po kawalersku, więc chyba mieszkał tu sam. Living połączony z kuchnią, przy której gospodarz krzątał się przepasany fartuchem. Dochodziły stamtąd ostre, ale przyjemnie drażniące nozdrza zapachy. Poczułam głód.

Pan Andrzej przyrządził coś w rodzaju chińszczyzny: ryż, smażone warzywa, kawałki wołowego mięsa, ostry sos. Do tego czerwone wino.

– Dziwnie się czuję, mówiąc po polsku – wyznał Kowerski. – Zaszyłem się tu niczym stary odyniec i jak otwieram gębę, to tylko w interesach...

– Nie miał pan nigdy ochoty przyjechać do Polski? Pokręcił głową.

– Ja Polskę pożegnałem w 1944 roku, kiedy mnie Angole wykopały z samolotu. Nie chcąc im dać satysfakcji, uznałem, że to los mnie wykopał, i już nie spoglądałem w tamtą stronę, nawet na mapie. Było, nie ma...

Zapadła cisza, pan Andrzej wstał, aby uprzątnąć talerze. Chciałam mu pomóc, ale zaprotestował.

– U mnie goście nie szwendają się po domu... Siedzą i grzecznie czekają, aż im podam kawę – rzekł żartobliwie.

Rozmawialiśmy teraz o jego rodzinie, o matce, do której był bardzo przywiązany. Pamiętał ją jako wyemancypowaną jak na tamte czasy kobietę; mimo że mieszkali na prowincji, wybierała się często do Warszawy, do teatru, do opery. Sprowadzała nowości książkowe, nawet pisma literackie, chcąc być na bieżąco w sprawach kultury. Kiedyś namówiła drugiego męża – pan Andrzej był jej synem z pierwszego małżeństwa, jego ojciec poległ w czasie pierwszej wojny i ledwie go pamiętał – na wyjazd do Paryża na wystawę. Miała z nim jeszcze dwóch synów, ale pan Andrzej nie był z nimi związany uczuciowo. Po śmierci matki uważał, że stracił całą rodzinę.

– Poza tym była świetnym jeźdźcem, brała udział w zawodach hipicznych i chyba to ona zaszczepiła we mnie miłość do koni... z braku możliwości, teraz mechanicznych. – Uśmiechnął się.

Ani razu nie wspomniał jeszcze o Krystynie, a przecież wybrałam się tutaj – o czym dobrze wiedział – tylko po to, aby o niej mówić. Kiedy więc na chwilę zapanowało milczenie, zebrałam się na odwagę i spytałam:

– Cały czas chcę pana spytać, czy pan też jest jednym z tych, którym Krystyna Skarbek uratowała życie?

Zmiana na jego twarzy niemal mną wstrząsnęła. Nagle miałam przed sobą innego człowieka, człowieka, który nie był wcale taki silny i odporny na ciosy, jakby się mogło wydawać. Zaskoczyłam go, nie zdążył się w porę zasłonić.

– To ja nie uratowałem życia jej – odparł.

MORDERCA KRYSTYNY SKARBEK
SKAZANY NA ŚMIERĆ

Adwokat rodziny zaprzecza twierdzeniom oskarżonego o związku miłosnym z ofiarą. Dennis George Muldowney został wczoraj skazany na karę śmierci przez powieszenie.

Po wprowadzeniu na salę oskarżonego pisarz sądowy odczytał mu akt oskarżenia zarzucający, iż uderzeniem noża pozbawił Krystynę Skarbek życia w dniu 15 czerwca br. w hotelu Shelbourne. Zapytany, czy do zarzutów się przyznaje, Muldowney odpowiedział stanowczym głosem: ,,Przyznaję się do winy zgodnie z aktem oskarżenia".

Sędzia Donovan: ,,Czy zamierza pan trwać w tym przyznaniu? Jeżeli tak, to jedyne, co pozostaje mi do uczynienia, jest ogłoszenie wyroku".

Muldowney: ,,Tak jest. I chciałbym, by sąd to uczynił jak najszybciej".

Sędzia: ,,Czy trwa pan dalej w swej decyzji niebro-
nienia się?".

I na to Muldowney odpowiedział krótko: ,,Tak
jest". Wobec tego pisarz sądu, zgodnie z procedurą,
zapytał go o ostatnie słowo przed ogłoszeniem wyroku śmierci. Muldowney odrzekł: ,,Zabiłem ją, bo
ją kochałem...".

Londyn, ,,Dziennik Polski",
piątek, 12 września 1952

Sądziłam, że ta chwila słabości, kiedy pan Andrzej
nagle odkrył się przede mną, utrudni nam dalszą rozmowę, ale na szczęście się myliłam. To nieoczekiwane
wyznanie nas do siebie zbliżyło, postawiło po tej samej
stronie barykady, choć moje pytania musiały być dla
niego trudne, nawet bolesne. Nabraliśmy do siebie
zaufania. Oczywiście byłam nieco naiwna spodziewa-
jąc się, że przystał na moje warunki – poszukiwanie
całej prawdy o życiu i śmierci Krystyny Skarbek. Do
ostatniego dnia starał się mnie zwodzić, ciągle coś pros-
tował, czemuś zaprzeczał, choć zdawał sobie sprawę, że
ja wiem, jak było w rzeczywistości. Zrozumiałam, że
między nami musi się wydarzyć coś takiego, co uświa-
domi panu Andrzejowi, iż przeinaczając fakty, wyrzą-
dza szkodę Krystynie. To zupełnie tak, jakby postawić
komuś pomnik, tak niepodobny do rzeczywistej osoby,
że nikt jej nie rozpozna. Czyż nie tak właśnie było
z biografią Krystyny, która wyszła spod pióra egzotycz-
nej pisarki, pamiętającej ją przede wszystkim jako opie-
kuńczego anioła przynoszącego jej co rano do kabiny
śniadanko? Co prawda ten anioł miał czasami smutną

buzię i podkrążone oczy, ale pani Masson wolała nie dochodzić dlaczego, zwłaszcza że po chwili buzia anioła znowu robiła się ładna i uśmiechnięta.

– Czy nie o to czasem chodzi, żeby nie wyszło na światło dzienne, ilu naprawdę miała kochanków? – spytałam w jakiejś chwili ostro. – A może jednak warto dociekać, dlaczego było ich tylu? Czego nie znalazła w miłości, czego jej zabrakło w życiu, że nie potrafiła zostać na dłużej z żadnym mężczyzną!

Kowerski spurpurowiał na twarzy, miał taką minę, iż myślałam, że mnie za chwilę uderzy. Postanowiłam to złagodzić.

– Poza tym to były takie czasy, że się żyło z dnia na dzień...

– Każdy ma prawo do prywatności, ona też – powiedział surowo. – I ja jej prywatności będę bronił.

Pokręciłam głową.

– Ona nie była zwyczajną osobą, lecz kimś wyjątkowym, wyrastającym ponad innych, a wy ją ściągnęliście z tej wyżyny... i zniknęła w tłumie, umarła naprawdę.

– Życia jej pani nie przywróci – mruknął.

– Życia nie, ale pamięć!

Po tradycyjnym trzykrotnym okrzyku w starym języku francuskim: ,,Słuchajcie! Słuchajcie!'' zasiadł przy stole sędziowskim kapelan; sędziemu nałożono na głowę czarny biret, po czym wygłosił on przewidzianą prawem formułkę mówiącą, iż oskarżony doprowadzony będzie do właściwego więzienia, tam ,,powieszony za szyję – póki nie wyzionie ducha". Gdy sędzia zakończył wyrok zgodnie z ustawą słowami: ,,Niech Bóg ma duszę twoją w swej łasce", Muldowney nagle zawołał: ,,Będzie on miał moją duszę w swej łasce!".

Londyn, ,,Dziennik Polski",
piątek, 12 września 1952

Wbiłam sobie do głowy, że tym, co przełamie pomiędzy nami lody, będzie nasz wspólny wyjazd na południe Francji. Może tam, gdy będziemy razem chodzić po jej śladach, przekonam pana Andrzeja, iż są warte utrwalenia... Zabrakło mi odwagi, aby wyjść z taką propozycją wprost, więc postanowiłam porozmawiać z nim przez telefon.

– Dziewczyno – odpowiedział prawie rozbawiony – co za szalony pomysł! Nie byłem tam od lat... ostatni raz z Krystyną na uroczystościach w Vercors, gdzie ją udekorowali wawrzynem...

– A co stoi na przeszkodzie, żeby tam pojechać teraz?

Roześmiał się w słuchawkę i czułam, że traktuje mój pomysł jako niedorzeczny.

– Panie Andrzeju – powiedziałam, starając się nadać głosowi ton powagi – przejechałam sporo kilometrów, naszukałam się przeróżnych ludzi, wysiedziałam się w bibliotekach, łykając tony kurzu... i wszędzie okazywano mi pomoc, a pan mi jej odmawia... A z Francją sobie nie poradzę. Słabo znam francuski, dużo lepiej czytam, niż mówię, i właściwie nie wiem, do kogo miałabym się zwrócić...

– A ja wcale nie znam francuskiego, tyle co z dzieciństwa, silwuple, mersi...

– Ale pan tam był i zna pan te wszystkie miejsca. I może panu łatwiej będzie trafić do właściwych ludzi. Wtedy ja już coś wydukam.

– Myśli pani, że któryś z tamtych gierojów jeszcze się ostał? A jeżeli nawet, toż to już stare pryki...

Rozprawa przy udziale oskarżonego trwała tylko trzy minuty. Po jego wyprowadzeniu adwokat Roger Frisby, za zezwoleniem sądu złożył oświadczenie następującej treści: ,,Przykrą cechą tej nieszczęśliwej sprawy jest szeroki rozgłos, jakiego nabrały już niektóre twierdzenia oskarżonego, złożone wobec policji; oświadczenia godzące w honor p. Krystyny Granville. Oświadczenia te i wyciągi z nich były opublikowane – dodam: bezprawnie – w gazetach całego kraju, sprawiając ból wszystkim tym, którzy znali p. Granville, a zwłaszcza członkom jej rodziny. Z polecenia jej rodziny i przyjaciół czuję się w obowiązku oświadczyć, że nie ma szczypty prawdy w twierdzeniach Muldowneya, jakoby łączyły go z p. Granville bliskie stosunki, jakoby miał on aferę miłosną z p. Granville. Dzięki uprzejmości rzecznika oskarżenia, p. Christmasa Humphreya, mogę też oświadczyć, że policja, która badała tę sprawę, jest również całkowicie przeświadczona, iż nie ma słowa prawdy w tego rodzaju twierdzeniach.

P. Granville pochodziła ze starej rodziny, znanej w jej kraju. Cały świat wie, że była ona dzielną kobietą i oddała swej przybranej ojczyźnie w czasie wojny usługi, których jej nie zapomnimy. Mam nadzieję, że dzięki tym moim uwagom pamięć o niej będzie w przyszłości tak czysta, jak było jej życie w przeszłości".

Adw. Christmas Humphrey przyłączył się do tego oświadczenia w imieniu dyrektora urzędu oskarżenia publicznego.

Londyn, „Dziennik Polski",
piątek, 12 września 1952

Jechaliśmy, a raczej pędziliśmy, to z pewnością odpowiedniejsze słowo, autostradą sportowym autem pana Andrzeja marki Porsche, jakżeby inaczej. Było upalnie i pan Andrzej opuścił dach, wiatr rozwiewał mi włosy.

– No jak, żyje pani? – spytał w pewnym momencie.

– Jeszcze żyję i proszę mi mówić po imieniu...

– Jeżeli tak, to i *vice versa*, ale ja jestem człowiek starej daty i potrzebuję do tego bruderszaftu, choćby napojem jabłkowym...

Ale kiedy zatrzymaliśmy się po drodze na kawę, zamiast napojów jabłkowych zamówił dwa koniaki i dodatkowo dla siebie piwo, bo ja nie chciałam. Skrzyżowaliśmy ramiona, pijąc do dna. A potem był siarczysty pocałunek w policzek, poczułam ostre ukłucia wąsów.

– Jesteś dziennikarką – zaczął.

– Byłam, wylali mnie... a poza tym czy dziennikarką... raczej włóczykijem, często nie rozpakowywałam plecaka...

– Aha, nosiło cię! – uśmiechnął się, wycierając wąsy, bo osiadła na nich piana.

- To była konieczność. Żeby rozmawiać z ludźmi, trzeba do nich dotrzeć. Czasami tego nienawidziłam, nie mogłam znieść widoku swojej twarzy o czwartej nad ranem w lustrze w dworcowej toalecie...

Chyba oboje pomyśleliśmy to samo. Że Krystyna też wędrowała z plecakiem i bywała zmęczona, a jeszcze polowano na nią jak na zwierzynę.

- A który z twoich reportaży uważasz za najważniejszy? – spytał.

Zastanowiłam się chwilę.

- Najdziwniejszy, tak bym to nazwała. Na dalekiej Syberii znalazłam dwoje ludzi żyjących pod ziemią, dosłownie, w wykopanej i nakrytej deskami norze. W komórce nad sobą trzymali kozę, ich jedyną żywicielkę. Oboje siwiuteńcy, bezzębni, z twarzami pomarszczonymi jak jabłuszka. Byli dobrze po dziewięćdziesiątce, a może przekroczyli już setkę, żadne z nich nie pamiętało daty swoich urodzin, tylko to, że kończył się wtedy tamten wiek. Odkryłam, iż dla nich ciągle miłościwie panuje w Rosji Mikołaj II. W swojej ziemiance oprócz ikony mieli jego portret.

- Szczęśliwi ludzie!

- Nawet bardzo. Ona, sprawniejsza od męża, chodziła zgięta wpół, bo tylko w takiej pozycji mogła się w swojej ziemiance poruszać i kości jej się zastały. Dreptała tak siedem kilometrów do sklepu albo po odbiór zapomogi, w jej przekonaniu od najjaśniejszego cara. Małżonkowie błogosławili go za to.

- No właśnie, ominęło ich piekło sowietyzmu.

Pokiwałam głową.

– Byli tak biedni, że już nic im nie można było zabrać. I tacy dobrzy, tacy bezgranicznie dobrzy – dodałam.

Andrzej zapłacił rachunek i ruszyliśmy dalej, przedtem jednak spojrzał na mapę.

– Mamy jakieś dwie godziny do mety – powiedział.

– Przy szybkości dwieście na godzinę?

– No... sto pięćdziesiąt.

Patrzyłam na umykające w tył przydrożne drzewa, krajobraz zmieniał się w oczach, stawał się coraz bardziej pofałdowany, co wskazywało na to, iż zbliżamy się do płaskowyżu Vercors.

– Czego naprawdę Krystyna tam dokonała?

– Wiele dokonać nie mogła – odrzekł. – Vercors to było takie miejsce jak Warszawa, jak ona skazane na zagładę... Ich historia jest nieco podobna: w Warszawie powstanie, aby wygonić Niemców przed nadejściem Rosjan, a Vercors... no cóż, pośpieszyło się ze świętowaniem...

Krystyna wróciła z wyprawy do Włoch, przenosiła tam meldunki. To wtedy właśnie obłaskawiła hitlerowskie wilczury, i nie zdążyła nawet zdjąć swoich solidnych, przysposobionych do chodzenia po górach butów... Ja te buty znam, bo zachowało się zdjęcie z jednej z jej górskich wypraw i ,,Observer", pisząc o Krystynie, właśnie tę fotografię zamieścił. Oglądaliśmy ją razem z Arkiem.

– Zwróć uwagę, jak ona siedzi – powiedział. – Ile w tym erotyzmu...

Siedziała obejmując kolana dłońmi i uśmiechała się do obiektywu. W tytule artykułu zawarte było sformułowanie: *woman pimpernel*.

– Co to jest *pimpernel*? – spytałam Arka, ale on też nie wiedział, więc zajrzeliśmy do słownika. Niestety nie znaleźliśmy tego hasła w edycji angielsko-polskiej, dopiero w Oxford Advanced Learner's Dictionary, ale wyjaśnienie dotyczyło jakiejś rośliny.

Pimpernel-small annual plant growing wild in wheatfields and on waste land, with blue or white flowers.

– To mi wygląda na chaber – powiedział Arek po chwili wahania. – Chaber, na pewno!

– Chaber to chwast... – powiedziałam ze zgorszeniem.

Uśmiechnął się.

– No tak, ale ładny... to taki ładny kwiatek, a przy tym wytrzymały, trudno go wyrwać z ziemi.

Więc Krystyna zdejmowała właśnie te swoje słynne buty, kiedy wpadł Roger i powiedział:

– Zbieraj się, jesteśmy zaproszeni na defiladę!

Pomyślała, że od upału pomieszało mu się w głowie.

– No co tak patrzysz?! Dzisiaj czternasty lipca, ich narodowe święto... Defilada jest w Die...

– Co ty opowiadasz!

– To, co słyszysz. Będzie nabożeństwo, a potem dekoracja bohaterów Vercors...

– A co na to Niemcy?

Roger potrząsnął głową, jakby mucha latała mu przed nosem.

– Też im to mówiłem, ale spróbuj ich powstrzymać!

Kiedy wjeżdżali do Die, Krystyna nie mogła uwierzyć własnym oczom. Średniowieczne mury miasta udekorowane były francuskimi flagami, a na rynku, jakby nigdy nic, maszerowały oddziały partyzanckie z Drôme i Vercors. Spóźnili się, msza już się odbyła i rozpoczęła się defilada. Ale zaraz wciągnięto ich na trybunę. Niestety, już po południu do Die zaczęły docierać odgłosy wybuchów. Nikt z zebranych w miasteczku nie wiedział, że w przeddzień święta narodowego Francji zapadł wyrok na wsie i miasteczka Vercors. Luftwaffe bombardowała je teraz dzień i noc, na niebie zaroiło się od spadochronów, ale nie przybywali na nich wybawcy.

Wszystko dookoła zamieniało się w ruiny, od bomb zapalających zajmował się dom po domu. Jeden ze świadków tego zniszczenia opisał to w sposób dość zaskakujący, więc albo był kimś po drugiej stronie barykady, albo poetą: ,,Kościół w Vassieux po prostu pękał od rozsadzającego go żaru. Nigdy nie widziałem równie pięknego obrazu, jak te płomienie ogarniające belkowanie dachu i rozświetlające chór, jakby po raz ostatni chciały uświetnić celebrowanie na ołtarzu ofiary. Uskoczyliśmy w dół z wysokiego dziedzińca kościoła w ostatniej chwili, gdy runęło belkowanie, wzniecając miliony czerwonych iskier, które rojem uleciały w niebo...".

Vassieux... tam właśnie Krystynę zaskoczyło bombardowanie, może i ona oglądała pożar kościoła, ale co wtedy sobie myślała, trudno powiedzieć, jeszcze nie mogła robić takich porównań, jak później Andrzej, bo powstanie w Warszawie miało wybuchnąć dopiero za dwa tygodnie... Teraz wraz z obrońcami miasta wycofywała się krok po kroku. Mimo że walki toczyły się niemal o każdy kamień, Niemcy nieubłaganie wdzierali się w głąb miasta, które poddało się pod wieczór. Krystyna wraz z grupką obrońców znalazła się poza obrębem murów. Dotarła na swoją kwaterę skrajnie wyczerpana, z usmoloną twarzą i opalonymi rzęsami. W nocy odnalazł ją tam Roger.

– Rano się wycofujemy – powiedział. – To koniec.

– I zostawimy ich wszystkich na pastwę losu?

– To wojna – uciął. – Mamy rozkaz się wycofać.

Krystyna spojrzała na niego mało przyjaźnie.

– Nie zależy mi, by chronić własny tyłek.

– Nie własny, tylko oficera SOE. Nie należysz już do siebie, jesteś trybikiem w tej całej machinie i nie możesz robić, co ci się podoba, ale to, czego się od ciebie wymaga.

Z samego rana wyruszyli z przewodnikiem, który obiecał ich wyprowadzić za niemiecki kordon. Twierdził, że zna takie przejścia, o których nie wiedzą nawet górskie kozice. I dotrzymał słowa, po kilku godzinach marszu byli już bezpieczni. Przed zejściem w dolinę Drôme Krystyna przystanęła i rzuciła okiem za siebie. W dole roztaczał się widok na masyw vercorski i można było gołym okiem ocenić cały ogrom zniszczeń, jaki się w ciągu tych kilku dni dokonał. Gdzieniegdzie jeszcze dogasały pożary, języki ognia układały się jak grzebienie kogutów. Błyskały pociski artyleryjskie, skierowane ku ostatnim obrońcom Vercors.

A teraz z Andrzejem Kowerskim wjeżdżaliśmy do miasteczka o tej nazwie. Usiedliśmy na rynku pod parasolami i zamówiliśmy coca-colę z lodem. Po chwili kelner przyniósł nam wysokie szklanki ze słomką w środku i zaczepionym na niej plasterkiem cytryny. Bez większej nadziei na pozytywną odpowiedź spytałam, czy wie, gdzie mieszkała Miss Pauline. Od razu wskazał mi narożny dom.

– Widzi pani to okno na drugim piętrze? To było jej okno...

Z triumfem spojrzałam na Kowerskiego.

– Więc chyba nasza wyprawa ma sens?

– Miała od początku – odrzekł.

Mimo zmęczenia postanowiliśmy pochodzić po mieście. W czasie wojny musiało wyglądać inaczej, ale ja miałam poczucie, że to jest miejsce, w którym mogłybyśmy się spotkać... A gdybyśmy się rzeczywiście spotkały? Gdybym ją nagle zobaczyła idącą naprzeciw? A czy jej nie zobaczyłam... Może miasto w moim śnie to było właśnie Vercors... ulica, po której teraz idziemy, jest podobna do tamtej ze snu... Chciałam spytać Kowerskiego, co za opowieść krąży o Krystynie. On znał Krystynę najlepiej i mógł potwierdzić ten fakt albo mu zaprzeczyć. Ale jak go o coś takiego spytać? Niestety, zabrakło mi odwagi. Zadałam mu więc całkiem inne pytanie:

– Czy Krystyna lubiła tańczyć?

Odpowiedział bez zastanowienia:

– Chyba nie.

– A czy tańczyła?

– Nigdy nie widziałem jej tańczącej...

Przystanęłam pośrodku chodnika.

– Nie tańczyliście razem?

Zaprzeczył ruchem głowy.

– Nawet wtedy, kiedy chodziliście po knajpach w Budapeszcie?

– Nawet wtedy.

– Ale chyba ktoś ją prosił do tańca.

Roześmiał się.

– Krystyna znała tysiąc sposobów, aby wykręcić się od tego, czego nie lubiła...

Chwilę szliśmy obok siebie w milczeniu.

– Ciągle słyszę, że była taka kobieca... więc na czym jej kobiecość polegała, skoro nie cierpiała tego, co inne kobiety uwielbiają. Nie malowała się, nie nosiła błyskotek, nawet nie lubiła tańczyć... – I w jaki sposób uwodziła tych wszystkich facetów, uzupełniłam w myślach, przecież najłatwiej tego dokonać w tańcu... – W dodatku nie znosiła alkoholu, który podobno zbliża ludzi...

Andrzej uśmiechnął się takim uśmiechem, jakby ją nagle zobaczył, czy raczej pomyślał, że mógłby ją tutaj zobaczyć.

– Kobiecość to jest dar od Boga. I ona go miała...

Zgodnie z obietnicą, zatelefonowałam z Vercors do Arka. Pewnie go obudziłam, tak późno wracaliśmy do hotelu z Andrzejem.

– Ewa? – wyraźnie ucieszył się, że mnie słyszy. – Wyśledziłem tego *pimpernela!*

– Jakiego *pimpernela?*

– No jak to? Nie pamiętasz tego artykułu o Krystynie w ,,Observerze"? *Woman-pimpernel!*

– Ależ tak, pamiętam – przyznałam ze wstydem. –
No i co?

– To, że nie chodziliśmy do szkoły w Anglii i to się
mści. *Pimpernel* w dosłownym tłumaczeniu znaczy
,,kurzy ślad"!

– Co ty opowiadasz, to bez sensu...

– Wcale nie bez sensu, bo Scarlet Pimpernel był
osiemnastowiecznym angielskim rozbójnikiem, nie do
pochwycenia, udawało mu się wymknąć z każdej obła-
wy. Nie zostawiał śladów, rozumiesz, albo jeżeli, to
jakiś kurzy ślad, stąd jego przezwisko... Więc to aluzja
do konspiracyjnych zdolności Krystyny, ona też była
nie do pochwycenia, pozostawiała za sobą niejasne,
,,kurze ślady".

– Więc dlaczego słownik oksfordzki tego nie podaje?

– Bo przeznaczony jest dla cudzoziemców i traktuje
rzecz skrótowo.

Zastanowiłam się nad tym.

– Wiesz... to takie typowe, nic w jej sprawie nie jest
jasne, ciągle jakieś znaki zapytania. Także tutaj, we
Francji... Czasami mi się wydaje, że dobrze ją znam, że
ją rozumiem, i w jednej chwili się to zmienia, ona staje
się kimś innym...

– Ale pomyśl, jaki to ciekawy materiał!

W dniu 21 czerwca pochowano w Londynie ś.p.
Krystynę Skarbek-Granville, która padła ofiarą

zwykłego morderstwa. Na miejsce wiecznego spoczynku odprowadziły ją rzesze Polaków i Brytyjczyków; jej koledzy i znajomi, delegacje, przedstawiciele władz wojskowych polskich i brytyjskich. Generalnego Inspektora Polskich Sił Zbrojnych reprezentował generał Stanisław Kopański. Wśród kwiatów leżały wysokie odznaczenia zmarłej. Od wielu dni prasa całego świata rozpisywała się o jej zasługach, dowiadując się nieraz ze zdumieniem, że kobieta zamordowana w londyńskim hotelu jest postacią na miarę Lawrence'a, asem wywiadu ostatniej wojny. Inteligencja i umiejętności, jakimi się wykazała w tej ciężkiej służbie, idą w parze z niesłychanym bohaterstwem osobistym, bohaterstwem, wobec którego wszystkie utwory literackiej fikcji bledną i stają się nieciekawe.

Londyn, ,,Orzeł Biały", 5 lipca 1952

Zjeździliśmy z Andrzejem wszystkie te miasteczka, w których Krystyna działała. Vassieux, Seyne, Digne... pokazano nam więzienie, gdzie przetrzymywano Rogera, Fieldinga i Chasuble'a. Uparłam się, aby dotrzeć także do słynnej stodoły za rogatkami, przy której Krystyna na nich czekała, albo chociaż do miejsca, gdzie kiedyś ta stodoła stała. Drewniana? Murowana? Ale było nie do odnalezienia, bo miasto się zmieniło... Jednakże w Digne trafiliśmy do kobiety, którą Krystyna trzymała do chrztu. Jej ojciec współpracował ściśle z Rogerem i Krystyną i potwierdził coś, co uważałam raczej za anegdotę niż za prawdziwe wydarzenie. Otóż wiadomo było, że Krystyna nie chciała nosić broni. Ale zawsze miała przy sobie granaty, wierząc w ich skuteczność. Oni, stare wygi, się z niej podśmiewali, że się z nimi nosi jak kura z jajkiem. Rewolwer to rewolwer, zawsze można wystrzelić.

– A potem wystrzelą do ciebie! – odpowiadała.

I któregoś dnia zatrzymał ich patrol boszowski, żądając okazania dokumentów. Jeden żandarm ich legitymował, a ci z tyłu już zdejmowali karabiny z pleców. Dobrze wiedzieli, kogo mają przed sobą. Któryś z nich wrzasnął na Krystynę, żeby podniosła ręce do góry, bo trzymała je w kieszeniach.

Podniosła, ale w każdej miała odbezpieczony granat. Potem wszystko rozegrało się bez jednego słowa. Żandarmi oddali dokumenty, wsiedli na swoje rowery i odjechali.

A więc kolejni mężczyźni, którym uratowała życie – pomyślałam, była wśród nich jedyną kobietą.

Andrzej musiał myśleć podobnie, bo poprosił, abym spytała Francuza, czy córkę spłodził przed tym faktem czy po fakcie.

– Po, i to zaraz po – odrzekł.

Chrzciny odbyły się w rocznicę bitwy vercorskiej, gdy Krystyna tu przyjechała.

– No to była prawdziwą matką chrzestną – powiedział Andrzej i nagle uderzył się dłonią w czoło: – Przecież ja wtedy byłem razem z nią! I nawet pamiętam, jak się to wszystko odbywało. Tylko że ona trzymała wtedy kilkoro dzieci do chrztu, ale reszta to chłopcy.

Ostatnie miejsce zachowałam na koniec. Fort Roche-la-Croix.

– Chcesz się tam naprawdę wspinać? – spytał Andrzej.

– To dla mnie ważne.

Wyruszyliśmy samochodem drogą prowadzącą wzdłuż doliny rzeki Ubaye; była wąska, pełna kamieni i w dodatku bardzo kręta, bo układała się w serpentynę, a Andrzej jechał, moim zdaniem, zbyt szybko. Nie wiedziałam, jak go poprosić, aby zwolnił. Ja go na tę wyprawę namówiłam i nie powinnam grymasić, ale ta rzeka w dole... Potem było jeszcze gorzej, bo jechaliśmy drogą wykutą w skale i tak samo krętą. Wreszcie samochód stanął na platformie skalnej, tu droga się kończyła. Dalej można było się tylko wspinać na własnych nogach i kiedy spojrzałam w górę, zrobiło mi się trochę głupio. Ja sama nie byłam pewna, czy dam radę po tej stromiźnie się wdrapać, co więc mówić o starszym panu, który w dodatku zamiast jednej nogi miał protezę.

– Trochę wysoko – rzekłam niepewnie.

– Co tam, idziemy – odparł.

Na szczęście nie musieliśmy się wspinać w linii prostej, o czym początkowo myślałam, tylko trawersem. Ścieżka była co prawda kręta i dość stroma, ale mogliśmy się po niej poruszać, zachowując równowagę. Czasami przytrzymywaliśmy się gałęzi, kiedy robiło się bardziej stromo. Od czasu do czasu zadzierając głowę, sprawdzałam, czy betonowe mury fortu chociaż trochę się przybliżyły. Po mniej więcej godzinie zrobiliśmy sobie mały odpoczynek i Andrzej, mocno czerwony na twarzy, siedząc na kamieniu i wycierając włosy i kark chustką, opowiedział historię innej swojej wspinaczki. Właśnie tę, w której kluczową rolę odgrywało hasło: ,,Czy mogę dostać mleka z miodem?''.

Ruszyliśmy dalej i po niedługim czasie znaleźliśmy się w okopie otaczającym fort. Był porośnięty wysoką, pokładającą się trawą i drzewami, których rozrośnięte korzenie wystawały gdzieniegdzie jak zakrzywione szpony. Uczucia niesamowitości dopełniały betonowe, pokryte zielonkawym mchem mury. W dole zaś rozciągał się widok na pofałdowane pagórki, doliny, przełęcze, wyraźnie widać było wijącą się nitkę rzeki.

– O tam, to jest przełęcz de Larche – powiedział Andrzej. – A tamta droga prowadzi do włoskiej granicy...

Ale większe wrażenie zrobił na mnie sam fort. Kolos, jeszcze teraz wyglądający groźnie, mimo że z wolna zamieniał się w ruinę. Poniżej miejsca, gdzie staliśmy, zauważyłam rozległą betonową płytę z dziwnymi kopułami.

– Co tam było? – spytałam.

– Pewnie działa broniące dostępu do fortu – odpowiedział.

– Działa Navarony...

Przypomniał mi się ów słynny film o komandosach, których zrzucono do Grecji, aby rozbroili działa ukryte w grocie, nie można ich było bowiem zniszczyć ani z powietrza, ani z morza. W roli dzielnych komandosów wystąpili znani aktorzy: Gregory Peck, Anthony Quinn, David Niven. Udało im się dokonać czegoś, co wydawało się niemożliwe, tak samo jak jej, mimo że działała w pojedynkę. Musiałam się tutaj znaleźć, aby docenić wagę tego wyczynu.

– A Krystyna? Gdzie się wtedy ukrywała?

Andrzej się rozejrzał.

– Chyba tam – wskazał miejsce za załomem muru – przynajmniej ja bym się tam rozlokował, bo byłbym niewidoczny i miałbym dobry punkt obserwacyjny.

Ruszyliśmy w tamtą stronę, to znaczy mieliśmy zamiar, bo ja zaczepiłam o coś nogą i byłabym upadła, gdyby Andrzej mnie nie podtrzymał.

– To z emocji – powiedziałam.

Po chwili znaleźliśmy się za tym załomem i rzeczywiście ujrzeliśmy plac, na którym kiedyś odbywały się apele, nawet maszt pośrodku przetrwał, nie było tylko na nim flagi.

– Tam jest to ogrodzenie! – zawołałam i pobiegłam, jak kiedyś ona. Ale nie dałam rady go pokonać, było zbyt wysokie, przeżarte rdzą, miejscami odpadały całe jej płaty, wyglądające jak zastarzałe ślady krwi. Bezradnie przystanęłam i obejrzałam się na Andrzeja, czekając, aż do mnie dołączy.

– Jak przeszła na drugą stronę, mając jeszcze w ręku megafon? – spytałam bezradnie.

Uśmiechnął się.

– Była bardzo sprawna fizycznie.

– Ale przecież do tego dochodziły nerwy...

I nagle zobaczyłam całe tamto wydarzenie. Tych volksdeutschów zgromadzonych na wieczornym apelu i ją, jak do nich przemawia:

– Rodacy! Żołnierze polscy, porzućcie wrogie mundury...

Czy to wszystko naprawdę się tu działo, czy ona tego dokonała, rozbroiła cały garnizon...?

W drodze powrotnej do Monachium zniknęły resztki skrępowania, jakie wobec siebie odczuwaliśmy. Może to wyprawa do fortu nas do siebie zbliżyła, w końcu kosztowała sporo wysiłku, przede wszystkim była dla nas obojga wielkim przeżyciem. W każdym bądź razie Andrzej zaczął mi opowiadać rzeczy coraz bardziej osobiste. Miałam wrażenie, że od dawna czekał na kogoś takiego jak ja, że gromadzone latami wątpliwości, żal, niepewność, wreszcie poczucie winy, teraz mogły znaleźć ujście.

– Czy tak się musiało stać? Czy mogłem temu zapobiec? Gdybym nie zbagatelizował jej obaw, być może by jeszcze była z nami... Przecież tuż przed moim wyjazdem z Londynu mówiła, że się tego kundla boi, że coś niedobrego czai się w jego oczach...

– Nie mów „kundel" o człowieku.

– Dla mnie to był kundel! Nadawał się tylko do tego, żeby warować na jej słomiance, i na to mu pozwalałem... Sądziłem, że jeżeli kogoś, to raczej mnie dziabnie w kostkę...

– Andrzej, tak nie wolno mówić o człowieku – powtórzyłam, ale było to bezcelowe. W tej jednej sprawie nie mogliśmy dojść do porozumienia: ilekroć w naszej rozmowie padało nazwisko Muldowneya, zmieniał się na twarzy, a w jego oczach pojawiała się pogarda wymieszana z nienawiścią. Widać było, że nadal nie może tamtemu wybaczyć, chociaż minęło tyle lat, ale nie mógł też wybaczyć sobie.

Spytałam go, czy tamtego dnia, którego Krystyna miała wyjechać z Londynu, ale nie wyjechała, bo została zamordowana, czy tamtego dnia jechała do niego.

Długo milczał, a potem powiedział:

– Nie, ona potrzebowała zmiany, poza tym chciała się odczepić od tego szmaciarza. Mieliśmy się spotkać, by się wspólnie zastanowić, co będzie dalej robiła...

Krystyna miała prawdziwy problem, co począć z Dennisem, jak mu dać do zrozumienia, że ich romans, który tak gwałtownie się zaczął na statku, po prostu się skończył. Tak się zaczynały i kończyły wszystkie jej romanse, któregoś dnia zwyczajnie znikała... Tym razem nie było to jednak możliwe, bo Muldowney uporczywie się jej trzymał, podążając za nią krok w krok. Nie mając wyjścia, przedstawiła go reszcie paczki, z którą przesiadywała w Klubie Orła Białego, Ludwikowi Popielowi i innym, bo Andrzej już go znał. Wzięła Dennisa za mankiet, podprowadziła do stolika i oznajmiła zebranym:

– To jest Dennis Muldowney, bądźcie dla niego wyrozumiali. Jest czuły i bardzo ambitny...

Londyn, 12 marca 1952
Głupio jakoś wyszło z tym D.M., sądziłam, że on czuje tak jak ja, że się cieszy chwilą i że kiedy ta chwila przeminie, będzie żył jak przedtem, a on się na mnie zawiesił. Patrzy na mnie zaborczo, jak na swoją własność, a ja się zawsze bałam takich uczuć. Bo one skazują człowieka na jakąś ciągłość. W moim wypadku ta ciągłość została zerwana, nie mam czego przedłużać, za moimi plecami jest pustka. Więc niech mi D. nie zawraca głowy...

Dlaczego ciągle uciekała, dlaczego, jak inne kobiety, nie chciała mieć dzieci? Jako młoda dziewczyna napisała: „Ja jestem z tego miejsca", mając na myśli rodzinny majątek w Trzepnicy. Gdyby mogła tam zostać, pewnie jej życie potoczyłoby się inaczej, ale nie mogła. A pomysły stworzenia jakiejś namiastki Trzepnicy zawsze były nierealne. Hodowanie koni w Kenii, ściągnięcie tam Andrzeja...

– Co ona sobie wymyśliła – rzekł, jeszcze po latach się z tego śmiejąc. – Chciała, żeby mi się mózg zagotował w tych tropikach!

Nie, chciała żyć jak inni...

"Miałem z nią romans... Rzuciła mi wyzwanie, bym ją zabił..."
ZEZNANIA O MOTYWACH ZABÓJSTWA
K. SKARBEK
Muldowney stanie przed sądem na jesieni.

Dennis George Muldowney, portier, który podał jako swój adres Pall Mall w Westminster, stanął wczoraj przed sądem policyjnym zachodniego Londynu, posądzony o zabójstwo Krystyny Skarbek-Granville. Jeden z przesłuchanych wczoraj świadków, główny inspektor Jennings, podał sądowi, co następuje: "O godzinie 2.45 po północy ujrzałem oskarżonego w hotelu Shelbourne. Zbliżyłem się do niego, przedstawiając się jako inspektor policji, ale Muldowney nie dał mi dojść do słowa. Przerwał mi krzycząc histerycznie: «Zabiłem ją... skończcie z tą komedią... Zabierzcie mnie stąd». Uspokoiłem go, jak umiałem, po czym złożył na moje ręce następujące oświadczenie: «Poznałem Krystynę rok temu... Pływaliśmy na jednym statku... Dała mi do zrozumienia, że mnie kocha. Ale był jeszcze on, czekał w Londynie na dworcu morskim. Powiedziała, że to jej kuzyn. Ale wszędzie chodziliśmy we trójkę... Kiedy robiłem Krystynie wymówki, kilka razy rzekła ze śmiechem: to mnie zabij... I wtedy pomyślałem, że to mogłoby być możliwe...»"

Dalej jego oświadczenie miało brzmieć, jak następuje:

„Poszedłem do kina z Krystyną i z owym człowiekiem, a z zachowania się jej wobec niego nabrałem przeświadczenia, że jest między nimi coś więcej. Pomyślałem wtedy, że ona robi ze mnie głupca. Po seansie kinowym oboje odprowadzili mnie na statek. Pocałowała mnie na pożegnanie i przyrzekła, że będzie pisać do mnie, do każdego portu. W czasie całej podróży nie otrzymałem od niej znaku życia. Dopiero w Cape Town odebrałem list polecony. Pisała w nim, że dostała pracę na kontynencie i że życzy mi powodzenia..."

Londyn, „Dziennik Polski",
środa, 2 lipca 1952

To Andrzej wpadł na ten pomysł. On właśnie poradził Krystynie, aby po cichu załatwiła sobie przydział na inny statek i powiedziała o tym Dennisowi w ostatniej chwili, kiedy nie będzie mógł się już wycofać z rejsu. A potem mu napisze: do widzenia, żegnaj... Przez te kilka miesięcy zdąży to przetrawić i oswoić się z myślą, że nie ma już u Krystyny czego szukać. Była to najgorsza taktyka z możliwych, bo przez czas rozłąki w Dennisie narastała tęsknota i gorycz, że ona go podeszła w taki sposób, że go oszukała. Więc po powrocie do Londynu, idąc na spotkanie z Krystyną, wziął ze sobą nóż, ale nie wiedział jeszcze, czy chce ją tylko postraszyć, czy zabić...

Jak upłynął jej ostatni wieczór? Nie da się tego odtworzyć. Istnieją dwie wersje. Według jednej, spędziła go w „Marynce", w której niegdyś usługiwała, a odprowadzał ją pod hotel Ludwik Popiel, dorównujący jej niezwykłymi wyczynami.

Stali jeszcze chwilę przed wejściem do hotelu, a potem Popiel pożegnał się i odszedł. Gdyby okazało się to prawdą, byłby ostatnią osobą, poza mordercą, która widziała Krystynę żywą. Mogło być prawdą... w książce pani Masson zamieszczono zdjęcie całej trójki przed hotelem Shelbourne: Popiel, Kowerski i Krystyna, w rozpiętym płaszczu, pochylona nad psem, owczarkiem alzackim, należącym chyba do Andrzeja, bo on jeden miał odpowiednie warunki do trzymania psa, ale czy woziłby go ze sobą z Niemiec do Anglii i z powrotem? Z pewnością nie był to pies Krystyny, więc może należał do Ludwika, ostatniego człowieka, z którym wymieniła swoje myśli. Oboje nie byli tego świadomi, stojąc tak i gawędząc przed hotelem, jak na fotografii. Tym razem jednak zabrakło tego trzeciego, Anioła z wąsami, jak go w myślach przezwałam. Gdyby się tam wtedy znalazł, być może zmieniłby bieg wydarzeń...

Według drugiej wersji, Krystyny wcale nie było w „Marynce", a towarzyszył jej jakiś nieznajomy mężczyzna, z którym dość długo rozmawiała przed wejściem do hotelu, śmiejąc się i przekomarzając z nim, jak to ona. Czy to był ktoś zupełnie przypadkowy, czy też kandydat na nowego kochanka... Nie wiedział tego prawdopodobnie również Dennis, ukryty za rogiem i obserwujący całą scenę. Krystyna miała co prawda nazajutrz wyjechać, ale to w końcu żadna przeszkoda, mogła się z nim umówić na kontynencie. A może on nawet był powodem jej decyzji opuszczenia Anglii? Kimkolwiek był ów tajemniczy mężczyzna, najgroźniejszym rywalem Dennisa był Andrzej. Nie ufał zapewnieniom Krystyny i uważnie śledził tych dwoje. Skoro doszedł do wniosku, że ich coś jednak łączy, to pewnie miał rację. A może się mylił? Może te czułe gesty i spojrzenia, które Andrzej i Krystyna między sobą wymieniali, wynikały tylko z przyzwyczajenia, w końcu spędzili razem wiele lat. Dla kogoś z zewnątrz mogło to być bardzo mylące. A Dennis był kimś z zewnątrz, nigdy nie został zaakceptowany przez „paczkę" Krystyny. Łaskawie pozwolono mu siedzieć w kącie i przysłuchiwać się rozmowom, których nie rozumiał, bo prowadzone były po polsku. Nie zrozumiał też ostatniego słowa, które Krystyna wypowiedziała umierając. Tak bardzo pragnął, aby ktoś mu je przetłumaczył, ale nikt nie chciał go wysłuchać. Prosił o to w więzieniu, błagał, aby pozwolono mu choć na chwilę zobaczyć się ze świadkiem zabójstwa, portierem z hotelu Shelbourn, który był Polakiem i mógł to słowo zrozumieć. Przecież on ostatni nachylał się nad Krystyną. Dennis zapamiętał tylko powtórzone przez niego kilkakrotnie: „Co?".

Londyn, 15 czerwca 1952
Boże, co za upał, po powrocie do hotelu otworzyłam okno i mimo że jest już wieczór, parno jak w łaźni. Chyba nawet trochę pada, ale zamiast deszczu unosi się w powietrzu wilgotna zawiesina. Gorąco w całej Europie, wyczytałam, że w Polsce jest

30 stopni, a w Paryżu nawet 44! Wygląda na to, że pakuję się do wrzącego garnka. Lubię się wygrzewać, nie powiem, ale w innym klimacie. Na południu jest zawsze ten zbawczy wiatr, a tutaj po prostu można się usmażyć. Szczególnie w tym grajdole, jakim jest Londyn. Wcale nie żałuję, że daję stąd nogę. Może już nawet więcej tutaj nie wrócę... Opuszczam cię, piekielne miasto, i obiecuję więcej ci się nie naprzykrzać. A w testamencie zaznaczę, żeby mnie pochowano jak najdalej od ciebie. Jak to sobie wszystko teraz ułożę... zobaczę. Z pewnością każda zmiana ma w sobie trochę ryzyka, ale ja lubię ryzyko. Wszystko jest lepsze od tego mętnego londyńskiego bajora. Na mieście taki smog, że nie widać nic na pół metra. Niemal po omacku tutaj dotarłam.

(Dotarła do hotelu, więc może wróciła sama, może nikt jej nie odprowadzał? Chyba że odprowadzający był kimś tak mało ważnym, iż nie poświęciła mu uwagi – E.K.)

No i D.M. Oczywiście dopadł mnie, i to w ostatniej chwili, bo jakby zjawił się jutro, już by mnie nie zastał, ale on koniecznie chce komplikować mi życie. Co mi wtedy strzeliło do głowy? Powinnam sama siebie wytargać za uszy. On jest jak dziecko. Nawet mi go trochę żal, gdybym mogła to wszystko odkręcić... ale niestety się nie da. Wpatruje się we mnie tak, aż mi ciarki chodzą po plecach. Dobrze, że się stąd wynoszę. Będzie musiał się z tym pogodzić, jak M.D. na przykład. Też mu obiecałam, że do niego wrócę... Przecież to się tylko tak mówi. I nikt tego nie bierze dosłownie...

Otóż to, tu ją chyba mam, tę umykającą Krystynę. Zapadło mi w pamięć czyjeś zdanie: „Przechyli główkę i jak coś palnie, to człowiek nie wie, czy się z ciebie nabija, czy na ciebie leci...". Ale Dennis Muldowney chciał to wiedzieć na pewno.

Czekając na wykonanie wyroku w swojej celi w więzieniu Pentonville, odmawiał właściwie wszystkiego: nie chciał rano wstawać ani się przebierać. Do nikogo nie napisał listu i nikt nie napisał do niego. Odmówił nawet księdzu, który chciał go wyspowiadać. Nie miał też żadnego ostatniego życzenia, na przykład, aby móc wypalić papierosa. Kiedy w środę 30 września 1952 roku prowadzono go na szubienicę, powiedział tylko jedno zdanie: *To kill is the final possession!*

Przyszedł tu do mnie na górę ze swoimi żalami. Dlaczego go okłamałam. „Więc mnie zabij" – powiedziałam ze złością. A on na to: „Dobrze, zabiję cię". Zaczęłam się śmiać i myślałam, że mnie uderzy. Ale po prostu odwrócił się i wyszedł. I krzyżyk na drogę.

Już bardzo późno. Mój ostatni dzień w Londynie się kończy. Powinnam się położyć przed jutrzejszą podróżą, ale zawsze tak jest, że jeżeli nie zanotuję chociaż paru zdań, nie mogę zasnąć. Ktoś puka. To pewnie znowu ten nieznośny Muldowney. Tyle razy mu mówiłam, żeby dał mi święty spokój...

Ale to nie był Muldowney, lecz portier, który odnalazł klucz od schowka pod schodami, gdzie Krystyna trzymała jakieś swoje niepotrzebne rzeczy. Chciała rzucić na nie okiem, żeby wiedzieć, czy czegoś nie kazać sobie potem dosłać. Zamarudziła tam trochę, nieświadoma, że Dennis czai się w ciemnościach holu. Dopadł ją, gdy była już na pierwszym stopniu schodów.

– Nie zostawiaj mnie – wyrzekł z rozpaczą.

– Odejdź! – krzyknęła. – Daj mi żyć!

Ale tego żądania nie potrafił spełnić, wyjął nóż i uderzył. Wszystko stało się tak szybko. Portier zeznał potem, że sądził, iż Krystyna się potknęła i spadła ze schodów. Dopiero krzyk Muldowneya poderwał go na nogi. Kiedy tam dobiegł, zobaczył ją na ziemi z nożem w piersi. Pochylił się, a ona chciała coś powiedzieć, ale usta jej drżały. Cała jej twarz dygotała. W końcu jednak usłyszał szept:

– Przepraszam...

To musiało być skierowane do Dennisa, bo nie mogło być skierowane do nikogo innego, ale nikt mu tego nie przekazał. Domagał się tego, a kiedy zrozumiał, że to daremne, sięgnął po buteleczkę z białym proszkiem i chciał jej zawartość wsypać sobie do gardła. Nie pozwolono na to, wykręcono mu ręce. Ktoś już dzwonił po policję. Okazało się, że była to aspiryna.

Bardzo mnie to dziwiło, ten błyskawiczny wyrok, wyrok po trzech minutach, opierałam się jednak na tym, co pisały gazety, a gazety czasami przeinaczają fakty dla lepszego efektu. Postanowiłam więc pogrzebać w archiwum, w sprawozdaniach sądowych i meldunkach ze Scotland Yardu. Arek mi to odradzał, twierdził, że stracę zbyt dużo czasu.

– To przecież nie jest takie istotne – przekonywał – to nawet nie dotyczy bezpośrednio Krystyny, a poza tym nie piszesz jej biografii, tylko powieść o niej. Możesz koloryzować.

– Ale nie chcę koloryzować. Chcę przekazać całą prawdę...

Urwałam przypomniawszy sobie, co powiedział pan L. Powiedział, że prawdy o sobie ona sama chyba nie znała, bo... miała skłonność do ubarwiania rzeczywistości. No dobrze, skoro więc nie jest możliwe odkrycie całej prawdy, to powinnam chociaż jak najbardziej się do niej przybliżyć. Tyle już rzeczy mi się udało ustalić, tyle innych potwierdzić. Nawet dotarłam do dawnego portiera z hotelu Shelbourn i przepytywałam go jak sędzia, czy ona na pewno powiedziała to słowo, a może inne?

– Stary już jestem – odparł, siedzieliśmy na ławeczce w ogródku za domem, mieszkał teraz u córki pod Londynem – ale tego jej szeptu nigdy nie zapomnę. Powiedziała ,,przepraszam" i zaraz jej oczy poleciały pod powieki, tylko białka było widać...

– To słowo trudne do wymówienia...

– Zależy dla kogo – odrzekł nie bez racji – dla Anglika może by i było trudne, ale dla Polaka to zwyczajnie...

Przesiedziałam w centralnym archiwum sądowym dobre kilka dni i wreszcie dotarłam do interesującego mnie materiału, u Anglików nic nie ginie. Był to stenogram z rozprawy Muldowneya.

Sędzia: Jesteś oskarżony o morderstwo. Doszło do mojej wiadomości, że rezygnujesz z obrońcy i zamierzasz przyznać się do winy. Czy tak jest istotnie?

Muldowney: Tak jest.

Sędzia: Radziłbym ci zgodzić się na obrońcę.

Muldowney: Za nic na świecie.

Sędzia: Czy zdajesz sobie sprawę z konsekwencji tej decyzji?

Muldowney: Zdaję sobie doskonale sprawę i przyznaję się do winy...

Ale czy aby na pewno Dennis George Muldowney zdawał sobie sprawę, co się naprawdę wydarzyło wieczorem 15 czerwca w hotelu Shelbourne? To raczej ona, Krystyna, zdała sobie sprawę, umierając. I dlatego wypowiedziała to słowo. Wiedziała, że umiera, siły ją opuszczały, lecz za wszelką cenę chciała przekazać coś od siebie. Coś bardzo dla niej ważnego, nie miała już czasu wypowiedzieć całego zdania, los wyznaczył bezwzględny limit: jedno słowo! Nie pożegnała się więc z mężczyzną dla niej z pewnością najważniejszym, nie powiedziała ,,Andrzej", on by wszystko wtedy zrozumiał. Powiedziała ,,przepraszam" po polsku, bo już nie była świadoma, w jakim mówi języku, i nie docierało do niej, że Dennis tego nie zrozumie. Z pewnością wiedziała, że to on się nad nią pochyla. Bo co innego mogła mieć na myśli, kogo i za co przepraszała? Gdyby mogła się zastanowić, powiedziałaby raczej ,,przebacz"...

Słowo nie dotarło jednak do adresata, nie przyniosło ukojenia, raczej mogło przerazić, dla cudzoziemca musiało brzmieć obco, jak oskarżenie... Gdyby miłosiernie mu je przekazano, być może zacząłby się bronić. Spytałam byłego portiera, dlaczego tego, co usłyszał, nie powtórzył, mimo jego próśb, Muldowneyowi.

Spojrzał na mnie ze zdziwieniem.

– Jemu, jemu miałem powtarzać? Przecie to on ją zabił...

– Ale ona to powiedziała do niego.

– Na pewno, że nie! – odrzekł z całym przekonaniem.

– No to do kogo? Kogo mogła mieć na myśli?

Zastanowił się chwilę.

– Mogła i powiedzieć do całego świata...

Nad ranem karetka, czarna smutna buda, poruszając się w gęstej mgle z prędkością pięciu kilometrów na godzinę, przewoziła Krystynę do kostnicy. Kierowca wytężał wzrok, wypatrując drogi, klął przy tym szpetnie. Wyciągnięto go z łóżka i w dodatku trafił na ten piekielny londyński smog. Był chyba pierwszym mężczyzną niezbyt uszczęśliwionym z obecności Krystyny. Jej twarz wyglądała jak uśpiona, ale rysy już z wolna tężały...

Pan L. opowiedział mi o rozmowie, która się odbyła nazajutrz, 16 czerwca, w pewnym londyńskim klubie sportowym, kiedy to Krystyna leżała w kostnicy, dowieziona tam przez zaspanego kierowcę. Mój przyjaciel z Podkowy Leśnej, chyba mogę go tak nazwać, twierdził, że to prawda, dowiedział się o tym od pułkownika D. Hana, naocznego świadka.

Otóż tego dnia w westminsterskim klubie sportowym miano rozegrać mecz krykieta ze szkocką drużyną. Kapitanem gospodarzy był pułkownik Donald Hamilton-Hill, dobry znajomy Krystyny z czasów SOE, czy ściślej mówiąc, jej kolega. Jak zwykle kupił poranną gazetę i rozparłszy się na siedzeniu autobusu, wziął się do czytania. Na tytułowej stronie tłustym drukiem wybito: ,,Królowa piękności i bohaterka ruchu oporu zamordowana". Pierwszą jego myślą było: Cholera, mecz! Zastanawiał się poważnie, czy powiadomić o tym swojego najlepszego zawodnika, Francisa Cammaertsa, a może powiedzieć mu dopiero po zakończeniu rozgrywki? Uczucie przyzwoitości jednak przeważyło. Zbliżył się do Francisa i przekazał mu smutną wiadomość. Dodał, że jeżeli Francis zechce zrezygnować z gry, on to zrozumie. Cammaerts odszedł na bok. Pułkownik Hamilton i pułkownik Han czekali na jego decyzję.

– Chyba z meczu nici – powiedział kapitan drużyny, widząc minę nadchodzącego Cammaertsa.

– *Thanks, Donald* – usłyszał – doceniam twój takt, ale stanę do walki. Udowodnię, że potrafię samego siebie przezwyciężyć.

W dniu 20 bm. o godz. 11 na cmentarzu katolickim St. Mary Kensal Green w Londynie odbył się pogrzeb ś.p. Krystyny Skarbek. Po modłach żałobnych w kaplicy cmentarnej najbliżsi przyjaciele Zmarłej ponieśli jej trumnę do pobliskiego grobu.

Na pogrzeb przybyło przeszło dwustu polskich oraz brytyjskich przyjaciół i znajomych ś.p. Krystyny Skarbek – wśród nich jej koledzy ze służby wojennej dla wspólnej sprawy alianckiej. Przed dziesiątkami wieńców otaczających trumnę złożono poduszkę z odznaczeniami Zmarłej. Wśród wieńców zwracał uwagę jeden z napisem w języku angielskim: *To Christine – Special Operations Executive.*

Londyn, „Dziennik Polski",
21 czerwca 1952

Pośród brytyjskich przyjaciół Krystyny znaleźli się także ci, którzy, gdyby nie ona, nie przebywaliby już w gronie żywych. A więc Francis Cammaerts, czyli Roger, Xan Fielding, Pat Howarth... Trumna stała w kaplicy na katafalku, przykryta biało-czerwoną flagą. Zagrzmiały organy, zaczynało się nabożeństwo...

Nasza wspólna podróż dobiegała końca, minęliśmy już granicę francusko-niemiecką i chyba było z tego powodu trochę smutno. Bo oboje na chwilę wyszliśmy ze swojej samotności, no i mieliśmy poczucie, że jest z nami ktoś trzeci, kto nam stale towarzyszy... Andrzej na moje życzenie zjechał z autostrady, chciałam bowiem, jadąc bocznymi drogami, oglądać krajobrazy południowych Niemiec. Te przepiękne wzgórza porośnięte lasem, i domy podobne z daleka do takich z dziecinnej gry, czerwone dachy, ganki, a na nich kwiaty... Uczynił to zresztą chętnie, jakby jemu też zależało na zwolnieniu tempa naszej podróży. W pewnej chwili czarny kot przebiegł nam drogę.

– Czy Krystyna była przesądna? – spytałam.

– Ona? Nie przypominam sobie, ale ja, jak cholera... Wtedy, na tym polowaniu... no wiesz, co mnie tak ten palant urządził... ja sam go wpisałem na listę gości. Właściwie była już zamknięta, zawierała dwanaście nazwisk, on miał być trzynasty. Przyszedł do mnie, prosił. Zależało mu bardzo, bo wśród zaproszonych myśliwych był hrabia Tarnowski, a on miał do niego jakąś sprawę. A potem, zamiast zająć się swoją sprawą, przestrzelił mi łydkę...

Byłam wzruszona, że zdobył się wobec mnie na tak osobiste wyznanie. Siedziałam zasłuchana, wpatrując się w drogę przed nami.

– To było w okolicach Wilna, roztopy, drogi nieprzejezdne. Trzy dni wieźli mnie furmanką do szpitala i jak wreszcie dowieźli, okazało się, że za późno, wdała się gangrena... Ciachnęli mi nogę poniżej kolana. Ale i to by nie pomogło, nie wyszedłbym żywy z tego szpitalika...

– W Wilnie? – upewniłam się.

– W Wilnie. Dopiero matka zabrała mnie do kliniki do Krakowa, tam mi skrócili kopyto jeszcze o kawałek, tym razem ponad kolanem... No i wylazłem z tego...

Chwilę jechaliśmy w milczeniu.

– Trzynasty gość na polowaniu – odezwał się. – Więc chyba powinienem być przesądny...

Krystyna w swoich dziennikach opisała jedno jedyne polowanie, może dlatego, że nie mogła się pogodzić z zabijaniem zwierząt, a to było bezkrwawe: pogoń za lisem, czyli za jeźdźcem z lisią kitą przypiętą do ramienia, którą należało mu odebrać. Miała wtedy osiemnaście lat.

Trzepnica, 6 października 1928
Dzień Świętego Huberta

Już wiedziałam, że lisem będzie Tolek z majątku Młyńskie, który smali do mnie cholewki, ale mi się nie podoba, bo ma nieładną cerę, trądzik czy coś. Tatek stawia na mnie, nawet mi pozwolił wziąć Amosa, co jest naprawdę niezwyczajne. Amos to oczko w tatowej głowie. Udzielał mi mnóstwa rad, jakbym pierwszy raz dosiadała konia. „Najeżdżając na wodę, daj ostrogę – mówi – bo go woda w pęciny kole, a wtedy potrafi wyłamać". Mnie nie wyłamie – pomyślałam, ale się nie odezwałam, bo z tatkiem lepiej nie zaczynać dyskusji, a jeszcze na „znany" temat. Mama przerażona, że się kiedyś zabiję przez te jazdy albo zostanę kaleką. A tatek na to: „Stefanio, daj już spokój. Syn się nam nie bardzo udał, boi się podejść do konia, więc niech chociaż córa broni naszych barw". „Jak tak możesz mówić" – obruszyła się mama.

No i stoimy już w rzędzie, dziewiętnaście koni. Tatek koło mnie na Dianie. Jest wspaniała, tylko trochę za nerwowa, ona to dopiero wyłamuje, ale pod ojcem zwykle dobrze chodzi. I start! Ja, jedyna kobieta. „Nasz rodzynek" – powiedział „sędzia", którym wybrano pana Bolżyka z Piotrkowa; był wiele lat prawdziwym sędzią, teraz na emeryturze. Zawsze go lubiłam, bo miał taką gęstą, zmierzwioną i rudą czuprynę i jako dziecku przypominał mi lwa. Nawet sobie wyobrażałam, że to prawdziwy lew, który przybrał ludzką postać. Ale! Ale! Kto wygrał gonitwę? Ja! W siódmej minucie, dopadłam Tolka przy tym rowie, gdzie rosną trzy królewskie brzozy. Tak je nazywam, bo wyglądają z daleka jak dostojne monarchinie. Wszyscy mi gratulują, a tatek na to: ,,Na razie to wygrał Amos, a nie ty". Ale widziałam, że jest ze mnie dumny.

Następnego dnia rano miałam odlecieć do Londynu, siedzieliśmy jak pierwszego wieczoru w mieszkaniu Andrzeja, przy kolacji, znów przez niego przygotowanej. Była bardziej wyszukana niż wtedy, pan domu podał bowiem tym razem owoce morza, między innymi małże, których, wstyd powiedzieć, nie umiałam jeść, zostałam dopiero poinstruowana, jak należy otwierać muszle. Wystarczyło je lekko podważyć specjalnymi szczypczykami. Trzeba przyznać, że były bardzo dobre. A jak smakowało do nich wino! Wino zmieniało kolor w zależności od dań, do kawy Andrzej podał koniak.

– Nie masz mocnej głowy – stwierdził, gdy nagle zaczął mi się plątać język.

Rozmawialiśmy na różne tematy, trochę o polityce, o tym niezwykłym zrywie zwanym ,,Solidarnością", który był czymś nowym w całej polskiej historii. Po raz pierwszy coś wywalczono nie w bitwie, a przy stole.

– No tak – powiedział – ale to, cośmy wywalczyli w bitwie, tośmy przy stole stracili...

– Ale teraz właśnie zyskaliśmy...

– Aby stracić – uśmiechnął się gorzko. – Dziecko, sowieci was nie wypuszczą, chyba żeby kula ziemska pękła na pół i wy byście się znaleźli po jednej, a oni po drugiej stronie...

Na boku robiłam bilans tej wizyty. Co dzięki niej zyskałam, czy dowiedziałam się o mojej bohaterce czegoś, o czym nie wiedziałabym wcześniej? Mimo wszystko odczuwałam pewien niedosyt. Poznałam życiowego partnera Krystyny, to z pewnością dużo. Ale niczego nowego mi się nie udało z niego wycisnąć. Potwierdził to, co już słyszałam od innych, głównie od pana L., albo o czym zdążyłam przeczytać. Jedyna nowa sprawa to opowieść o Krystynie i gestapowskich psach, no i może chrzestne dzieci w Vercors, dowód jej niezwykłej tam popularności... i potwierdzona historia z granatami, które trzymała w podniesionych do góry rękach i którymi sterroryzowała patrol boszowski. Ale to wszystko były właściwie historyjki... Sensacyjnym odkryciem mogłoby się okazać nie chrzestne dziecko, ale jej własne, które gdzieś się chowało ukryte przed światem.

Zastanawiałam się, dlaczego nie chciała mieć dzieci, dlaczego tak się obawiała macierzyństwa. Czy to ta jej żydowska cząstka stanęła na przeszkodzie; myśl, że mogłaby nie uratować swojego dziecka, jak nie uratowała matki...? Chyba się nie myliłam, jeden z jej zapisów w dziennikach moją teorię potwierdzał. Ale w czasie pożegnalnej kolacji z Andrzejem jeszcze go nie znałam. Wydaje mi się, że Krystyna czuła lęk przed jakąkolwiek nieodwracalną zmianą życiowej sytuacji. Tak jak nie widziała siebie w stałym związku z mężczyzną, tak samo nie umiała też sobie wyobrazić siebie w roli matki. A jednocześnie bardzo za tym tęskniła. Lady D., czyli Jennifer, opowiadała mi, że kiedy Rogerowi urodziła się córka, państwo Cammaertsowie zaprosili Krystynę do siebie. To zaproszenie było tym bardziej znaczące, że Francis postanowił dać dziewczynce na imię Christine. W jakimś momencie chciał podać niemowlę Krystynie, a ona wpadła w panikę.

– Nie, nie, jeszcze zrobię jej krzywdę – powiedziała.

Cammaerts roześmiał się.

– Ona ma na imię tak jak ty, więc niełatwo zrobić jej krzywdę.

– Może – odparła – ale to taka odpowiedzialność wziąć na ręce czyjeś dziecko.

Tę rozmowę powtórzył Jennifer sam Cammaerts, który niepokoił się o Krystynę. Wydawała mu się jakaś zgaszona.

– Czy ona nie zamierza mieć dzieci? Przecież każda kobieta powinna urodzić dziecko – powiedział zmartwiony.

Jennifer powstrzymała się od komentarza, za to po latach, podczas naszej niezbyt udanej rozmowy powiedziała, że Krystyna nigdy nie zdecydowałaby się na macierzyństwo, bo z dzieckiem przy piersi trudno uwodzić mężczyzn... Ale to mówiła stara i zgorzkniała kobieta, tamta Jennifer, choć zazdrosna, była związana z Krystyną bardzo mocno. Śmierć Krystyny wstrząsnęła nią tak samo jak innymi, spóźniła się na pogrzeb, ale w ostatniej chwili wsunęła do trumny złoty krzyżyk, znak rozpoznawczy Muszkieterów, który Krystyna jej po wojnie podarowała.

W pewnej chwili Andrzej spojrzał mi w oczy i spytał:

– A ty co?

– Ja?

– Może byś coś mi powiedziała o sobie na odchodnym. Wiem tyle, że cię wywalili z pracy i chcesz pisać o Krystynie. Masz męża? Dzwoniłaś do kogoś z Francji. To był mąż?

– Nie – odrzekłam – z mężem się rozstałam...

– Czyli jeszcze jedna samotna dusza – powiedział.

– Niezupełnie... bo jest ktoś...

Nie chciałam zagłębiać się w ten temat. Zaczęłam wypytywać go o spotkania w Klubie Orła Białego, kto tam oprócz nich przychodził. Wymienił kilka nic nie mówiących mi nazwisk, a na końcu dodał:

– No i ten pokurcz!

Spojrzałam na niego ostro.

– Nie wolno ci tak mówić o człowieku! – Byłam znów urażona jego pogardliwym tonem. – Ona mu powiedziała ,,przepraszam", a to nie ona go powinna przepraszać, ale wy wszyscy!

– Zbzikowałaś dziewczyno – zrobił się naprawdę zły.

Patrzyliśmy na siebie mało przyjaźnie.

– Czy ty naprawdę wierzysz, że oni nie byli kochankami?

– Nie zastanawiałem się nad tym – odrzekł wrogo. Czułam, że ma dość mojego towarzystwa, ale nie mogłam się zatrzymać, musiałam brnąć dalej. A to, co mówiłam, przypominało mowę obrończą Muldowneya, której wtedy zabrakło w sądzie.

– Czy uważasz, że można skazać człowieka na karę śmierci w ciągu trzech minut?

– Jeżeli chodzi o człowieka, masz rację, ale nie skunksa.

Udałam, że tego nie słyszę.

– Wszyscy tak gładko przełknęli jego przyznanie się do winy i chęć zawiśnięcia na stryczku. Prędzej, panie sędzio, prędzej, niech mnie pan łaskawie każe powiesić! I sędzia bez chwili zwłoki zastosował się do tej prośby. Nie przyszło mu do głowy, że być może człowiek, który jest do tego stopnia zdeterminowany, nie mógł działać z premedytacją, a więc nie zasłużył na najwyższy wymiar kary. Być może istniały jakieś okoliczności łagodzące... ale ich nie dostrzeżono... Potrzebowano kozła ofiarnego. I Muldowney był nim w pełnym tego słowa znaczeniu. Bo został osądzony nie jako porzucony kochanek, ale jako ktoś, kto śmiał ukatrupić bohaterkę wojenną o światowej sławie...

– Ale zabił!

– Zgoda, tylko że ona zrobiła to z nim wcześniej, przy twojej i twoich kolegów pomocy. Ona go wykorzystała, bo się nudziła na statku, a nikt inny nie znalazł się pod ręką. Wodził za nią oczami, więc cóż... Sam wiesz, jak Krystyna potrafiła się zachowywać, gdy chciała kogoś uwieść. I uwiodła tego biedaka. Ale nie wzięła pod uwagę, jak nigdy przedtem zresztą nie brała, że cudzą miłością nie wolno się bawić, bo ona czasami zabija...

Andrzej chciał coś powiedzieć, ale nie dopuściłam go do głosu.

– Teraz ja mówię! A od ciebie wymagam odpowiedzi. Czy wiedziałeś, że była jego kochanką?

Uciekł w bok wzrokiem.

– Powiedz!

– Domyślałem się...

– Właśnie! Domyślałeś się, ale kiedy adwokat rodziny, ten Firsby, wstał i odczytał oświadczenie, jakoby wszystko, co mówił Muldowney, było kłamstwem i kalaniem kryształowo czystego imienia Krystyny Skarbek-Granville, nie sprostowałeś tego. Nikt nie sprostował, chociaż wszyscy domyślali się prawdy! A tego człowieka prowadzono na śmierć! Sędzia ogłosił wyrok po trzech minutach! W majestacie prawa miał zostać zamordowany człowiek. Bo to było morderstwo, a nie wykonanie wyroku! Trzeba było mu chociaż dać szansę obrony, zapewnić, mimo jego protestów, uczciwy proces. Może wtedy dowiedziałby się, że ona mu przebaczyła... Ona, jedyna, od której można byłoby tego nie wymagać... Umierając, zrozumiała jego cierpienie i to, że je spowodowała... Poza tym związek z młodszym mężczyzną...

– Jak to z młodszym? – przerwał mi. – Przecież on miał wtedy czterdzieści jeden lat! Był z mojego rocznika!

– A ona z rocznika 1909.

– To jakieś bzdury, widziałem jej dokumenty, wszędzie był rok 1915.

– Odmłodziła się o sześć lat przy zmianie tożsamości, wtedy podała Russelowi fałszywą datę urodzenia. Myślałam, że o tym wiesz...

– A skąd ty o tym wiesz?

Miałam na końcu języka, że pan L. sprawdził to w archiwum kościelnym w parafii pod wezwaniem Dzieciątka Jezus we wsi Tokarze, bo w Trzepnicy kościoła nie było. Czułam jednak, że nie powinnam pana L. teraz do tego mieszać, bo Andrzej mógłby sobie pomyśleć, iż oboje uknuliśmy jakiś spisek. Więc odpowiedziałam bez mrugnięcia okiem:

– Sprawdziłam to w księgach kościelnych, tam gdzie Krystyna była chrzczona.

– Czyli gdzie? – zadał mi podchwytliwe pytanie.

– W Tokarzach.

Musiało mu się zgadzać, bo zostawił ten temat. Ale też moja mowa obrończa rozmyła się w powietrzu.

– Słuchaj... on, ten Dennis, musiał mieć coś z głową... na pewno miał, bo zdrowy na umyśle człowiek nikogo nie morduje – odezwał się Andrzej po długiej chwili. – Taki szczegół zapamiętałem: szliśmy całą paczką, Krystyna i Ludwik z przodu, potem inni, ja z Muldowneyem na końcu... A mam taki zwyczaj, że jak jestem w dobrym humorze, pstrykam palcami, i to tak, że mogłoby się wydawać, iż mam w kieszeni kastaniety... Więc idziemy, idziemy i nagle ten staje jak wryty i patrzy na mnie tymi swoimi czarnymi gałami. „To ty tak pstrykasz? A ja myślałem, że to w mojej głowie młoteczki stukają...". Czy to nie wygląda na paranoję?

– Tym bardziej nie można skazywać na śmierć chorego człowieka – odrzekłam. – Ale nie sądzę, żeby on był chory... wyście go po prostu zaszczuli... Nabijaliście się z niego, w dodatku mówiąc między sobą po polsku, mógł myśleć nie wiem co... A przecież chciał wypaść przed Krystyną jak najlepiej...

– To ja go przed Krystyną wybraniałem! On ją tak wkurzał, że na sam jego widok cała drętwiała...

– Ale przedtem, jak czuła się taka samotna na statku, pośród nieprzyjaznych jej ludzi, jakoś jej nie wkurzał!

Andrzej popatrzył na mnie, oboje nagle wytrzeźwieliśmy.

– Ewa! Chcesz o niej pisać, a tak jej nie lubisz...

– Właśnie dlatego, że ją lubię, tak się na nią wście-
kam... Zresztą, lubię to za mało, ja jestem nią zafascy-
nowana...

Urwałam, bo to chyba nie było właściwe słowo. Nie
mogłam się z tego nikomu zwierzyć, bo nikt by tego nie
zrozumiał, skoro ja sama nie potrafiłam zrozumieć do
końca, jaki jest mój stosunek do Krystyny. Często myślałam o niej jak o kimś żywym, młodym... To jednak
jeszcze mieściło się w granicy... normy. Inne moje odkrycie wręcz mnie przeraziło, otóż chwilami mi się
wydawało, że jakaś cząstka mnie nie całkiem już do
mnie należy, jakbym się zbyt silnie z Krystyną utożsa-
miała. Słyszałam o takich przypadkach, że pisarze utoż-
samiali się ze swoimi bohaterami, ale działo się to w ten
sposób, iż wyposażali ich w jakieś własne cechy. Tutaj
było odwrotnie, to ja coś przejmowałam od swojej
bohaterki, jej sposób myślenia, odczuwania...

Takie właśnie poczucie miałam podczas burzliwej
rozmowy z pewnym człowiekiem z dawnego polskiego
podziemia, który rezydował w Budapeszcie w czasie,
gdy Krystyna tam przebywała. Powiedział coś bardzo
niemiłego, mianowicie, że Krystyna żyła na Węgrzech
luksusowo za pieniądze, które otrzymywała z Londynu
na inne cele, a potem, jak się to w Kairze nagle ucięło,
nie umiała się z tym pogodzić. Niemal wpadłam
w gniew. Chciałam jej bronić, przedstawić argumenty,
że nie przywiązywała wagi do pieniędzy. A poza tym
wydawała swoją gażę, to tylko czarnorynkowy kurs
dolara czynił z niej taką bogaczkę. Więc zamierzałam
coś powiedzieć w jej obronie, a wyrwało mi się:

– Ze wszystkiego mogłaby się wyliczyć! – A potem
zaraz się poprawiłam: – Nawet miała kogoś od finan-

sów. Czy mówi coś panu nazwisko Laski? Osoba duchowna, ksiądz, on prowadził całą księgowość, bo Krystyna się w tym gubiła...

Być może miała to po ojcu – pomyślałam – on też się gubił w rozliczeniach, ale niestety przed nikim nie musiał się z tego tłumaczyć, bo chodziło o jego własne pieniądze. Jego i jego rodziny, także ukochanej córki. Ale ona nie żądała od niego żadnych wyjaśnień na ten temat, nawet po jego śmierci nie starała się niczego dochodzić. W dziennikach nie ma słowa wyrzutu pod adresem ojca. Dennisowi powiedziała, że pan Jerzy był wspaniałym człowiekiem; w jej pamięci zachował się obraz czułego, kochającego ojca. Niewątpliwie na to zasłużył. Kiedy go prosiła, aby starał się pokochać matkę, odrzekł, że jego serce jest zajęte. Zabrała mu je jedna taka Krystyna Skarbkówna...

Nazajutrz rano, kiedy zeszłam do holu i poprosiłam o zamówienie taksówki, recepcjonistka oznajmiła mi, że ktoś na mnie czeka. Odwróciłam głowę, Andrzej podnosił się z fotela.

– Chciało ci się zrywać tak wcześnie? – spytałam zaskoczona, przecież już wczoraj, a właściwie dzisiaj się pożegnaliśmy, bo wróciłam do hotelu nad ranem.

– Przywiozłem cię z lotniska, to cię i odwiozę – odpowiedział zdecydowanym tonem.

– Nie masz mnie jeszcze dość?

– Jakbyś tak miała zostać dłużej... ale na szczęście już wyjeżdżasz – odrzekł z uśmiechem, ujmując mnie pod łokieć. – Chodź, bo się spóźnisz na samolot.

A kiedy już się żegnaliśmy przed odprawą paszportową, nagle mnie objął. Poczułam uścisk jego niedźwiedzich ramion. Jak wtedy ona w Budapeszcie przed restauracją... – pomyślałam. Nie mogłam się wyzwolić od takich porównań, mimo diagnozy, którą sobie wczoraj postawiłam. Postanowiłam wziąć się w ryzy, poddać swoje wnętrze impregnacji i nie pozwolić, żeby cokolwiek z niej jeszcze we mnie przeciekło.

Teraz miałam łzy w oczach.

– Tylko bez takich – pogroził mi palcem Andrzej. – Nie cierpię mażących się bab!

Chciałam odwrócić się i jak najszybciej odejść za barierkę, żeby nie widział wyrazu mojej twarzy.

Ale Andrzej przytrzymał mnie za ramię, wręczając mi pakunek.

– To ci się może przydać – powiedział.

Rozsupłałam go dopiero w samolocie. I wtedy zobaczyłam, co zawiera. Dzienniki Krystyny Skarbek! Nikt o nich nie wiedział, nikt mi nawet nie wspomniał, że coś takiego pisała, widocznie trzymała to w tajemnicy. Może uważając, że przelewanie myśli na papier nie przystoi agentowi służb specjalnych... jej ciotka powiedziała, że Krystyna miała skłonność do bazgrania na różnych skrawkach papieru, na serwetkach, nawet na parapetach okiennych, ale to było coś zupełnie innego. Dzienniki to materiał bezcenny. Wzięłam do ręki pierwszy zeszyt oprawiony w półskórek, czując, jak mocno bije mi serce. Miałam poczucie, że to jest moje prawdziwe z nią spotkanie...

I tak się stało. Kiedy zaczęłam czytać i kiedy ona pisała o sobie „ja", „mnie", „o mnie", „ze mną", miałam uczucie, jakby wszystko poczęło wracać na swoje miejsce. Obcowanie z jej myślami, a nawet z jej pismem, takim wybitnie kobiecym – litery stawiała z zawijasami, jakby chciała ozdabiać nimi strony – podziałało na mnie niczym zabieg operacyjny rozdzielający nas cięciem skalpela przez mózg, płuca i serce. Każda z nas mogła teraz myśleć, oddychać i czuć samodzielnie...

Pierwszy zapis:

Dziś są moje urodzinki! Jedenaste już, niestety.

I data: 1 maja 1920... A więc miałam potwierdzenie słów pana L. Ale Andrzej też to powinien wiedzieć, skoro od tylu lat przechowywał jej dzienniki... czy to możliwe, żeby ich nie czytał? Nagle pojęłam, że to całkiem możliwe. Przecież ona pisała po francusku, a on francuskiego nie znał. I nie wiedząc, co zawierają, nie zdecydował się dać ich do tłumaczenia. Widocznie uznał, że nie ma takiej osoby, której mógłby zaufać. Zaufał mnie... w taki oto zakamuflowany sposób otrzymałam od niego zgodę na pisanie książki o Krystynie... książki nieocenzurowanej tym razem. Musiała być to dla niego ciężka decyzja, co prawda, podejmował ją trochę na wyrost, bo ja mu oświadczyłam już na wstępie, że bez względu na to, co mi o niej powie i czego nie powie, i tak będę o niej pisała. Jednak ten jego gest, to jego zielone światło było czymś dla mnie ważnym, chyba decydującym...

W samolocie myślałam o tych dniach spędzonych z Kowerskim. To niezwykłe, że mogłam go poznać. Myślałam też o tym, że poznałam go jako człowieka, którego ona już nie znała. Nie śledziła zmian na jego twarzy, nie odnotowywała jego pierwszych siwych włosów. Nie mogła zobaczyć, jak pięknie się starzeje...

Od Andrzeja dowiedziałam się, że jej grób istnieje i widocznie z numeracją zaszła jakaś pomyłka. Nie pamiętał numeru kwatery, ale znał na pamięć drogę od bramy cmentarnej i mi ją naszkicował.

Więc chyba naprawdę zaszła pomyłka, bo ja nigdzie nie skręcałam, a należało skręcić po jakimś czasie w lewo. I zaraz za zakrętem powinien być pomnik.

– Zauważysz go od razu, bo się wyróżnia – powiedział z odrobiną dumy, co musiało oznaczać, że był jednym z jego fundatorów, a kto wie, czy nie jedynym. Na fotografii, którą mi pokazywał, jej grób był jeszcze kopczykiem ziemi, zwieńczonym prostym drewnianym krzyżem. Andrzej podpierał ten krzyż ramieniem, z drugiej zaś strony stał Ludwik Popiel, zdjęcie musiało być zrobione dawno, bo wyglądali obaj dość młodo.

– Zaraz po pogrzebie – wyjaśnił. – Wtedy ostatni raz widzieliśmy się z Ludwikiem. Wkrótce potem wyjechał do Kanady i straciliśmy kontakt...

– Jak z Ledóchowskim? – spytałam podchwytliwie.

– Taak – odparł niepewnie Andrzej – coś słyszałem, że się przeniósł do Polski...

Nie podjęłam tematu.

W samolocie przypomniałam sobie fragment z książki pani Masson, w którym opisuje ich wspólną wizytę na cmentarzu St. Mary's. Stali przy grobie Krystyny w milczeniu i nagle Kowerski powiedział:

– Nigdy się z tym nie pogodzę, ale ona przynajmniej jest teraz wolna...

Co mógł mieć na myśli? Wolna od czego? Od złego życia? Ale czy naprawdę było złe? Wiele się w nim wydarzyło złego, ale i wiele dobrego, przeżywała wspaniałe chwile, chwile triumfu, chwile miłości, żyła zachłannie, tak jak kochała... Szkoda, że go o to nie zapytałam, bo chciałabym wiedzieć, dlaczego tak to ujął, od czego, jego zdaniem, uwolniła Krystynę śmierć...

Na lotnisku w Londynie przywitał mnie Arek. Idąc w jego stronę pomyślałam: jak to dobrze, że jest ktoś taki jak on. Widząc jego rozradowaną twarz, wiedziałam, że on podobnie myśli o mnie.

Zdanie wypowiedziane przez Andrzeja przy grobie Krystyny przez cały dzień nie dawało mi spokoju. Więc zatelefonowałam wieczorem do Monachium, ale odezwała się automatyczna sekretarka.

– Mówi Ewa... – zaczęłam i nagle zabrakło mi odwagi, aby nagrać na taśmę to, o co chciałam go zapytać. – Mówi Ewa – powtórzyłam – jestem już w Londynie, cała i zdrowa. Jakbyś miał ochotę ze mną kiedyś porozmawiać, podaję swój numer w Londynie i w Warszawie...

Nie odezwał się już nigdy.

Arek... Tej nocy zostaliśmy kochankami. Nie zastanawiałam się już, czy nasz związek ma sens, co będzie dalej. Nie byłam jeszcze pewna, czy go kocham, wiedziałam tylko, że jest dla mnie kimś ważnym. Żałowałam, że tak długo się wahałam. W imię czego? To

Krystyna nauczyła mnie, że trzeba zachłannie cieszyć się każdą chwilą, bo życie jest takie kruche i ulotne... Dużo później, kiedy kończyłam swoją książkę o niej, uświadomiłam sobie, że odkrycie tej z pozoru – ale tylko z pozoru – banalnej prawdy zmieniło moje życie...

Podczas weekendu wybraliśmy się z Arkiem na cmentarz w Kensal Green, tym razem jego samochodem, trochę błądząc i wypytując ludzi po drodze. Znaleźliśmy się w zupełnie innych rejonach miasta niż te, w których do tej pory się obracałam. Ulice stawały się coraz bardziej zaniedbane, mijaliśmy teraz blokowiska, bliźniacze brzydkie domy z czerwonej cegły, które w porównaniu z socjalistycznym budownictwem miały jednak ludzki wymiar, chociażby dlatego, że znajdowały się przed nimi ogródki, a każdy z nich nieco inaczej wyglądał. Wreszcie w prześwicie ulic zobaczyliśmy mur cmentarny. Niełatwo było jednak do niego dojechać, bo ciągle natrafialiśmy na ulice jednokierunkowe i Arek musiał się wycofywać. W końcu znowu poprosiliśmy o pomoc. Stary mężczyzna pomarszczony na twarzy i bezzębny, nie wiem dlaczego przypominający mi emerytowanego górnika ze Śląska, wskazał nam właściwą drogę. Wjechaliśmy przez bramę, posuwając się wzdłuż grobów, co wydało mi się dziwne, bo w Polsce uznano by to za profanację, a tutaj znak drogowy nakazywał jazdę nie szybszą niż pięć kilometrów na godzinę. I tak się poruszaliśmy, zatrzymując auto niedaleko zakrętu. Wyjęłam mapkę Andrzeja, według niej grób Krystyny powinien się nam ukazać zaraz po skręcie w lewo, ale nie było go.

– Może to nie ta aleja – powątpiewał Arek, od bramy biegły bowiem równolegle dwie.

Zdecydowaliśmy się rozdzielić, ja miałam tym razem na piechotę dojść do kolejnego zakrętu, a on skierował się ku tej drugiej alei. A może Andrzejowi coś się pomyliło i zakręt nie jest wcale w lewo, ale w prawo od bramy? – pomyślałam. Postanowiłam sprawdzić i okazało się, że miałam rację. Od razu zobaczyłam ten pomnik: niestety wyróżniał się spośród innych, omszonych starością, swoją szpetotą. Prostokątna płyta z jasnobeżowego piaskowca, ponad którą wznosił się drewniany, wyciosany w stopnie krzyż. Co miały symbolizować? Czy ciężką wspinaczkę zmarłej do nieba... czy raczej miały ją jej ułatwić... trudno zgadnąć, jaką metaforę chciał nam przekazać artysta... Na krzyżu napis:

Krystyna Skarbek-Granville
G.H. O.B.E.
Croix de Guerre avec Palmes
Poland 1.5.1915 – London 15.6.1952

A więc spoczęła tu odmłodzona przez siebie samą na wieki...

Ale coś jeszcze przykuło moją uwagę i wywołało wzruszenie, którego wbrew oczekiwaniom do tej chwili nie odczuwałam. Ryngraf z Czarną Madonną. Ten sam, który jako dziecko Krystyna otrzymała w darze od przeora klasztoru jasnogórskiego i który ściskała w dłoni, modląc się za szczęśliwy powrót matki... Był za duży, by mógł się zmieścić w jednej ręce, być może ściskała go tamtej nocy w obu... Przedstawiał orła w koronie obejmującego skrzydłami wizerunek Matki Boskiej, z ciemną twarzą i podwójnym cięciem na policzku od szabli najeźdźcy.

Tak więc wyglądał ów ryngraf, który ofiarodawca polecił trzymać Krystynie zawsze przy sobie. Jak widać, nigdy się z nim nie rozstała.

Stojąc o krok od jej grobu, pomyślałam, że dotarłam wreszcie do kłębka, z którego wysnuję nitkę...

Aleją nadchodził Arek.

Wieczorem rozmawialiśmy o wizycie na cmentarzu.

– Okropny ten pomnik – powiedziałam. – Aż mi wstyd, że się tak puszy pośród innych, a ona była taka skromna, nigdy nie zgrywała bohaterki. Musi jej być źle pod tą płytą...

– A może bardziej wielkodusznie od ciebie ocenia intencje fundatora?

Pozostawało mi jeszcze jedno spotkanie, po wielu trudach ustaliliśmy bowiem z Arkiem adres syna Dennisa Muldowneya. W książce Madeleine Masson było o nim kilka zaledwie zdań. Dowiedziałam się, że Dennis ,,bardzo lubił swego syna", który w chwili egzekucji mieszkał niedaleko więzienia Pentonville, oczywiście nie wiedząc, iż przebywa w nim jego prawdziwy ojciec. Matka wyszła drugi raz za mąż, kiedy chłopiec był niemowlęciem, ojczym zaś dał mu swoje nazwisko. Odbyło się to na długo przed spotkaniem Dennisa Muldowneya z jego przeznaczeniem, nie waham się określić tego tak górnolotnie, coś tkwiło bowiem w tym człowieku, jakby bezwiedne dążenie ku samozagładzie. Jego znajomość z Krystyną miała to tylko przyśpieszyć...

Poszukiwania jakiegoś śladu syna mordercy Krystyny Skarbek trwały długo, ale zakończyły się sukcesem. George Brown (czy może istnieć bardziej banalne nazwisko?) mieszkał teraz w Dublinie, a więc wrócił do swoich korzeni, widocznie matka zdradziła mu, że jest Irlandczykiem.

– Dlaczego tak ci zależy na tym spotkaniu? – spytał Arek. – Przecież on ci nic o swoim ojcu nie powie.

– Może łączy ich jakieś fizyczne podobieństwo – odpowiedziałam. – Wciąż nie wiem, jak Dennis wyglądał, jaką miał twarz, i nie daje mi to spokoju.

Do Dublina polecieliśmy samolotem; byłam poruszona tą podróżą, odezwała się moja reporterska żyłka i gdyby nie to, że miałam już ,,swój temat", z pewnością szukałabym go tutaj. Irlandia to przecież kraj wiecznych niepokojów. Z lotniska pojechaliśmy prosto do hotelu, w którym Arek zarezerwował dla nas pokój jeszcze w Londynie.

Syn Muldowneya wiedział tylko tyle, że dwoje dziennikarzy z Polski chciałoby z nim porozmawiać. Umówił się z nami w porze lunchu, bo tylko wtedy miał wolny czas. Jak oznajmił Arkowi, który skontaktował się z nim telefonicznie, jest już na walizkach, wyjeżdża do Ameryki na wykłady. Wyobrażał sobie, że chcemy z nim mówić o jego dokonaniach naukowych. Do końca nie wyprowadziliśmy go z błędu. Arek zadawał mu konkretne pytania, na szczęście wiedział, o co ma pytać, bo młody Muldowney, jak on, studiował nauki ścisłe. Teraz szeroko się rozwodził na temat swojego najnowszego osiągnięcia, udoskonalenia zastawki serca.

Ja siedziałam trochę z boku i przyglądałam mu się ukradkiem. Miał zmierzwione i czarne jak u tamtego włosy, ale oczy... wcale nie smutne, odkryłam w nich zdecydowanie i poczucie własnej wartości, czego brakowało jego ojcu. Przysłuchując się rozmowie – pewne jej fragmenty mi umykały, bo George Muldowney mówił dość szybko i niezbyt wyraźnie – ciągle porównywałam tych dwóch, ojca z synem. Czy był do Dennisa podobny? Możliwe... tak opisywali Dennisa sprawozdawcy sądowi: czarne rozwichrzone włosy i oczy koloru węgla, w których coś ponurego czaiło się na dnie. Pisano o nim jako o drobnym człowieczku. Jego syn był dość postawny. Więc może nie trzeba dawać wiary tamtym opisom, może Dennis tak się w sobie skurczył pod wpływem bólu drążącego go od środka...

– Czy oczekuje pan Nagrody Nobla? – spytał młodego Muldowneya Arek.

Uśmiechnął się pokazując równe białe zęby, cała jego twarz rozjaśniła się w uśmiechu. Z pewnością był interesującym mężczyzną, który mógł podobać się kobietom. Zakładając, że jest „skórą ściągniętą z ojca", rację mieli raczej ci, co pisali o Dennisie z nutą sympatii, określając go jako przystojnego, niż ci, co go mieli za szpetnego karła.

– Jeżeli mówić o Noblu, to dla całej naszej pracowni – odrzekł. – A poza tym, czym są w końcu nagrody?

Krystyna Skarbek mogłaby się pod tym podpisać – pomyślałam. Ona też uważała nagradzanie za coś drugorzędnego, swoje odznaczenia miała w małym poważaniu. W tej sekundzie zdałam sobie sprawę, z kim go porównuję. A gdybym wyjawiła mu prawdę? Jak by się zachował? Gdybym powiedziała: „Nazywasz się Mul-

downey i nosisz imię po swoim prawdziwym ojcu?"...
Ale spytałam tylko:

– Panie Brown, dlaczego mieszka pan w Dublinie, wiem, że urodził się pan w Anglii...

– Jestem Irlandczykiem – odparł.

– Po ojcu?

– Po matce...

A więc nic mu nie powiedziała, nie dlatego tutaj przybył, że chciał wrócić do korzeni obojga rodziców. Wszystko to było takie dziwne. Ten George, o tak innym losie niż jego ojciec. W dodatku naukowiec... Dlaczego nie? Czy oczekiwałam, że zostanie stewardem albo portierem?

– A... czy matka żyje? – spytałam ostrożnie. Gdyby odpowiedź była twierdząca, kto wie, czy nie zdecydowałabym się na spotkanie z nią, by mi mogła wyjawić, dlaczego nie powiedziała George'owi, że jest synem Dennisa Muldowneya. W ten sposób odbierała byłemu mężowi już wszystko, stając po stronie tych, którzy pozbawili go prawa do obrony własnego imienia, czyniąc z niego na wpół obłąkanego mitomana i tchórzliwego mordercę. Być może dała wiarę temu, co pisały gazety, albo, nie chcąc dopuścić do siebie prawdy, zataiła ją także przed synem.

Pożegnaliśmy się z George'em Muldowneyem przed restauracją i ruszyliśmy piechotą w stronę hotelu, który mieścił się o parę ulic dalej.

– Wiesz... ja chyba jestem chora na Krystynę Skarbek – odezwałam się. – Wciąż się zastanawiam, jak ona by zareagowała, co by pomyślała... nawet dzisiaj porównywałam ją z młodym Muldowneyem, a to przecież syn jej mordercy...

Arek objął mnie przez plecy, przyciągając do siebie.
– Ty usiądź i pisz!

W tydzień później wróciłam do Warszawy i zabrałam się do pracy. Wszędzie, gdzie się dało, w swoim niedużym mieszkaniu porozkładałam materiały do książki: na stole kserokopie z roczników polskich gazet, na starej komodzie po babci, obok jedynej wartościowej rzeczy w moim domu, starej siedemnastowiecznej ikony, kserokopie z roczników gazet angielskich, na parapecie okiennym odręczne notatki, wprost na podłodze książki... a jeszcze miałam przecież taśmy magnetofonowe z nagraniami... Kiedy więc przygotowałam się do pracy nad opowieścią o jednej z najbardziej niezwykłych kobiet – co do tego nie miałam najmniejszych wątpliwości – dwudziestego wieku, postanowiłam odwiedzić mojego pierwszego rozmówcę, z którym czułam się zaprzyjaźniona, Włodzimierza Ledóchowskiego.

Zasiedliśmy starym zwyczajem w jego gabinecie przy małym stoliku w rogu, a raczej zapadliśmy w wygodne fotele klubowe.

– No i cóż tam słychać na pierwszej linii? – spytał żartobliwie. – Troszkę pani schudła, ale to raczej wyszło pani na korzyść...

– Bardziej uduchowiona twarz?

– Coś w tym rodzaju, wszak zmęczenie uszlachetnia...

Poprawiłam się w fotelu i uroczyście oświadczyłam:

– Odnalazłam Kowerskiego.

– O! – pan L. był naprawdę zaskoczony. – I jak wypadło wasze spotkanie?

– Przeciągnęło się prawie o cały tydzień, byliśmy razem we Francji w Vercours...

– No... to znowu muszę być o niego zazdrosny – powiedział z udaną powagą. – Tym bardziej że właśnie rozważałem, czy się w pani nie zadurzyć, pani Ewo, taką ostatnią romantyczną miłością myśliciela-samotnika... Gdyby tylko nie była pani tak nieprzyzwoicie młoda...

– Co ma z tym wspólnego wiek! Ja też rozważałam, czy nie zakochać się w panu, jak wtedy ona – roześmiałam się.

– I cóż u Andrzeja? – spytał pan L. – Jak zwykle otoczony wianuszkiem długonogich i długowłosych dziewczyn?

– Mieszka sam – odparłam – i jest sam...

Pan L. aż uniósł ze zdziwienia brwi.

– On? Przecież zawsze był duszą towarzystwa.

– Myślę, że śmierć Krystyny jednak go zmieniła, odsunął się od ludzi.

– To prawda, że nagle przepadł, nikt nic o nim nie słyszał.

– Długo nie potrafił się chyba wyzwolić z poczucia winy... – urwałam, bo gosposia pana L. wniosła tacę z herbatą i ciasteczkami. Te same porcelanowe filiżanki i srebrna cukiernica na pokracznych łapach.

– A może napijemy się czegoś mocniejszego – zaproponował pan L. – z okazji ukończenia przez panią wielkich łowów? Trzeba to jakoś uczcić.

– Czemu nie – zgodziłam się chętnie.

Nalał sobie whisky, ja zgodnie z życzeniem dostałam koniak.

– I co z tym jego poczuciem winy? Wszyscy się trochę czujemy winni, ci, co ją znaliśmy. Po tym, co się stało, trudno nie zadawać sobie pytania, czy gdybyśmy się staranniej pochylili nad jej losem, wtedy gdy jeszcze żyła, doszłoby do finałowej tragedii...

– Ale on to odczuwał mocniej. Kiedy go spytałam, czy należy do tych, którym Krystyna uratowała życie, odparł: „To ja nie uratowałem życia jej"...

Pan L. pokiwał ze zrozumieniem głową.

– Nie musi mieć takich wyrzutów, Krystyna potrafiła być wobec niego bardzo okrutna... oczywiście gdyby jej ktoś o tym powiedział, byłaby niezmiernie zdziwiona. Polegało to na tym... jej biologizm jakby zmieniał rzeczywistość, inaczej ją widziała, jak zwierzęta, które mają odmiennie od innych gatunków zbudowane oko... więc jej oko było z pewnością inaczej zbudowane niż u większości ludzi, czy raczej kobiet...

Uśmiechnęłam się.

– Powracamy do początku. Do mojego pytania, czym był dla niej seks. Pan powiedział wtedy, że ucieczką... ale nie wiem, czy zdołałam ustalić, przed czym...

Zastanawiał się przez długą chwilę.

– Ona chyba sama nie wiedziała. Bała się stabilizacji, jak to określił jej pierwszy mąż: nosiło ją...

– To trochę za proste. Można uciec raz, drugi, z jednym mężczyzną, z innym, ale za którymś razem to już się staje rutyną. Aha, ten mi się podoba, więc go sobie wezmę, jak nową zabawkę...

– A może właśnie tak, może nie należy szukać głębszych powodów – przyznał.

– Chyba jednak należy. Moim zdaniem, najbliższe prawdy jest to, że bała się miłości, ciągle się przed nią broniła i jej zdrady były właśnie taką obroną. Bo w końcu naprawdę liczył się jedynie Andrzej, potrzebowała go, ciągle do niego wracała, ale jak tylko robił jakiś znaczący krok w jej stronę, zaraz dostawał odprawę...

– Nieraz bardzo brutalną – powiedział pan L. – Jak wtedy z tym wyjazdem na Kretę. To chyba było dla niego najbardziej bolesne doświadczenie. Wiele lat później, kiedy o tym rozmawialiśmy, głos mu się łamał.

– No tak... ale raczej nie można tu mówić o niczyjej winie, po prostu ona po kolei traciła wszystko i wszystkich, których kochała, wyrobiło to więc w niej przeświadczenie, że jeżeli tylko przyzna się głośno do swoich uczuć, jeżeli zechce je jakoś zalegalizować, natychmiast przegra...

– Mógłbym się z tym zgodzić – odpowiedział – gdyby nie to, że ucieczka od tych uczuć przybierała formy bardzo przyjemne... W końcu padanie w ramiona coraz to innego superprzystojnego młodego mężczyzny mało ma wspólnego z rezygnacją, jestem nawet skłonny uważać, że to ją w pewien sposób wzbogacało. I jej kolejnego partnera oczywiście...

– Jest pan złośliwy.

Roześmiał się.

– Może trochę... Wie pani, pani Ewo... to zabawne, ale jak tak z panią rozmawiam, mam uczucie, że ona z nami jest, może nawet w drugim pokoju, i przysłuchuje się, jak ją obgadujemy. Dotychczas nigdy mi się to nie zdarzyło, nawet gdy rozmawiałem z osobami, które ją bardzo dobrze znały... A nawet więcej pani powiem, pani mi ją przypomina...

– Chyba nie z urody.

– Też.

– Przecież ona była pięknością, wszyscy to powtarzają.

Zaprzeczył ruchem głowy.

– Właśnie nie... wcale nie była wyjątkowo piękna, tylko... jej twarz jakby się mieniła... taka ruchliwa, wyrazista, ciągle zmieniająca się. Poza tym kiedy Krystyna się pojawiała, wiadomo było, że powie coś miłego, nawet gdyby miał to być hiobowy komunikat wojenny. Jej optymizm, jej witalność tę grozę niwelowały... Być może tu się kryła tajemnica, dlaczego mężczyźni zawsze otaczali ją wianuszkiem, ona ich dobrze nastrajała... dla wielu była tym smyczkiem idealnie pasującym do strun...

– Wyłączyłabym z tego Muldowneya – powiedziałam. – Od początku potwornie fałszowała...

Myślałam o tym, wracając taksówką z Podkowy Leśnej. Że los miał już dosyć tych jej wyskoków i podesłał jej w końcu jokera. Powiedziałam panu L., że skoczyliśmy sobie z Kowerskim do oczu o Dennisa. Spytałam go, co on o tej sprawie myśli. Mnie nadal bulwersował ów pośpiech, z jakim Muldowneya osądzono.

– Nie było wątpliwości co do jego czynu.

– Czynu... być może, ale co do winy te wątpliwości istniały, i to duże. Na ile był winien i kto z nim tę winę powinien dzielić? W tej sprawie należało osądzić sprawiedliwie zabójcę i jego ofiarę.

– Niech pani nie przesadza – odrzekł zdecydowanie. – Nawet jeśli tak się zakochał w Krystynie, że nie mógł bez niej żyć, to dlaczego ze sobą nie skończył?

– To pytanie stare jak świat i nikt nie potrafi na nie odpowiedzieć. Nawet wielka literatura, powiedzmy, Szekspir...

Pan L. uśmiechnął się.

– Muldowney w roli Otella...

– Niezupełnie, bo Desdemona była niewinna...

– Tak bym się z tym nie wyrywał, kto wie, jak było naprawdę z tą chustką, może autor tylko mydli nam oczy...

Chwilę mierzyliśmy się wzrokiem, za tym żartobliwym tonem pana L. wyczuwałam napięcie.

– A czy pan też jest przekonany, że romans z Krystyną on sobie wymyślił?

– Stuprocentowej pewności nie mam...

Ale... czy należało mówić o czyjejkolwiek winie? Może należałoby uznać, że w tej tragicznej historii, która doprowadziła do śmierci dwojga ludzi, nikt nie ponosi winy. Że była to tragedia dwojga kochanków, którzy inaczej pojmowali miłość.

Kiedy wieczorem zadzwonił Arek, zrelacjonowałam mu rozmowę z panem L.

– Więc wiesz już wszystko...

Zawahałam się.

– Właśnie się nad tym zastanawiam... ciągle mi czegoś brakuje... jakby motywu przewodniego... co było dla niej tym traumatycznym przeżyciem... utrata Trzepnicy... śmierć matki, może ci młodzi ludzie, którzy zamarzli w górach, bo nie udzieliła im pomocy...

– Niejedną śmierć widziała w tej wojnie.

– To był dopiero początek wojny... a życie tych dwojga od niej zależało. Gdyby jednak postawiła na swoim, przekonała kolegę...

– To on ją przekonał. Istnieją wyższe racje niż jednostkowe ludzkie życie...

Długo jeszcze o tym myślałam. A jeżeli jej nie zrozumiałam, jeżeli nie dowiedziałam się o niej czegoś najistotniejszego. To taka odpowiedzialność wydawać o kimś opinię, nawet wtedy gdy się pisze w trzeciej osobie.

Już w Warszawie, zupełnie przypadkowo, u znajomych, spotkałam krewnego Teresy Łubieńskiej, która była koleżanką Krystyny z czasów podziemia i jako jedyna reprezentowała Muszkieterów na jej pogrzebie. Zaczęliśmy rozmawiać. I w pewnej chwili powiedział:

– Znam historię Krystyny Skarbek z dwóch stron, bo mój ojciec brał z nią kiedyś udział w brawurowym odbiciu kilku kolegów z łap gestapo.

Nadstawiłam uszu.

– A... czy mogłabym z pana ojcem o tym porozmawiać?

– Niestety już nie żyje, ale ja dobrze znam tę historię, słyszałem ją wiele razy.

To było podczas jej drugiego przejścia z Węgier do Polski. Doszło do wpadki kilku ludzi z jednego z terenowych oddziałów Muszkieterów i nawet główny dowódca Witkowski nic nie mógł poradzić, miał dobre stosunki z gestapo jedynie w Warszawie. Pośród aresztowanych znajdował się ktoś szczególnie zasłużony dla organizacji, więc gorączkowo zastanawiano się, jak go stamtąd wyciągnąć. Odbić siłą... to było ryzykowne i nie wróżyło powodzenia. Trzymano go w podziemiach kwatery gestapo i pilnie strzeżono. I na to odezwała się Krystyna, która przysłuchiwała się dotąd w milczeniu tym dyskusjom.

— Trzeba użyć podstępu – powiedziała. – Niech szef zdobędzie odpowiednie blankiety z Szucha, podpisy i pieczęcie się podrobi...

— I co nam to da? – spytał ktoś po długiej chwili kompletnej ciszy.

— Pokwituje się jego odbiór na przesłuchanie do Kwatery Głównej. Zdobędzie się niemieckie mundury.

Odezwały się protesty, że to nierealne, szalone, kto zresztą miałby się tego podjąć?

— Ja – ucięła krótko.

— Ty? – Witkowski był równie zdumiony jak inni. – Przecież nie znasz niemieckiego...

— Więc potrzebuję kogoś, kto mówi po niemiecku bez akcentu.

Tym kimś okazał się ojciec mojego rozmówcy. Plan akcji został omówiony w najdrobniejszych szczegółach. Witkowski zdobył blankiety, znalazły się mundury, nawet karetka więzienna.

— A jak cię ktoś zagadnie? – spytał szef.

— Odpowie mój wyraz twarzy – odrzekła ze śmiechem.

Witkowski ciągle był sceptyczny co do powodzenia przedsięwzięcia.

— O ile nie wysiądą ci przedtem nerwy.

— O moje nerwy się nie kłopocz – odpaliła Krystyna. – Urodziłam się z felerem. Ja ich nie mam!

I kto wie, czy nie mówiła prawdy. Rzecz się udała tylko dzięki jej opanowaniu i odwadze. Tak jak zapowiedziała swojemu dowódcy, podczas całej akcji z jej ust nie padło ani jedno słowo. Wkroczyła do siedziby gestapo w mundurze oficera SS, w ręce trzymała szpicrutę. Okazując dokumenty kolejnym urzędnikom, uderzała nią rytmicznie o cholewę buta. Gdy otworzyły się drzwi do gabinetu komendanta, tylko ona została wpuszczona do środka. Jej towarzysz czekał na korytarzu, strugi potu spływały mu po plecach, włosy miał wilgotne. Bojąc się, aby nie zwróciło to czyjejś uwagi, włożył na głowę gestapowską czapkę. Co chwila wyciągał z kieszeni chustkę i ocierał nią twarz. Po pięciu minutach w drzwiach pojawiła się Krystyna, zalotna, uśmiechnięta. Pomachała struchlałemu koledze przed nosem jakimś świstkiem. Było to polecenie wydania więźnia.

A więc tak... w każdej plotce jest trochę prawdy. Ona weszła do tego piekła, oczywiście nie naga, miała na sobie mundur... To była dla mnie chwila odprężenia, oto kolejna zagadka została wyjaśniona. Tylko że to się działo w Polsce, mój rozmówca dokładnie nie pamiętał gdzie, w Kielcach czy w Radomiu, ale z pewnością w tych okolicach... A co się w takim razie wydarzyło we Francji, poza wyciągnięciem Rogera i innych z rąk gestapo? Być może wtedy chciała urządzić akcję w wielkim stylu, taki wojenny teatr. Dlaczego nie... Było w tym coś aktorskiego, jej nagość, symbolicznie wzniesione ręce w geście pokoju, a w dłoniach granaty. Odbezpieczone.

Nigdy nie dowiem się o niej wszystkiego. Jakie zabrała ze sobą tajemnice i jakie były jej inne, nieznane zasługi w tej wojnie. O tym wiedziała tylko ona i jej przełożeni. Croix de Guerre avec Étoile d'Argent nie otrzymuje się bez powodu...

Mimo to zasiadłam do pisania. Ostatnią kropkę postawiłam w maju 1989 roku. Moi dwaj przyjaciele, Włodzimierz Ledóchowski i Andrzej Kowerski, już niestety nie żyli. Pan Włodek odszedł pierwszy, w październiku 1987, jeszcze kilka dni wcześniej rozmawialiśmy przez telefon. Żartował sobie ze mnie, że mu coraz bardziej przypominam mnicha-skrybę przepisującego gęsim piórem opasłe tomy.

– A ja myślałem, że się wybierzemy na spacer.

– Wybierzemy się w przyszłym tygodniu, na pewno!

– A liście do tego czasu nie opadną?

– Ależ skąd, panie Włodku, przecież jesień się dopiero zaczęła...

Zatelefonowałam do niego nawet wcześniej, w dwa dni po naszej rozmowie. Chciałam go zapytać, jak się nazywał jubiler w Budapeszcie, u którego pan L. kupił pamiątkowy naszyjnik dla Krystyny. To było przed ich wspólną wyprawą do Polski i zakochany po uszy pan L. chciał jej sprawić jakiś upominek. Naszyjnik był piekielnie drogi i pochłonął niemal całe prywatne fundusze ofiarodawcy, ale kto w takiej chwili myśli o pieniądzach. Krystyna zrugała go oczywiście, po co się wykosztowywał i tak dalej.

– Ale czy ci się podoba?

– Tak, bardzo.

— I o to chodziło.

Ona cmoknęła go w policzek i schowała prezent do plecaka. A potem, kiedy żandarmi przyłapali ich na dworcu już po polskiej stronie i z rękami podniesionymi do góry prowadzili wzdłuż torów na posterunek policji, wydarzyła się ta wpadka z kopertą ze zdjęciami. Niemiec kazał wyrzucić Krystynie wszystko z plecaka. Od razu zauważył prezent od pana L. i chciał go sobie przywłaszczyć, a wtedy ona skoczyła jak kocica i podrapała mu policzki do krwi, odbierając swoją własność.

— To pamiątka, Szwabie! Wara ci od niej!

Nie chciałam wierzyć, że coś podobnego mogło się wydarzyć, że żandarm po czymś takim jej po prostu nie zastrzelił.

— Nie zastrzelił jej chyba dlatego, że był tak samo zaskoczony jak teraz pani — powiedział pan L. — Potulnie oddał jej naszyjnik...

— To ona ich naprawdę nieźle urządziła — roześmiałam się. — Najpierw jednego podrapała, potem obu przewróciła na tory, by w końcu zwiać. I w dodatku panu umożliwiła ucieczkę...

— Uratowała mi życie. Przecież gestapo nie wypuściłoby nas żywych.

— A co z tym naszyjnikiem, nosiła go?

— Nie, nie nosiła, a kiedy ją spytałem, dlaczego, odpowiedziała wymijająco, że stale ma mój prezent przy sobie, a na dowód odpięła kieszonkę bluzy i mi go pokazała.

— Nie lubiła nosić biżuterii.

— Trafiłem jak kulą w płot, ale wydawało mi się, że skoro jest tak kobieca...

– Lubi błyskotki...

– Właśnie.

– Ale to na tym polegało, że wszystkich zaskakiwała.

A teraz starając się opisać historię z naszyjnikiem, potrzebowałam kilku dodatkowych informacji. Przede wszystkim, jak wyglądał, z czego był zrobiony... pewnie były w nim jakieś kamienie... Jakie, jakiego koloru? Telefon jednak milczał, pomyślałam więc, że być może pan L. poszedł na spacer. Ale wieczorem też nikt nie podnosił słuchawki, także następnego dnia. Byłam coraz bardziej zaniepokojona. Mógł się rozchorować i nie podchodzić do telefonu, ale przecież miał gosposię. Po kilku dniach postanowiłam wybrać się do Podkowy Leśnej. Szłam od stacji uliczką zasypaną kolorowymi jesiennymi liśćmi. Pomyślałam, że na pewno wszystko już jest w porządku, że zwyczajnie zepsuł się telefon i dlatego jest głuchy. Dzień był wyjątkowo ciepły, z blado przeświecającym pomiędzy drzewami słońcem i mgiełką w powietrzu, zbyt ładny na złe wiadomości. I wtedy spotkałam gosposię pana L. Szła z opuszczoną głową, nie poznała mnie. To ja ją zagadnęłam.

– Wraca pani od pana Ledóchowskiego?

– Pan Ledóchowski nie żyje – odpowiedziała. – Dzisiaj rano przyjechał syn z Londynu...

Wzmiankę o śmierci Kowerskiego przysłał mi Arek. Był to wycinek z „The Daily Telegraph". Niby pisali o nim, a właściwie stale się powtarzało, że towarzyszył słynnej agentce Krystynie Skarbek-Granville, nawet teraz usunęła go w cień... Podobało mi się szczególnie jedno zdanie o Andrzeju jako jednonogim spadochroniarzu: *Was trained as a parachutist during a distinguished 1939–1945 War career with Britain's Special Operations Executive, despite having only one leg.* I napisali jeszcze: *never married.* Święta prawda...

Wieczorem, jak zwykle, zadzwonił Arek.

– Doszło to o Kowerskim? – spytał ostrożnie.

– Doszło – odrzekłam.

– Pewnie ci przykro.

– Raczej dziwnie, bo okazuje się, że piszę książkę o ludziach, których już nie ma...

– I chwała ci za to.

– Daj spokój – odpowiedziałam ostro. – Przeczytałeś to, co ci posłałam?

– Tak, i mam jedną uwagę, o dziennikach Krystyny... dlaczego zmieniasz w nich pisownię na współczesną, a u swojego pana L. ją zachowujesz?

– Bo są tłumaczone z francuskiego, przecież pisała po francusku!

– Racja!

Trzeba było kończyć rozmowę.

– Masz coś jeszcze do mnie? – spytałam.

– Chyba nie.

– A ja coś mam. Dzisiaj otrzymałam rozwód. Czy to dla ciebie dobra wiadomość?

W telefonie odezwały się trzaski, przestraszyłam się, że w takim momencie połączenie zostanie przerwane.

– Halo! – zawołałam.

– Jestem – odrzekł. – Ta wiadomość jest dobra dla nas obojga.

Książkę o Krystynie złożyłam u podziemnego wydawcy, ale ukazała się już w normalnym obiegu, bowiem 4 czerwca 1989 roku cała Polska poszła do wyborów i stary ustrój legł w gruzach. Po prostu się skończył, mimo że Ziemia nadal spokojnie krążyła wokół Słońca. Mogłam wrócić do pracy, nawet awansowałam, zostałam redaktorem naczelnym nowo utworzonego tygodnika społeczno-kulturalnego. A moje sprawy osobiste... myślę, że są na najlepszej drodze. Na razie jednak wszystko jest po staremu, ja w Polsce, Arek w Anglii. Do tej pory to ja do niego jeździłam. Ale może. teraz się przełamie i zacznie odwiedzać Polskę.

Podczas ostatniej wizyty w Londynie postanowiłam jeszcze raz odwiedzić cmentarz St. Mary's. Tym razem wzięłam taksówkę, która czekała na mnie przy bramie. Trafiłam już bez problemów. Znałam zresztą numer kwatery, wtedy za pierwszym razem to był błąd maszynowy, po prostu końcowa cyfra za bardzo oddaliła się od reszty i nie brałam jej pod uwagę. Odczytałam numer 106 zamiast 1062... A może los chciał, abym zbyt wcześnie nie stanęła nad płytą, pod którą ona leżała, i dlatego wtedy pominęłam tę końcową dwójkę. Teraz pochyliłam się, chcąc położyć kwiaty, i wzrok mój spoczął na świeżo wyrytym napisie, niejako w „nogach" nagrobka, dlatego w pierwszej chwili go nie zauważyłam.

Andrzej Kowerski-Kennedy
Virtuti Military
Poland Munich
18.5.1912 – 8.12.1988

Pomyślałam sobie, że Andrzej udziela mi wreszcie odpowiedzi na moje pytanie, kim naprawdę była dla niego Krystyna...

Od autorki

Książka „chodziła" za mną od wielu lat, być może już od dnia, kiedy o Krystynie Skarbek opowiedział mi mój ojciec. Znał dobrze ojca Krystyny, hrabiego Jerzego Skarbka, zbliżyła ich do siebie, pomimo znacznej różnicy wieku, miłość do koni.

Stanęłam przed problemem: w jakiej formie napisać powieść. Czy ma to być historia oparta na prawdziwych faktach, z fikcyjnym nazwiskiem głównej bohaterki, czy raczej pozostawić Krystynie jej prawdziwą tożsamość. Po długich wahaniach wybrałam formę fabularyzowanej biografii. Poza osobą narratorki i jej przyjaciela, wszystkie inne postaci istniały naprawdę, niektórym jednak zmieniłam nazwiska. Dialog z Andrzejem Kowerskim powstał w mojej wyobraźni, podobnie jak dzienniki Krystyny. Wiąże się z nimi zabawne zdarzenie. Zaprzyjaźniony historyk, z którym konsultowałam pewne fakty historyczne, po przeczytaniu maszynopisu powieści poprosił mnie, abym pożyczyła mu na kilka dni dzienniki Krystyny.

– Nie mam ich – odrzekłam.

– Przecież cytujesz ich fragmenty!

– To ja je napisałam.

Długo nie chciał mi uwierzyć. Może dlatego, że chwilami mnie samej się wydawało, iż to Krystyna mi je dyktuje...

W swojej pracy opierałam się głównie na spisanych wspomnieniach Włodzimierza Ledóchowskiego, które otrzymałam dzięki uprzejmości jego syna – Jana, na nie tłumaczonej na język polski książce biograficznej *Christine* pióra Madeleine Masson i, oczywiście, na opowieściach mojego ojca. Przeżyłam moment wzruszenia, kiedy natrafiłam u Masson na wzmiankę o pielgrzymce Krystyny na Jasną Górę i o ryngrafie z Czarną Madonną. Ojciec, jeszcze w czasach mojego dzieciństwa, opowiadał mi o tym i jakoś zapadło mi to w pamięć. Jerzy Skarbek ślubował (był rok 1920), że jeżeli stanie się cud i bolszewicy odstąpią od oblężonej Warszawy, na kolanach pójdzie do Częstochowy. Zabrał w tę pielgrzymkę swoją córkę, której przeor klasztoru podarował ryngraf z Czarną Madonną.

Kiedy udało mi się wreszcie odnaleźć grób Krystyny na cmentarzu St. Mary's w Londynie, pierwszą rzeczą, która rzuciła mi się w oczy, był ów ryngraf z Czarną Madonną, zawieszony na krzyżu. Inne odkrycie to wyryty w nogach pomnika napis: Andrzej Kowerski-Kennedy. A więc kazał się pochować razem z nią. Krzyż Virtuti Militari, który otrzymał za kampanię wrześniową, został uwieczniony z błędną pisownią, co, po namyśle, postanowiłam zachować w powieści.

Pozostaje jeszcze sprawa romansu Krystyny z jej przyszłym mordercą, Dennisem Muldowneyem. Po procesie, który zakończył się karą śmierci dla oskarżonego, adwokat rodziny Krystyny Skarbek złożył oświadczenie, iż romans ten nigdy nie miał miejsca i Muldowney szkaluje pamięć swojej ofiary. Jestem przekonana, iż Dennis Muldowney nie kłamał. Podpowiada mi to moja kobieca intuicja. Podobnie chyba myślał Włodzimierz Ledóchowski, w jego notatkach znalazłam bowiem taki oto fragment: ,,Chętnie przemilczałbym to oświadczenie adwokata. Uważam, że w obliczu śmierci nie wypada odbierać, nawet mordercy, prawa do własnej wersji, nawet gdyby była iluzją".

Maria Nurowska

Panny i wdowy – nowe trzytomowe wydanie

Nowa edycja głośnej sagi Marii Nurowskiej, przeniesionej na początku lat 90. na ekran kinowy i telewizyjny, obejmuje ponad sto lat polskiej historii. Losy sześciu kobiet z ziemiańskiej rodziny splatają się w powieści z losami kraju. Od upadku powstania styczniowego, niewoli i emigracji, przez II Rzeczpospolitą, okupację hitlerowską, komunizm, aż po ,,Solidarność", stan wojenny i lata najnowsze towarzyszymy bohaterkom Nurowskiej, kobietom niezwykłym, które łączy siła charakteru, dramatyczna biografia i miłość do rodzinnej siedziby w Lechicach.

Jej bohaterkami są kobiety nieprzeciętne, namiętne, wielkie miłośnice, którym nie są w stanie dotrzymać kroku ich partnerzy, uwikłani w politykę, w ideę, złamani ciśnieniem historii.

Portal kultury polskiej www.culture.pl

Książki oraz bezpłatny katalog
Wydawnictwa W.A.B.
można zamówić pod adresem:
ul. Łowicka 31, 02-502 Warszawa
tel. (22) 646 01 74, 646 01 75, 646 05 10, 646 05 11
wab@wab.com.pl
www.wab.com.pl

Redakcja: Anna Brzezińska
Korekta: Maria Fuksiewicz, Anna Sidorek
Redakcja techniczna: Urszula Ziętek

Projekt okładki i stron tytułowych: Agnieszka Spyrka
koniec_kropka
Fotografia wykorzystana na I stronie okładki:
© Hulton Archive/Flash Press Media/Getty Images
Fotografia autorki: © Daniel Koziński

Wydawnictwo W.A.B.
ul. Łowicka 31, 02-502 Warszawa
tel. (22) 646 01 74, 646 01 75, 646 05 10, 646 05 11
wab@wab.com.pl
www.wab.com.pl

Skład: Komputerowe Usługi Poligraficzne,
Piaseczno, ul. Żółkiewskiego 7
Druk i oprawa: Drukarnia Wydawnicza
im. W. L. Anczyca S.A. Kraków

ISBN 978-83-7414-614-2